BARBARA G

Die Roma

Das Buch
Liebe und Verlust erfährt Louise Kirk schon als kleines Mädchen.
Als sie neun Jahre alt ist, verschwindet ihre Mutter. Kurz danach
ziehen die Richters mit ihrem Adoptivsohn Abel im Haus gegenüber ein. Wie Louise ist auch Abel ein Außenseiter, aber einer, den
jeder mag. Während Louise zunächst davon träumt, von der sie
umsorgenden Mrs. Richter adoptiert zu werden, gehört ihre
Zuneigung mit der Zeit ganz Abel. Es entsteht eine Liebe, die die
beiden ein Leben lang verbindet. Dass Abel wegzieht, ändert für
Louise nichts daran. Im Gegenteil. Als sie sich nach Jahren zufällig wieder begegnen, lieben sie sich, als wäre keine Zeit vergangen. Dann aber scheint das Band zwischen den beiden ein weiteres Mal zu zerreißen. Doch für Louise gibt es nur diese eine große
Liebe, für die sie kämpft und für die sie ausschließlich lebt.

»Barbara Gowdy erzählt in einer leuchtend klaren Sprache, makellos übersetzt.« Elke Schmitter, *Der Spiegel*

Die Autorin
Barbara Gowdy, geboren 1950 in Windsor im kanadischen
Ontario, studierte Theaterwissenschaften und Musik. Sie arbeitete
als Verlagslektorin und ist seit 1979 freie Autorin für Zeitungen
und das Fernsehen. Sie lebt mit ihrer Familie in Toronto.

Lieferbare Titel
»Seltsam wie die Liebe« (3-453-18964-7)
»Der weiße Knochen« (3-453-17724-X)
»Fallende Engel« (3-453-17410-0)

# BARBARA GOWDY

# Die Romantiker

Roman

Aus dem kanadischen Englisch
von Ulrike Becker

**Diana** Verlag

Die Originalausgabe
»The Romantic«
erschien bei HarperCollins, Toronto 2003


Die deutschen Versionen der Rimbaud-Gedichte sind dem Band
»Arthur Rimbaud, Sämtliche Dichtungen – Französisch und Deutsch«,
übers. von Walther Küchler, Verlag Lambert Schneider, Gerlingen 1955
(7. durchgesehene Auflage 1992) entnommen.

ISBN: 3-453-35016-2
http://www.heyne.de

# 01

**Die Vergangenheit ist erst beständig**, wenn sie tot ist. Wie sollen wir sie bewahren? Solange sie lebt – in der Erinnerung weiterlebt, wie wir immer sagen –, kann sie verderben.

Unmittelbar nach Abels Tod war jede Erinnerung an ihn so frisch, dass sie Teil einer andauernden Geschichte zu sein schien, ähnlich wie der Geruch einer Zigarette oder eines Parfüms, der in einem leeren Zimmer hängen geblieben ist. Ständig rechnete ich damit, seine Stimme zu hören. Wenn das Telefon klingelte, bekam ich Herzklopfen, so als könne er es sein.

Doch schon nach ein paar Tagen verblassten diese Gefühle, und dann kamen die älteren Erinnerungen. Man spricht von einer Flut; in meinem Fall wurden sie in unregelmäßigen Abständen angespült, und stückweise, wie Wrackteile nach einem Flugzeugabsturz. Beim Zähneputzen sah ich plötzlich seine Hände von vor zwanzig Jahren auf den Klaviertasten, die plumpen Jungenhände mit den eingerissenen Nägeln, und für einen Augenblick war mir klar, so klar, wie einem so etwas sein kann, was seine Mutter gemeint hatte, als sie anrief und sagte: »Er ist von uns gegangen.«

An Weihnachten erschien dann im Rückblick alles, was mir über ihn einfiel, wie eine Warnung. Ich erinnerte mich, dass er öde Landschaften einladend fand und wie sehr es ihm immer widerstrebt hatte, sich selbst zu verteidigen. Seine sanfte Stimme, seine Vorlieben, seine kaputten Freunde, die Ausbrüche maßloser Großzügigkeit – all das war mir plötzlich Beweis für seinen Selbstzerstörungstrieb. Er hatte eine Todessehnsucht gehabt, vielleicht schon von Geburt an. Absurderweise konnte er gerade deshalb so optimistisch sein.

Dann folgten Monate voller Erinnerungen, die mit gar nichts zusammenhingen und mir auch nichts sagten, und in dieser Atmosphäre der Vagheit hörte ich auf, ihn mir als Verdammten vorzustellen. Die Erinnerungen selbst waren größtenteils angenehm. Mindestens eine Woche lang durchlebte ich immer wieder den Moment, als er mir mit einer Arztpinzette einen Splitter aus dem Fuß gezogen hatte. Seltsamerweise folgte mir genau in dieser Woche ein schwarzer Labrador überall hin. Er tauchte wie aus dem Nichts auf und lief auf dem Weg zur U-Bahn oder zum Lebensmittelgeschäft neben mir her. Ähnlich wie bei der Splitter-Erinnerung hatte ich das Gefühl, dass Informationen übermittelt wurden, aber durch ein Medium, das zu undurchsichtig war, als dass ich sie hätte begreifen können.

Jetzt, drei Jahre nach seinem Tod, habe ich meine Erinnerungen so oft durchgespielt, dass ich ihnen nicht mehr traue. Ich kann mir kaum vorstellen, dass jedes erneute Aufrufen nicht eine winzige Veränderung bewirkt, ähnlich wie beim Fotokopieren einer Kopie, die dann wiederum kopiert wird und so weiter. Oder aber das, was von Anfang an nur ein zweifelhafter Eindruck, nur eine persönliche Version der Ereignisse war, wird durch die dauernde Handhabung allmählich zu Stein. Ich höre mich über Abel reden, oder über meine Mutter, und kann kaum glauben, wie überzeugt ich klinge. Dann denke ich: »Ist es wirklich so gewesen?«

Bestimmt würde zumindest meine Mutter sagen, dass ich alles falsch darstelle. Vielleicht wäre Abel auch dieser Meinung, aber ihm wäre es egal. Auf sein Leben zurückzublicken ist ihm nie leicht gefallen, und um dieser Qual aus dem Weg zu gehen – und natürlich letztendlich auch deshalb, weil er sich an nichts gebunden fühlte –, akzeptierte er jede Erinnerung, die andere an ihn hatten.

Sogar meine, diese tollpatschigen Wiederbelebungen. Obwohl er wusste, dass ich ihn viel zu heftig liebte, um eine verlässliche Zeugin zu sein.

Die Richters zogen am achten Dezember neunzehnhundertsechzig in unser Viertel. Ich erinnere mich an das genaue Datum, weil es zugleich der Jahrestag meiner Empfängnis war. Solange meine Mutter bei uns wohnte, verging kein achter Dezember, ohne dass sie die Kombination aus dem provinzweiten Stromausfall und einer Flasche französischem Wein erwähnte, die für meine Entstehung verantwortlich war. Schon früh entwickelte ich die Vorstellung, dass bei diesem Ereignis, bei dem es sich darum drehte, dass mein Vater ihr ein Samenkorn gab – aus einem Saatpäckchen herausgeschüttelt und auf ihre Zunge gelegt, so malte ich es mir aus –, die Regierung und Mr. LaPierre, der lüsterne, frankophone Chef meines Vaters, die Finger im Spiel hatten, und im Alter von zehn Jahren, als die Richters bei uns auftauchen, glaube ich immer noch, meine Herkunft sei exotisch und ich hätte deshalb etwas mit diesen neuen, fremdartigen Nachbarn gemeinsam.

In Mrs. Richter verliebe ich mich sofort, in Abel im folgenden Sommer. Ich weiß, wie unwahrscheinlich es klingt, dass ein zehnjähriges Mädchen sich überhaupt verliebt, und dann auch noch in eine Frau mittleren Alters. Aber das Wort Vernarrtheit trifft nicht den Ernst und das Ausmaß meiner Gefühle. Ich folge ihr in den Supermarkt und berühre die Grapefruits, die sie in die Hand genommen hat. Ich betrachte ihr auf der Wäscheleine flatterndes Flanellnachthemd und fühle mich so beschwingt wie von Musik. Unter dem Vorwand, sie in unserer Nachbarschaft willkommen heißen oder fragen zu wollen, ob sie Klavierstunden gibt oder schon vom Flohmarkt in der Kirche gehört hat – jede Ausrede ist mir recht –, schreibe ich Briefe, in denen ich meine Verfügbarkeit und Eignung als Tochter anpreise. »Allzeit hilfsbereit«, schreibe ich auf die Rückseite der Umschläge, so als wäre das mein Motto. Auf die Ränder der Briefe zeichne ich ein Mädchen, das Geschirr spült, den Fußboden schrubbt, Staub wischt. Ich zeichne das Mädchen im Bett, mit geschlossenen Augen unter einer Mondsichel, um zu zeigen, dass ich im Gegensatz zu Abel niemals mitten in der Nacht aus dem Haus gehen würde.

Er geht mindestens zweimal in der Woche nachts nach draußen. Wir kriegen es alle mit, denn dann geistert Mrs. Richter durchs Viertel und ruft ihn mit ihrer vibrierenden Sopranstimme, die unnatürlich laut klingt, so als benutze sie ein Mikrophon.

In den Nächten, in denen sie mich damit aufweckt, sitze ich am

Schlafzimmerfenster und warte darauf, dass sie unter der Straßenlaterne erscheint. Jedes Mal bin ich aufs Neue überrascht, wie unerschütterlich sie wirkt, wie dramatisch, kaum gegen die Kälte geschützt, nur mit einer weißen Wollstola über dem Nachthemd, in Stiefeln, aber ohne Mütze, das schwarze Haar offen bis zur Taille, und wenn sie »Abelard!« ruft, fängt der Hund der Dingwalls an zu jaulen.

Nie schreit jemand aus dem Fenster, dass sie still sein soll. Abel ist adoptiert, und ihr einziges anderes Kind – ein kleines Mädchen, das Mrs. Richter vor Jahren zur Welt gebracht hat – hatte ein Loch im Herzen und ist bald gestorben. Unter den Nachbarn ist man sich stillschweigend einig, dass Abels nächtliche Ausflüge und ihr Suchen mit diesen Ereignissen zusammenhängen, ganz zu schweigen von der dunklen Kriegsvergangenheit, die mutmaßlich das tägliche Leben der Richters beeinträchtigt und der ein Junge in seinem Alter verständlicherweise zu entfliehen versucht.

Trotzdem, was würde ich nicht darum geben, um jemanden meinen Namen mit so viel Nachsicht, so viel Liebe rufen zu hören. Ich schreibe dieser Frau die allerbesten Eigenschaften zu: Freundlichkeit, Weisheit, Tapferkeit. Irgendwie habe ich die Vorstellung entwickelt, dass sie während des Krieges jüdische Kinder unter ihrem Rock versteckt und in Sicherheit gebracht hat. Das stimmt nicht, obwohl sie, wie ich später erfahren werde, einmal einen Rabbiner davor bewahrt hat, beim Reifenwechsel zerquetscht zu werden, als der Wagenheber abknickte. Das war nach dem Krieg, auf einem Highway bei Halifax. Sie hat das gesamte Vorderteil des Wagens hochgehoben. Das ist nicht schwer zu glauben. Sie ist eine muskulöse Frau, groß, einen Kopf größer als Mr. Richter und ungefähr fünfzehn Jahre jünger als er, was bedeutet, dass sie zehn Jahre älter als alle anderen Mütter in unserem Viertel ist. Ihre Kleidung stammt von anderswo, genau wie die von Mr. Richter, aber während er würdevoll wirkt, könnte sie mit ihren Schnürstiefeln, den langen, grellbunten Röcken und dem Haar, das ihr entweder bis zur Taille hängt oder wie ein Seil um ihren Kopf geschlungen ist, eine Flamencotänzerin sein. Sie hat dichte, dunkle Augenbrauen und eine protzige Nase mit Nasenlöchern, die wie Schlüssellöcher geformt sind.

Eindeutig keine Schönheitskönigin. Aber bei Müttern finde ich Schönheit auch überhaupt nicht anziehend.

Meine Mutter, die Ex-Schönheitskönigin, verließ uns ungefähr ein Jahr vor der Ankunft der Richters. Stellen Sie sich Grace Kelly vor, dann wissen Sie, wie sie war, zumindest äußerlich. Und dem Namen nach auch. Auf ihrer Geburtsurkunde steht Helen Grace, aber sie wurde immer nur Grace genannt.

Warum sie weggegangen ist und ob sie wiederkommen wird, darüber sind mein Vater und ich uns nicht einig. Er sagt: »*Dich* hat sie immer geschätzt und geliebt«, mit der entsprechenden Betonung, so als stünde es in meiner Macht, sie zurückzulocken. Mag sein, dass sie mich geschätzt und geliebt hat; erwähnt hat sie es nie. Sie *mochte* mich, da bin ich mir ziemlich sicher. Wenn sie die Wohnung putzte, dann wollte sie mich dabeihaben, nicht um zu helfen (ihre Ansprüche waren so hoch, dass nur sie selber sie erfüllen konnte), sondern um ihr Gesellschaft zu leisten. »Louise weiß, wann sie den Mund halten muss«, habe ich sie einmal zu meinem Vater sagen hören. Und ein andermal: »Louise kann einen zum Lachen bringen.«

Sie hatte ein kreischendes Lachen, an das ich mich nicht gewöhnen konnte, um das ich aber dennoch warb. Um sie zu unterhalten, lernte ich mehrere hundert Witze auswendig, die einem Buch mit dem Titel »Tausendundeinmal totgelacht« entstammten, das ich im Arbeitszimmer meines Vaters entdeckt hatte. Anstatt die Witze einfach so zu erzählen, wob ich sie in das Gespräch ein und umging damit das Risiko, zu sagen, was ich wirklich dachte. Wenn sie sich mal wieder fragte, warum unser Nachbar Mr. Dingwall wohl Mrs. Dingwall geheiratet hatte, dann sagte ich: »Für Mr. Dingwall währt die Ehe nicht lebenslang, sondern lebenslänglich.« Oder: »Schönheit liegt im Auge des Betrunkenen.« Nicht, dass wir viel miteinander sprachen. Wie sie richtig erkannt hatte, wusste ich, wann ich besser den Mund hielt. In meiner Anwesenheit neigte sie dazu, über die Welt im Allgemeinen herzuziehen, und aus irgendeinem

Grund steigerten sich ihre pessimistischen, aber leidenschaftslosen Betrachtungen zu Tobsuchtsanfällen, wenn sie dabei zufällig gerade den Küchenfußboden wischte. Dann drehte sie den Scheuerlappen beim Auswringen um, als sei er jemandes Hals, klatschte ihn auf den Fußboden und schrubbte wie eine Wilde drauflos. Was brachte sie derartig zum Kochen? Alles Mögliche: Frauen, die ihre Kleider selber nähten, Wasserstoffblondinen, Schlampen, die königliche Familie. Babys.

Babys machten sie wahnsinnig. Das heißt, nicht die Babys an sich, sondern die Sehnsucht der Frauen nach Babys. Sie meinte, jede Kuh könne schwanger werden und die Überbevölkerung sei nur Leuten wie der »verbitterten Heulsuse« zu verdanken (Mrs. Dingwall, die nach den Geburten ihrer beiden Zwillingspaare eine Fehlgeburt erlitt und noch Jahre später in Tränen ausbrach, wenn sie davon erzählte). Sie zog an ihrer Zigarette und warf mir einen Blick zu. Ich saß auf der Anrichte in der Küche. Ihre blassblauen Augen, die alle bewunderten, erschienen mir bedenklich ausgelaugt und dadurch unfähig, bestimmte, für mein Wohlergehen unerlässliche Dinge wahrzunehmen.

»Kennst du den von der dummen Mutter?«, fragte ich sie (nur ein Beispiel; ich hatte ein Dutzend Babywitze auf Lager).

Sie schwieg abwartend. Auf dem Höhepunkt einer Tirade, wenn ihre Empörung so groß war, dass ihr fast die Spucke wegblieb, ließ sie sich am bereitwilligsten ablenken.

»Diese Mutter war so dumm«, fuhr ich fort, »dass sie mit dem Stillen aufhören musste, weil ihr das Auskochen der Brustwarzen zu weh tat.«

Dann johlte meine Mutter los und warf triumphierende Blicke um sich, so als hätte ich nicht nur sie, sondern einen ganzen Haufen von Zynikern zum Schweigen gebracht.

In der Zeit meines Schmachtens nach Mrs. Richter beschäftigen mich zwei miteinander zusammenhängende Tatsachen: dass ihre kleine Tochter gestorben und die Tochterrolle folglich unbesetzt ist, und dass sie sich Abel *ausgesucht* hat, und zwar nicht als unbedarftes Neugeborenes, sondern, wie mein Vater sagt, als voll entwickelten Dreijährigen. »Der da«, muss sie gesagt haben. »Der Große mit den braunen Locken. Der ist perfekt.«

Perfekt für einen Jungen, ja. Ein Mädchen, so hoffe ich, wünscht sie sich eher klein und zart, körperlich ganz das Gegenteil von Abel. Ansonsten stelle ich mir vor, dass das Mädchen so ähnlich sein sollte wie Abel, und auch in dieser Hinsicht bin ich ideal, denn Abel und ich haben viel gemeinsam. Wir sammeln beide Steine, sind beide Einzelkinder und haben keine Freunde. Ich wünschte, Mrs. Richter würde eines Tages in der Pause an der Schule vorbeigehen und sehen, dass Abel nicht der Einzige ist, der an den Rand des Schulhofs wandert und wie ein Sträfling am Maschendrahtzaun rüttelt.

Ich bin in der fünften Klasse, er ist in der vierten, daher sehe ich ihn außerhalb der Stunden, in der Pause, beim Ankommen und beim Verlassen der Schule. Manchmal sehe ich ihn auch in der Schlucht, wo ich außer nach Steinen auch nach den Indianerwerkzeugen suche, die dort, laut einem Ferienlagerbetreuer namens Big Bear, von Menschen mit Adlerblick und reinem Herzen gefunden werden können. (In den Sommermonaten gibt es am südlichen Ende der Schlucht, am Flussufer gegenüber des Klärwerks, ein Tagescamp für Kinder, Camp Wanawingo, und in dem Jahr, in dem meine Mutter verschwindet, verbringe ich dort zwei verregnete Wochen und tue so, als sei ich eine Indianerin, das heißt, ich sammle Zweige für das knisternde Lagerfeuer und jäte einen überwiegend vertrockneten Gemüsegarten, den die Kinder aus der ersten Gruppe angelegt haben.)

Abel hebt Steine blitzschnell auf, im Vorübergehen. An den steilen, bewaldeten Abhängen, die ich nur hochklettern kann, indem ich mich an Wurzeln und Zweigen festhalte, rennt er auf und ab wie ein Indianer, oder vielmehr so, wie ich seit den Gesprächen mit Big Bear glaube, dass Indianer rennen: verstohlen, sich ständig nach rechts und links umschauend. Ich winke ihm zu, und manchmal rufe ich »Hi!« In der Schlucht traue ich mich, mit ihm Kontakt aufzunehmen. Er starrt mich mit der gleichen wachen Gleichgültigkeit an, mit der er auch ein Eichhörnchen bedenkt. Während er für mich nichts weiter ist als ein potentieller Mittelsmann, bedeute ich ihm noch weniger. Ich bin das menschliche Wesen da drüben. Dünn, weiblich, nicht bedrohlich.

Aber eines Tages, an einem Sonntagnachmittag im Mai, kommt er bis auf wenige Meter an die Stelle am Flussufer heran, wo ich nach Werkzeugen buddele.

»Hi«, murmelt er. Sein Blick ist auf einen Steinhaufen neben mir gerichtet.

»Hi«, antworte ich und stehe auf. »Du bist Abel Richter, nicht?«

Er nickt.

»Ich bin Louise Kirk. Ich wohne in deiner Straße.«

Erneutes Nicken. Ihn interessieren nur die Steine. Er fängt an, einen nach dem anderen umzudrehen und sie dann an genau dieselbe Stelle zurückzulegen.

»Was suchst du denn?«

Er dreht weiter Steine um, dann findet er etwas, das er so vorsichtig aufhebt, dass ich denke, es muss ein Indianerwerkzeug sein.

Aber es ist nur eine Kröte. Er hält sie mir hin. Ich weiche zurück.

»Die tut nichts«, sagt er. Er hat eine sanfte, seltsam raue Stimme. Die Stimme eines Waisenkindes, nehme ich an und stelle mir vage die Schläge und die klammen Wohnräume vor, die zu dieser Stimme geführt haben müssen. »Ich möchte dir etwas zeigen«, sagt er.

Die Augen der Kröte sind geschlossen. Sie sitzt ganz still in seiner Hand, nur ihr Hals pulsiert. »Und was?«, frage ich schließlich.

»Abwarten.«

Ich mag die Kröte nicht länger angucken, also schaue ich auf Abels Unterarm, auf dem er einen leichten Sonnenbrand hat. Ich stelle mir vor, wie Mrs. Richter im Waisenhaus seine Arme inspiziert, und trotz der Qualen, die er mir auferlegt, spüre ich einen Anflug von Zärtlichkeit, so als fühlte ich an ihrer Stelle.

»Na los, komm schon«, sagt er und schüttelt die Kröte ganz leicht. Ihre Augen gehen auf. Sie glänzen wie Goldstücke.

Ich bin brutal überrascht. Dass etwas so Prachtvolles sich in etwas so Abscheulichem verbirgt, verletzt mein Gerechtigkeitsempfinden und bringt zugleich meine ohnehin nur ungefähre Vorstellung von Ursache und Wirkung durcheinander.

»Ganz schön imposant«, sagt er, »findest du nicht auch?«

*Imposant.* Ein Erwachsenenwort. Mir fällt ein, was auf dem Spiel steht (eine mögliche Begegnung mit seiner Mutter), also reiße ich mich zusammen und sage: »Allerdings.«

Er setzt die Kröte zurück in ihr Versteck und legt den Stein wieder an seinen Platz. »Wie eine Marskröte«, sagt er und steht auf.

Wir schauen uns an.

In seinen Augen, ebenfalls golden, aber dunkler, wie Ahornsirup, liegt nichts, was mir wie Schläue oder Weltklugheit vorkommt, und dennoch habe ich das Gefühl, von einer mir überlegenen Intelligenz beurteilt zu werden. Einer Marsintelligenz. Ich betrachte die Sommersprossen auf seiner Nase, das Grübchen in seinem Kinn, sein wunderschönes Haar. Ich habe eine Puppe mit solchem Haar ... dieser Wust von braunen Locken. Seine Lippen sind dick und rissig. Als er anfängt, auf der Unterlippe zu kauen, fällt mir auf, dass ich ihn anstarre, und ich verschiebe meinen Blick zu dem Flicken auf dem Knie seiner Jeans. »Den hat *sie* aufgenäht«, denke ich traurig. Ich denke daran, wie Mrs. Richter schuftet: seine Jeans flickt, alles selber kocht (jedenfalls in meiner Fantasie), die Wäsche auf die Leine hängt, anstatt sie in einen Trockner zu stecken, den Teppich über das Verandageländer wirft und ihn mit einem Besen ausklopft, ihn dann noch einmal ausklopft, nachdem der Hund ihn an den Fransen in die Auffahrt gezerrt hat.

Beim Gedanken an den Hund sage ich: »Ihr habt einen Dalmatiner, nicht?« Mein Plan ist, anschließend zu sagen, wie gern ich Dalmatiner mag, und darum zu bitten, seinen sehen zu dürfen.

»Eine Mischung aus Dalmatiner und Jagdhund«, sagt er.

»Ach so.« Das bringt mich aus dem Konzept. »Also, ich mag Dalmatiner unheimlich gern.«

»Unserer ist mehr Jagdhund als Dalmatiner.«

»Und wie heißt er?«

»Kan. Kurzform von Kanid.«

»Den Namen habe ich noch nie gehört.«

»Hunde sind Kaniden. So wie Menschen Hominiden sind.«

»So wie Vögel ein Schwarm sind?«

Er blickt hoch zu einer Krähe, die knapp über unsere Köpfe hinweg fliegt. »Vögel gehören zu den Aves.«

»Wir hatten mal einen Wellensittich.«

Das stimmt, wir hatten mal einen, aber ich hatte ihn fast schon vergessen. Er hatte einen limonengrünen Körper und einen zitronengelben Kopf. Wenn meine Mutter ihn in die Hand nahm, um ihm die Klauen zu schneiden, öffnete und schloss er lautlos den Schnabel.

»Wir haben ihn Vogel genannt«, sage ich, als wäre das ebenso clever wie Kanid. Dabei konnte sich meine Mutter nur nicht für einen Namen entscheiden.

»Tja«, sagt Abel, immer noch in die Luft schauend, »ich muss jetzt gehen.«

»Er ist auf geheimnisvolle Weise gestorben«, sage ich.

Aber er entfernt sich bereits.

Der Vogel starb schon nach zwei Wochen. Nachdem er sich alle Federn ausgerupft hatte. Ein paar davon habe ich jahrelang in einem pinkfarbenen Plastiktäschchen aufbewahrt.

## 02

**Abel starb** an meinem sechsundzwanzigsten Geburtstag. Hat sich zu Tode getrunken, sagen alle, und manchmal auch ich, weil es einfacher ist. Die Leute wissen, was man ihnen damit sagen will: Er hat sich umgebracht, aber er hat es langsam und indirekt getan, vielleicht sogar unabsichtlich. Sie verstehen, dass vermutlich viel mehr dahinter steckt, als man erzählen will.

Vom ersten Zusammenbruch bis zum Ende dauerte es gut ein Jahr, und in dieser Zeit sah ich ihn fast jeden Morgen. Ich schaute auf dem Weg zur Arbeit bei ihm vorbei. Meistens lag er noch im Bett, stand dann aber auf, und ich zündete ihm eine Zigarette an, während er auf wackligen Beinen in seinem blau-weiß gestreiften Schlafanzug, in dem er wie ein Kriegsgefangener aussah, dastand. Aber der Schlafanzug war sauber, es fehlte kein Knopf, und einen Riss an der Schulter hatte er selbst fein säuberlich geflickt, mit der Hand, die beim Greifen nach der Zigarette so stark zitterte, dass ich sie ihm zum Mund führen musste.

Ich konnte es nicht mitansehen, wenn er rauchte. Ich streifte durch die Wohnung, und der Anblick der geleerten Aschenbecher und der Staubsaugerspuren auf dem Teppich versetzte mir einen Stich mitten ins Herz. Er war immer penibel gewesen, aber das hier war etwas anderes, ein Zeichen, dass er uns – seinen Eltern und mir – nicht noch mehr Sorgen als ohnehin schon machen wollte.

Er war so zerbrechlich, so dünn. Nicht hager, nur knochig, das Gesicht plötzlich konturierter, wie eine Vorschau auf den attraktiven älteren Mann, der er nie werden würde.

Warum konnte ich ihn nicht retten? Und wenn schon nicht ich, warum dann nicht Bach oder die Astronomie, warum nicht die Bäume? »Ich bin nicht wichtig«, sagte er immer, und es nützte nichts, wenn ich sagte: »Doch, das bist du«, oder: »Na schön, aber *ich* bin wichtig, was ist mit mir?« Dann schaute er mich an, als hätte ich darum gebettelt, dass er nicht mit einer anderen Frau durchbrennt. Er liebte mich, er bemitleidete mich, das sah ich genau, aber es lag ein Schleier der Abwesenheit über ihm, eine Art Heimweh nach einer Zukunft, in der er bereits lebte.

# 03

**Ein heißer, windiger Abend** im Juni neunzehnhundertachtundsechzig. Ich bin auf dem Weg zu einer Party, auf der ich schwanger werden sollte.

Nicht, dass ich das weiß oder gar vorhabe.

Mein Date heißt Tim Todd, Sohn von Big Ben Todd, der beim jährlichen Scharadeturnier meiner Eltern immer den ganzen Whisky ausgetrunken und anschließend die anderen Ehemänner aufgefordert hat, ihm in den Magen zu boxen. Weil er ihr Chef war, einer der Kanzleiteilhaber, blieb ihnen nichts anderes übrig, als einer nach dem anderen zuzuschlagen. Natürlich zügelten sie die Wucht ihrer Schläge, aber das stachelte Big Bens Streitlust nur noch mehr an. »Kommt schon!«, bellte er. »Etwas mehr Saft, wenn ich bitten darf!«

Tim ist feinknochig und vorsichtig, ähnelt eher seiner Mutter. Er ist so alt wie ich, siebzehn, beinahe achtzehn, aber mit seinem ausgezehrten Gesicht und den tiefliegenden Augen würde er auch für fünfundzwanzig durchgehen. Im Auto sitzt er zusammengesunken und grübelnd hinter dem Steuer. Immer wenn ich mich von ihm abwende, so wie jetzt (ich habe mich aus dem Fenster gelehnt und tue so, als säße ich in einem Cabrio), glaubt er, ich bin in Gedanken bei Abel. Meistens hat er recht. Seine mürrischen Stimmungen zu ignorieren fällt mir leicht. Was ich fürchte, sind die Entschuldigungen: Lange, gequälte Reden mit verschwommenen Bezügen zu den Schriften von Ayn Rand oder General Ulysses S. Grant, über die Gründe, warum er akzeptieren kann, dass ich an einem Jungen hänge, von dem ich seit Jahren nichts gehört habe. Das macht mich verrückt.

In Wahrheit macht mich nur wenig an ihm *nicht* verrückt. Ich habe mir angewöhnt, gegen seinen Arm zu boxen, ein Angriff, den er ohne mit der Wimper zu zucken erträgt, ganz wie sein Vater. Als wir bei der Party ankommen und er an der Haustür klingelt, hole ich zu einem Hieb aus, während er sich zu mir dreht, und irgendwie erwische ich ihn am Kinn.

»Oh, tut mir Leid«, sage ich. »Alles in Ordnung?«

»Wofür war der denn?«

»Die Tür ist offen. Wir sollen einfach reingehen.«

Armer Tim Todd mit dem Kinderreim-Namen und der schlecht gelaunten Begleiterin. Er fragt sich, was wir hier machen, wo wir doch gemütlich neben seinen beleuchteten Aquarien sitzen und Backgammon spielen könnten. Er ist geradezu gesellschaftsfeindlich, aber eigentlich bin ich das auch oder war es jedenfalls bis gestern, ehe ich im Bus neben einem unglaublich hübschen Mädchen saß, die jeden um sie herum, auch den Busfahrer, zu einer Party in ihrem Haus in einer der wohlhabendsten Gegenden der Stadt einlud. »Bring ein paar coole Jungs mit«, sagte sie, an mich gewandt.

Womit sie, wie ich wusste, langhaarige Jungen meinte. Mit anderen Worten nicht Tim Todd, aber da ich fürchtete, sonst niemanden zu haben, mit dem ich mich unterhalten konnte, nahm ich ihn trotzdem mit.

Jetzt wünschte ich, ich hätte es bleiben lassen. »Mafiageld«, sagt er, als wir den weißen Marmorfußboden betreten. Er reibt sich immer noch das Kinn. Als wir ins überfüllte Wohnzimmer gehen und ich sage: »Wo Gena wohl ist«, schnaubt er verächtlich und sagt: »Jedenfalls nicht an der Tür, um ihre Gäste zu begrüßen.«

Die Musik, Grace Slick mit »White Rabbit«, wird von woanders hereingetragen, aus einem anderen Zimmer oder von draußen. »Ah«, sage ich, »das Lied finde ich toll.«

»Seit wann?«, sagt Todd.

»Seit gerade eben.« Ich bewege mich im Takt.

»Der reinste Backofen hier«, murmelt er. Dann hebt er das Kinn und schnüffelt. »Ist das Marihuana?«

»Ich rieche nichts.«

»Ich glaube, ja«, sagt er verkniffen. »Ich glaube, es ist Marihuana.«

»Na und?«

Er schaut mich überrascht an.

»Willst du dir nicht was zu trinken holen?«, sage ich.

»Ich habe keinen Durst.«

»Na, dann schau dich ein bisschen um.« Ich zwänge mich durch die Gruppe von Leuten vor uns. »Mach dich doch auf die Suche nach dem Aquarium.«

»Die haben hier ein *Aquarium*?«

»Reiche Leute haben immer ein Aquarium.« Ich winke ihm zu. »Bis später.«

Ich steuere auf die Marihuanaraucher zu, die im Kreis beisammenstehen und eine Tüte von der Größe einer Klarinette herumgehen lassen. Einer der Raucher (von hinten ist schwer zu beurteilen, ob es sich um einen Jungen oder ein Mädchen handelt) hat Spirallocken, die explosionsartig vom Kopf abstehen. Der Typ, der den Joint wieder anzündet, trägt ein Che-Guevara-Kopfband. Eine Welle des Verlangens durchflutet mich, nicht nur nach ihm, sondern nach ihnen allen, weil sie so schockierend und nonchalant sind. Ich gehe näher heran und inhaliere den Rauch, der zu mir herüberweht. Etwas später werde ich mich vielleicht trauen, mich mit in den Kreis zu stellen. Ich bin heute Abend in einer seltsamen, verwegenen Stimmung. Eine ungeheuer starke Vorfreude hat mich erfasst. Ein Mädchen mit lila Fliederblüten in der Hand klopft mir auf die Schulter, und weil sie mich so gehetzt und suchend anschaut, glaube ich, sie will mir etwas Wichtiges sagen, *mir* ganz persönlich. Aber sie reicht mir bloß eine Blüte und schlendert davon.

Ich hebe die Blüte an meine Nase. Sie riecht nach Geheimnis, nach Glamour. Ich blicke mich zu Tim um, der mit drei anderen kurzhaarigen Jungs zusammensteht und den Kopf ernsthaft lauschend angewinkelt hält. Ehe er meinen Blick auffangen kann, wende ich mich ab. Die Fliederblüte wie eine Zigarette zwischen den Fingern haltend, gehe ich auf eine offen stehende Balkontür zu und trete auf eine Veranda hinaus.

Die Musik ist jetzt was Bluesiges mit Flöte, und unten auf dem Rasen tanzen ungefähr zwanzig Leute, unter ihnen auch Gena, einzeln um einen Brunnen herum, in dem nackte Frauenstatuen Wasser aus Krügen ausgießen. Das Wasser spritzt in breiten Streifen seitlich weg; feine Tröpfchen sind bis hier zu spüren. Ich trete ans Geländer, und vor mir liegt die ganze golfplatzgroße Rasenfläche, darauf wie Planeten angeordnete, säuberlich rund gestutzte Büsche, und von der Dachrinne des Hauses schießen weiße Lichtbahnen hinüber zu den aristokratischen, alten Weiden am Ende des Grundstücks, deren Zweige heftig im Wind schaukeln. Um die Treppe hinunterzukommen, muss ich über die Beine von Mädchen steigen, die an Jungs gelehnt dasitzen und so kurze Kleider tragen, dass man im Licht der Verandalampen die Unterhose sehen kann. Die Mädchen sind freundlich. »Tschuldigung«, sagen sie und drehen sich zur Seite. »Kommst du vorbei?«

Ich gehe zum Brunnen und setze mich auf den Rand. Genas Tanz ist hauptsächlich der Tanz ihres langen Haars, das wirklich auffallend ist, pechschwarz glänzend, wie Teer. Während sie sich langsam in den Hüften wiegt, werden die Strähnen vom Wind durch die Luft gepeitscht. Einmal öffnet sie kurz die Augen und schaut in meine Richtung und ich hebe die Hand, aber ich glaube, sie sieht es nicht. Dann stehe ich auf und gehe bis ans Ende des Grundstücks. Als ich die Weiden erreiche, sehe ich ein Stück weiter, hinter einer Steinmauer, Wasser schimmern, deshalb gehe ich weiter. In der Mauer ist ein Tor, das zu einer Holzbank führt, die neben der schmiedeeisernen Nachbildung einer altmodischen Straßenlaterne steht. Ich setze mich und streife meine Schuhe ab. Die Kühle des Wassers ist deutlich zu spüren. Auf dem Teich schwimmen Seerosenknospen, die wie Kerzenflammen aussehen. Enten schaukeln reglos wie Lockvögel auf den Wellen.

Es sind gar keine Enten, stelle ich kurz darauf fest. Es sind Gänse. Und der Teich ... der Teich ist eine breite Stelle in einem Bach.

»Nichts ist, wie es scheint«, denke ich. Ich finde diesen Gedanken zutiefst erregend. Als ich links von mir einen schwachen Lichtschein bemerke, halte ich den Atem an und frage mich, ob das Engel sind. Schon so lange ich denken kann, sehe ich manchmal aus den Augenwinkeln Schals aus weißem Licht, besonders wenn ich nervös bin, und ich nenne sie Engel, weil die Luft um mich herum dann irgendwie reiner und leerer zu werden scheint. Ein richtig unheimliches Gefühl. Dieses Gefühl habe ich jetzt. Ich drehe mich um.

Nichts. Da ist nichts.

Doch. Da ist ein Junge, der über die spitzen Steine oben auf der Mauer balanciert. Schulterlanges, dunkles Haar, nackte, muskulöse Brust, die wie Blech schimmert. Ein großer, schlanker Junge mit einem weißen Tuch in der einen und einer Bierflasche in der anderen Hand. Als er auf meiner Höhe angekommen ist, springt er ab, und daran erkenne ich ihn, an der anmutigen Landung.

»Bist du's also doch«, sagt er. Die gleiche sanfte, heisere Stimme, nur tiefer. Er kommt und stellt sich vor mich hin. Das Tuch ist ein T-Shirt. Auf meiner Augenhöhe blinkt eine silberne Gürtelschnalle im Licht.

Ich schwanke.

Er packt mich an der Schulter. »Alles in Ordnung?«

Ich nicke.

»Sicher?«

»Mir ist bloß ein bisschen schwindelig.«

Er muss glauben, ich sei stoned oder betrunken.

»Kannst du aufstehen?«

»Wieso?«

»Ich möchte dir etwas zeigen.«

Ich stehe auf, lasse die Fliederblüte fallen, und er stopft das T-Shirt unter seinen Gürtel und nimmt mich an die Hand.

Wir gehen zur Mauer. »Da«, sagt er und lässt mich los, um auf eine Stelle zu zeigen.

Überall in den Ritzen zwischen den Steinen leuchten Dutzende grüner Funken.

»Was ist das?«

»Glühwürmchen. Schau mal, wie viele.«

»Glühwürmchen«, sage ich, und mir fällt ein, dass das die Larven von Leuchtkäfern sind und er mir schon einmal welche gezeigt hat, unten in der Schlucht. Ich sage: »Sie sehen aus wie kleine Weihnachtskerzen.«

Er dreht sich um, sein Gesicht ist jung und glücklich, und in seinen Augen sehe ich ihn. Da ist er. Er zwinkert und wirkt auf einmal schüchtern.

»Ich habe dich auf dem Rasen gesehen«, sagt er. »Von hinten. Ich war mir nicht sicher. Aber der Gang. Ich dachte, den Gang kenne ich doch.«

Ich kann ihn nicht anschauen. Ich schaue auf seine Cowboystiefel, seine Schlaghosen, seine langen Oberschenkel. In meiner Vorstellung war er kindlich geblieben, oder jedenfalls nicht so groß geworden. Attraktiv natürlich schon, aber nicht *so* attraktiv. Ich fühle mich zittrig und den Tränen nahe. Ich gehe zurück zur Bank und setze mich hin. »Was machst du hier?«, frage ich.

»Die Gastgeberin ist eine Freundin eines Freundes von mir.«

Er hat Freunde.

»Und du?«, will er wissen.

»Was machst du in *Toronto*?«

»Ach so.« Er setzt sich neben mich. »Mein Vater ist geschäftlich hergeflogen. Ich bin mitgekommen.«

Sein Vater. Er muss inzwischen krumm und lahm sein. Als sie aus Greenwoods wegzogen, hatte Mrs. Richter erklärt, das Klima in Vancouver sei besser für Mr. Richters Rheuma.

»Wie geht es ihm?«, frage ich.

»Gut. Er arbeitet zuviel.«

Tränen strömen mir übers Gesicht.

»Heh.« Er berührt meine Schulter. »Weinst du?«

»Scheint so.«

»Was ist denn los?«

»Es ist nur…«

»Was?«

Er hält mir sein T-Shirt hin, und ich wische mir damit die Augen ab. »Es ist nur, ich hätte nie gedacht, dass ich dich noch einmal wiedersehen würde.«

Er wirft mir einen Blick zu und schaut dann zu Boden. Er greift nach der Flasche auf seinem Schoß.

»Ich kann es kaum glauben«, sage ich.

»Es ist lange her«, sagt er.

»Vier Jahre.«

Er trinkt einen Schluck Bier.

»Warum hast du mir nie geschrieben? Ich habe dir so viele Briefe geschickt, und du hast nicht einmal geantwortet.«

»Ja. Tut mir Leid.«

»Aber warum nicht?«

»Ich bin…« Er seufzt.

»Was?«

»Ich bin kein großer Briefschreiber.«

Er sieht so gequält aus, dass ich weich werde und sage: »Na ja, jetzt bist du ja hier. Aus heiterem Himmel.« Ich greife nach seiner Hand und hebe sie hoch. »Abel Richter. Leibhaftig.«

Er stellt sein Bier auf dem Rasen ab und hält seine und meine Hände näher an die Lampe. Seine Hände sind groß, die langen Finger kühl von der Flasche. Meine Finger sind dünn und knochig, aber ich weiß, dass sie ihm gefallen, denn das hat er einmal gesagt, er sagte, ich hätte die Hände eines Tarsiers, das ist ein kleiner Affe. Ein andermal sagte er in dem gleichen faszinierten Tonfall, mein Haar sähe aus wie Wolfsmilchquasten.

Stirnrunzelnd und mit äußerster Konzentration fährt er mit einem Finger über die Narbe an meinem Daumen. Alle Nerven meines Körpers strömen dort zusammen.

»Woher hast du die?«, fragt er.

»Vom Zwiebelschneiden.« Ohne nachzudenken sage ich: »Ich liebe dich immer noch.«

Der Finger hält inne. Wir schauen uns an. Und auf einmal küssen wir uns.

Es ist ein langer, unstürmischer Kuss. Ich wusste nicht, dass man sich so küssen kann, in einer so leichten Umarmung, ohne etwas zu bewegen außer den Mündern. Als er vorbei ist, sage ich: »Wir lieben uns. Wir haben damit nie aufgehört.«

Er nickt.

»Wir haben nie aufgehört.« Ich streiche ihm übers Haar, von einer tiefen Zärtlichkeit überwältigt.

Er greift nach der Flasche. »Willst du einen Schluck?«

»Nein danke.«

Ich kuschele mich an seine Brust. Hinter uns singen die Party-gäste »All You Need Is Love« mit. Hier unten steigt das Zirpen der Grillen auf wie elektrischer Nebel, den ich kaum vom Zittern meines Körpers unterscheiden kann. Mir ist, als wäre ich aus meinem Leben herausgehoben worden. Vor ein paar Stunden war ich noch traurig und glücklos; jetzt gehöre ich zu den Glücklichen. Das Wunder seiner Anwesenheit stülpt sich über mich wie ein Zauber, wie Stimmen, die in einen Alptraum hineinraunen: »Alles ist gut, alles ist gut.« Wie in Trance, mit dem Gefühl, gegen alles andere als das Glück immun zu sein, knöpfe ich langsam meine Bluse auf.

»Was machst du da?«, fragt er ruhig.

»Ich ziehe mich aus.«

Ich stehe auf, streife die Bluse ab und lege sie über die Lehne der Bank. »Ich möchte, dass wir zusammen sind«, sage ich. Ich greife nach hinten, öffne den BH und lasse ihn ins Gras fallen. Ich bin völlig heiter, aber zugleich erregt. Ich weiß, was er sieht. Wie ich mich furchtlos ausziehe. Wie weiß meine Haut ist und wie der Luft-zug vom Wasser mir eine Gänsehaut macht.

Er steht auf und stellt sich vor mich. Er wirkt beinahe veräng-stigt. Hat er das etwa auch noch nie gemacht? »Du bist so schön«, sagt er, als wünschte er, ich wäre es nicht.

Näher am Bach, außerhalb des Lichts, legen wir uns ins Gras. Ehe er in mich eindringt, packt mich ein Gefühl, als berste ich, und ich schreie erschrocken auf, aber dann lasse ich mich gehen, und das Gefühl durchflutet in köstlichen, langsam abklingenden Wallungen meine Beine. Der Schmerz des Eindringens fühlt sich an wie tausend kleine, knackende Knochen, aber er dauert nur Sekunden.

»Alles in Ordnung?«, keucht er. »Willst du das?«

Hinterher, als wir wieder angezogen sind, rauchen wir einen Joint. Die Schuhe in den Händen waten wir durch den Bach und klettern die Uferböschung hoch auf eine angrenzende Rasen-fläche, wo wir uns hinlegen und den Himmel betrachten, so wie früher. Da sind sie alle: die Milchstraße, der Nordstern, der kleine

Bär. Er sagt Polaris, Cassiopeia, Ursa Major und Minor, Herkules – Namen, die er mir beigebracht hat und die ich vergessen hatte.

Aber was ich sehe sind keine Konstellationen, sondern ein Code, ähnlich wie Braille, eine Anordnung von Sternen, die uns etwas sagen will. Ich frage ihn, was das seiner Meinung nach ist, und er sagt, es bedeutet: »Schaut. Schaut nach oben.« Nichts weiter. Er legt seine Hand auf meinen Bauch. Ich ziehe ihn zu mir.

Und dann steht Tim Todd mit seinem weißen Raumschiffgesicht über uns. Er sagt dann auch beim Nachhausefahren: »Woher willst du wissen, dass er dich nicht geschwängert hat?«

# 04

**Greenwoods** ist nach den Eichen- und Ahornwäldern benannt, die von den Siedlungsbauern niedergewalzt wurden, und wie in allen kanadischen Vororten wird das Bild dort von Bungalows, breiten, geschwungenen Straßen und jungen Hausfrauen mit ihren Kinderscharen bestimmt. Ich bin Einzelkind und gelte daher als eigenartig und verwöhnt, und während ich gegen eigenartig nichts einwenden kann, könnte die Annahme, dass ich alles bekomme, was ich will, falscher nicht sein. Das einzige, was ich kriege, ist Kleidung. Die ich *noch nie* haben wollte.

*Kleidung* ist mein Wort. Meine Mutter benutzt es nur selten, sie ist genauer: Sie sagt »dein Kasack«, »dein Organdy-Rock«, »dein pinkfarbenes Empire-Kleid«. Wenn sie meine Kleidung insgesamt meint, sagt sie »Garderobe« – »Schauen wir uns mal deine Garderobe an.« Was wir täglich tun. Wir sorgen uns um sie, pflegen sie, erweitern sie, sortieren sie aus.

Sie enthält mindestens zwanzig verschiedene Outfits, für jeden Schultag des Monats eins. Manche davon sind die Kinderversion der Damenausgabe. Ich habe Rock und Jacke im Leopardenmuster, meine Mutter hat Mantel und Hut im Leopardenmuster. Wie wir uns das leisten können? Mein Vater ist kein richtiger Rechtsanwalt, er ist bloß Kanzleigehilfe, aber ums Geld scheint er sich nicht zu sorgen. Woher wir die Kleider bekommen, weiß ich nur zu gut. Aus dem Eaton's Katalog, der uns Zufriedenheit garantiert. Wenn etwas auch nur den kleinsten Fehler aufweist, zum Beispiel einen Schlenker in einer geraden Naht, geht das Outfit sofort zurück. Meine Mutter empfindet die Unkompliziertheit dieser Transaktionen als lustig und unanständig. Sie trägt ein Kleid einen ganzen Tag lang, und am nächsten schickt sie es »diesen Trotteln« zurück.

Meine Laune sinkt rapide, wenn der Lieferwagen von Eaton's

vorfährt und der Fahrer mit dem Ausladen beginnt. Den ganzen Morgen oder Nachmittag meiner Mutter zuzusehen, wie sie vor dem großen Spiegel posiert, sich an den Türrahmen lehnt oder wie beim Cha-Cha-Cha eine Hand in die Hüfte stemmt, könnte durchaus unterhaltsam sein, wenn ich nicht wüsste, dass ich anschließend selbst an die Reihe komme. Nie fühle ich mich so sehr wie eine dürre, genetische Verirrung wie in diesen Momenten, wenn ich mich zaghaft vor meiner atemberaubend schönen Mutter hin und her drehe und sie mich auslacht, weil ich so schrecklich aussehe. »Wie ein kleiner Trampel!« Oder: »Wie Zazu Pitts!« Wer immer das auch sein mag.

Ein paar andere Mädchen aus meiner Klasse kriegen ihre Klamotten auch von Eaton's, das wird mir klar, als Julie MacVicker im gleichen wendbaren Schottenrock auftaucht wie ich, aber deren Mütter gehen nie so weit, auch noch die passende Jacke und Bluse, die Kappe und die Handschuhe dazu zu kaufen. Und keins besitzt so viele Sachen wie ich. Die meisten Mädchen aus meiner Klasse tragen mindestens zweimal die Woche dasselbe Kleid. Und die mit älteren Schwestern tragen abgelegte Sachen. Kein Wunder, dass sie mich hassen.

Na ja, nicht *mich*, ich bin viel zu unauffällig; was sie wütend macht, ist meine Garderobe. Und kaum haben sie vom Verschwinden meiner Mutter gehört, wollen sie meine Garderobe trösten. Sie streichen über meinen Boleropulli aus Angora und meinen Kaninchenfellmantel, und sie bitten mich, mein Matrosenkleid oder den ausgestellten Rock mit dem Regenschirmmuster zu tragen. Eine große, herrische Rothaarige namens Maureen Hellier teilt mir mit, es habe eine Abstimmung gegeben und ich sei nun berechtigt, dem von ihr gegründeten Modeclub beizutreten, dessen Mitglieder nichts weiter tun, als Kataloge und Zeitschriften durchzublättern, die Models auszuschneiden und in Alben einzukleben. Bei den Treffen dienstags nachmittags tue ich so, als schwärmte auch ich für die Kindermodels, die so aussehen, wie meine Mutter mich gern gehabt hätte, und die Damenmodels, die so aussehen wie meine Mutter tatsächlich aussieht. In den neuesten Eaton's Katalogen tragen die Models

Kleider, die ich besitze, wie Maureen unweigerlich bemerkt. Die Überschriften, die sie laut vorliest, sind echte Folter, denn sie enthalten Beschreibungen der idealen Trägerin des betreffenden Outfits: »Schmeichelndes Kleid mit ausgestelltem Rock für *das kecke kleine Fräulein.*« »Todschicke Strickweste für *die anspruchsvolle junge Dame.*« »Oh, Louise!«, ruft Maureen. »Schneid sie aus!«

Solange ich noch eine Mutter habe, stempeln mich meine Kleider zur Angeberin und Hochstaplerin. »Miss La-di-da«, sagt Maureen, wenn ich in etwas Neuem in die Schule komme. An dem Tag, als ich in einer lindgrünen Strickjacke mit Zugband und Pompons am Kragen erscheine und sie sagt, jeder wüsste doch, dass nur Rothaarige Lindgrün tragen sollten, ziehe ich die Jacke aus und reiche sie ihr. »Bitte schön«, sage ich. »Mir ist sie sowieso zu groß.«

Sie überlegt, dann greift sie danach und hält sie an einem der Pompons hoch. »Die ist voll von ihren Bazillen«, erklärt sie den anderen Mädchen. Sie trägt sie zu einer Pfütze und lässt sie hineinfallen.

Ich könnte sie genauso gut liegen lassen. Ich werde sie sowieso nie wieder tragen. Meine Mutter schickt all unsere Sachen außer Unterwäsche, Socken und Schlafanzügen in die Reinigung; was für die Reinigung zu schmutzig ist, das zerreißt sie oder wirft es weg. Wie gewonnen, so zerronnen, und natürlich bin ich froh, dass ich nicht geohrfeigt werde, wenn ich ein weißes Kleid mit Traubensaft bekleckere, aber es erschüttert mich, wie schnell bei ihr Verehrung in Gleichgültigkeit umschlägt. Ein schöner Pullover, dafür lohnt es sich zu leben. Hat er einen Fleck, dann hat es diesen Pullover nie gegeben.

Als ich ihr die verdreckte lindgrüne Jacke zeige, steckt sie sie in den Metallpapierkorb und hält ein Streichholz daran. »Siehst du, wie das brennt?«, sagt sie. »Knistert wie Haare. Das Gewebe enthält Nylon, das habe ich mir gedacht. Ich wusste doch, dass das mit der reinen Schurwolle Quatsch ist.«

Am nächsten Tag schmiere ich mir vor Maureens Augen absichtlich Fett von einer Fahrradkette auf meinen pinkfarbenen Chenilleblazer.

»Du bist ja wahnsinnig!«, schreit Maureen, aber immerhin bin ich von verachtenswürdig zu beängstigend aufgestiegen.

Danach durchbohre ich ab und zu einen Rock mit dem Bleistift oder gieße Fingerfarbe über einen Samtstoff. Meine Mutter stört dabei nur das scheinbare Einsetzen einer Tollpatschigkeit, gegen die ich als Tochter einer Frau, die zwei ihrer zahlreichen Schönheitsköniginnen-Trophäen für gute Haltung bekommen hat, eigentlich gefeit sein sollte. Der Schaden an meiner Garderobe kommt ihr im Grunde gelegen, denn er macht die Anschaffung von Ersatzkleidungsstücken erforderlich. Das ist natürlich der Haken an der Sache. Immer wenn ich ein Stück ruiniere (und wenn man eine Bluse ruiniert, kann man den passenden Rock auch gleich wegwerfen), muss ich ein halbes Dutzend neue Outfits anprobieren, ehe sie sich für das entscheidet, in dem ich am wenigsten aussehe wie ein kleiner Trampel.

Wozu sind all die Sachen gut? Die meiner Mutter, meine ich. Sie verlässt das Haus nur, wenn es unbedingt sein muss, um Lebensmittel einzukaufen, zum Friseur zu gehen, ab und zu, um mit mir zum Zahnarzt oder zum Arzt zu gehen. Anders als die anderen Mütter geht sie nicht zur Kirche und gehört keinem Komitee oder Verein an. Ihre Freundin Phyllis Bently kommt immer zu *uns* zum Kaffeetrinken.

Meine Mutter ist eine Frau, die nirgendwo hingeht, die einerseits eine Stubenhockerin ist und sich andererseits, wenn sie ihre Sachen packt und sich auf und davon macht, sich einen Ort aussucht, der so unauffindbar ist, dass es ihn genauso gut nicht geben könnte.

Aber ihre Kleidung begleitet sie nicht. Sogar der Polizeiinspektor ist verblüfft, was sie alles zurückgelassen hat – »Ist das ein echter Nerz?« Sie nimmt ihren Schmuck mit, ihre Schönheitsköniginnenkronen und Trophäen (die allein schon einen Koffer gefüllt haben dürften), ein gerahmtes Bild ihres Vaters als junger Soldat in Uniform (dem sie den Vorzug vor einem Bild von mir als Baby, das gleich daneben hing, gegeben hat) und die weiße Satinbettwäsche. Mein Vater ist der Überzeugung, dass sie von einem »Schleimer«

weggelockt worden ist, einem »schillernden Charmeur«. Aber wie kann das sein? Als ich nach möglichen Kandidaten ausgequetscht werde, fallen mir bloß der Lieferant von Eaton's und Mr. LaPierre ein, der sie bei unseren Scharadeparties immer auf den Nacken geküsst hat.

Bis zu dem Jahr, in dem meine Mutter verschwindet, laden wir an dem Samstagabend, der dem achtzehnten Januar am nächsten liegt, Leute zu uns nach Hause ein, um Scharade zu spielen. Die Leute sind keine Nachbarn oder Freunde (meine Mutter kann unsere Nachbarn nicht ausstehen, und sie hat bloß die eine Freundin), sondern es sind die Arbeitskollegen meines Vaters und deren Frauen, und der achtzehnte Januar ist auch kein denkwürdiger Tag, außer für meinen Vater, der den Geburtstag von Peter Mark Roget feiert, dem Kompilator des ersten Synonymwörterbuchs. Mein Vater liebt Synonyme. Er kann selbst kaum »lieben« sagen, ohne »schätzen« oder »verehren« hinzuzufügen, aber er ist dabei selbstironisch und theatralisch, er bringt die Leute zum Lachen. Meine Mutter lacht, wenn die Wörter ins Schlüpfrige oder Alberne abgleiten. Hin und wieder überrascht sie uns mit einer eigenen Kette von Synonymen, einem sarkastischen Schwall. Ich weiß noch, wie mein Vater sie eines Morgens, während sie Frühstück machte, fragte: »Sind die Eier weich?«, und sie ihm seine vorsetzte und sagte: »Nein, genau genommen sind sie zart, kuschelig, schwächlich«, und so weiter, bis sie bei »memmenhaft und gefühlsduselig« angekommen war und mein Vater wie versteinert dasaß.

Normalerweise freuen ihn jedoch ihre Vorstöße auf sein Territorium, genau wie jede andere Art von Wortspielerei, von komplizierten Versformen (mit Neun kenne ich mich bereits mit Jamben und Spenser-Stanzen aus) bis hin zu Kreuzworträtseln, Anagrammen, spitzfindigen Songtexten, fiesen Pointen und der Kürzung seines eigenen Namens – Sawyer – zu Saw, als er ins Berufsleben eintrat, damit er sich als »Saw Kirk the law clerk« vorstellen konnte. Er ist süchtig nach Scrabbeln und würde viel lieber eine Scrabble-Party veranstalten, aber meine Mutter meint, dafür seien die Ehefrauen zu dumm.

Am Morgen der Party geht sie zum Friseur, genau wie jeden Samstag, aber anstelle der üblichen Pagenfrisur lässt sie sich die Haare zu einem Chignon hochstecken, was ihre winzigen Ohren und ihren weißen Hals zur Geltung bringt, der mir bedenklich lang vorkommt, so als könne er jederzeit einknicken. Sobald sie zurück ist, wäscht sie mir die Haare und dreht sie auf Lockenwickler, dann nimmt sie die normalen täglichen Arbeiten in Angriff: Sie schrubbt die Fußböden, die Waschbecken und das Klo, saugt die Teppiche und Jalousien ab, wobei sie die Düse des Staubsaugers durch die Luft schwenkt, um den Staub aufzusaugen, ehe er sich setzen kann, wischt trotzdem noch Staub und ist die ganze Zeit schlecht gelaunt beim Gedanken an die Ehefrauen mit den blondierten Haaren und Korsagen, die in ihrem Haus herumtrampeln werden. Nach dem Mittagessen, wenn mein Vater sich in sein Arbeitszimmer verzogen hat, kommt dann die gründliche Reinigung dran, die der Scharadeabend erforderlich macht. Mit einem Schälmesser pult sie den Dreck zwischen den Dielenbrettern heraus. Sie leuchtet alle Wände mit der Taschenlampe ab, um Fingerabdrücke zu finden, und dabei kann ich mich nützlich machen, denn meine Augen sind besser als ihre. Wir sind ein gutes Team – eifrig, gnadenlos. »Da!« Ich strecke einen Finger aus, und sie schlägt zu.

Sind die Wände makellos, darf ich faulenzen, bis es Zeit wird, die Schalen mit Salzstangen und Erdnüssen zu füllen und die Käsecreme in die Selleriestangen zu streichen. Am späten Nachmittag, während meine Mutter ein halbes Dutzend Outfits anprobiert, ehe sie sich für eines entscheidet, hebt sich ihre Laune ins Sarkastische, und ich kann sie mit ein paar von meinen auswendig gelernten Witzen zum Lachen bringen, wenn ich darin die beiden Ehefrauen, die sie am wenigsten leiden kann, vorkommen lasse: Mrs. LaPierre und Mrs. Todd. »Wenn Dummheit weh täte, würde Mrs. LaPierre den ganzen Tag schreien.« »Mrs. Todd ist so hässlich, dass nicht mal der Kessel pfeift, wenn sie Tee kocht.« Ich finde die Witze entweder unverständlich oder nicht besonders komisch, aber ich weiß, dass diese Art von Humor gemein ist, und ich weiß auch, was ein Verräter ist, und wenn die Ehefrauen eintreffen und mir für mein Kleid und die schon wieder erschlafften Locken Komplimente machen, dann werde ich vor Scham ganz mürrisch, so dass meine Mutter blumig die Zigarette schwenkt und sagt, sie sollen mich am besten gar nicht beachten.

Bei der letzten Party, knapp zwei Wochen vor ihrem Verschwinden, sagt sie zu Mrs. LaPierre: »Louise ist nicht gerade ein Fräulein Freundlich.«

Solange ich still bin, darf ich aufbleiben und beim Spiel zuschauen. Mit meinen Eltern sind es fünf Paare, und immer gewinnt das Team, dem meine Mutter angehört. Ganz unglaublich, wie schnell sie aus einer winzigen Geste auf einen Filmtitel oder ein Buch schließen kann. Eine der Frauen oder einer der Männer macht sich bereit für eine Pantomime, grinst, strahlt, macht mit der Faust eine Drehbewegung neben einem Ohr (»Film!«), hält fünf Finger hoch (»Fünf Wörter«), dann noch einmal fünf Finger (»Fünftes Wort!«), öffnet die Hände und reißt in schwärmerischer Freude die Augen auf.

»Ist das Leben nicht schön«, sagt meine Mutter leicht gelangweilt und ein bisschen verächtlich.

»Ja«, sagt der betreffende Darsteller verblüfft.

»Einspruch!«, witzelt einer der Ehemänner. »Stattgegeben!«, ein anderer. »Ich beantrage Vertagung« – und ähnliches Gerede.

Die Ehemänner reißen Witze und trinken Schnaps, und die Blicke, die sie meiner Mutter in kurzen Abständen zuwerfen, sind leer. Sobald Mr. LaPierre anfängt zu lallen, grapscht er nach ihr, wenn sie zu dicht an seinem Stuhl vorbeigeht, folgt ihr in die Küche und sabbert ihr den Nacken voll, während sie ihm geistesabwesend die Wangen tätschelt. Mr. Todd fordert sie auf, ihm in den Magen zu boxen; sie ist die einzige Ehefrau, der er diese Ehre erweist. Sie versetzt ihm einen zarten Kinnhaken, und er küsst ihre Fingerknöchel. Falls solches Benehmen meinen Vater eifersüchtig macht, zeigt er es nicht. Er ist am Scharadeabend viel zu glücklich, er will nur, dass alle sich köstlich amüsieren. Von den Ehemännern ist er mit seinem gegelten Haar, das wie schwarze Farbe am Kopf anliegt, der attraktivste – ein großer, schlaksiger Mann mit kantigen Zügen, dicken, geschwungenen Brauen und langbewimperten braunen Augen, die nur zu dramatischem Ausdruck fähig sind – Belustigung, Schrecken, Schmerz –, und in seinem blauen Gabardineanzug wirkt er angenehm lässig, wenn er torkelnd eine Scharade spielt oder im Zimmer hin und her läuft, was er dauernd tut, denn es sind nicht genug Stühle da.

Wenn die Ehemänner gegen die Ehefrauen spielen, thront meine Mutter, die sich, wie ich bemerke, nie zu dicht neben eine der anderen Frauen setzt, auf dem Küchenhocker, während die Ehefrauen dicht gedrängt auf dem Sofa sitzen. Die Frauen sehen alle nicht schlecht aus, aber neben meiner Mutter mit ihrem zierlichen Kopf, dem champagnerfarbenen Haar und den schlanken, weißen Gliedmaßen wirken sie derb und zwergenhaft, und sie sind sich dessen bewusst, das sieht man an ihren Blicken, die entweder unsicher oder aber zu strahlend sind, oder, wie im Falle von Mrs. LaPierre, wenn sie sich für unbeobachtet hält, ganz einfach jämmerlich.

Was meine Mutter betrifft, die schaut sich im Zimmer um. Ich stelle mir vor, dass sie überprüft, wie das Zimmer jetzt wirkt, nachdem sie die Möbel umgestellt und ihre Schönheitsköniginnen-Pokale im Besenschrank versteckt hat. (Eines Tages werde ich zu dem Ergebnis kommen, dass sie zumindest auf der letzten Party bei diesen Blicken überlegte, ob unser Haus die Mühe des Zusammenlebens mit mir und meinem Vater wettmachte.) Aber warum die Pokale in den Schrank schließen, warum nicht diesen offiziellen Beweis ihrer körperlichen Überlegenheit zur Schau stellen? Weil sie Angst hat, die betrunkenen Ehemänner könnten sie von den wackligen Couchtischen stoßen? Vermutlich. Zum Teil. Zum Teil auch, weil sie schüchtern ist.

Ja, schüchtern. Ich sage das nicht als Kind, das die Party vom Fußboden aus beobachtet, eingezwängt zwischen der Esszimmerwand und der Musiktruhe, sondern als Frau, die nur vier Jahre jünger ist als meine Mutter zum Zeitpunkt ihres Verschwindens. Ich weiß jetzt mehr über ihr Leben; mein Vater hat es mir schließlich doch erzählt. Ich wusste, dass sie ein Einzelkind war, aber ich hatte geglaubt, sie sei im Luxus aufgewachsen und ihr Vater sei gestorben, nachdem sie von zu Hause weggegangen war. Wie sich herausstellte, starb er, als sie sechs Monate alt war, und an das weiße Haus, von dem sie mir einmal erzählt hatte – weiße Wände innen und außen, weiße Kachelfußböden –, konnte sie sich unmöglich erinnern, denn ein Jahr nach der Beerdigung hat Großmutter Hahn es verkauft, um die Schulden zu bezahlen. Sie zog dann mit meiner Mutter in eine Mietwohnung, durchaus geräumig und in einem besseren Viertel in der Innenstadt von Montreal gelegen, aber zu diesem Zeitpunkt hatte Großmutter Hahn bereits mit dem Leben abgeschlossen. War »über Bord gesprungen«, wie mein Vater es ausdrückte. Das einzige, was sie noch interessierte, waren Seancen, auf denen sie Großvater Hahns Geist beschwor und ihn anbrüllte, weil er die französischen Gedichtbände gelesen hatte, die ihrer Meinung nach für seinen Gehirntumor verantwortlich waren. In der Wohnung blieb alles liegen: Ungewaschenes Geschirr stapelte sich in der Spüle, ein Haufen schmutziger Wäsche wuchs so lange neben Großmutter Hahns Bett, dass sie ihn schließlich als Ablage für ihren Aschenbecher und ihre Pillendosen benutzte. Mehr als einmal musste der Hauswart die Wohnung ausräuchern lassen.

Wie demütigend muss das alles für meine Mutter gewesen sein. Aber es gab ihr den Mumm, etwas aus sich zu machen; jedenfalls glaubte mein Vater das. Trotzdem prahlte sie nie mit ihren Erfolgen als Schönheitskönigin und später als professionelles Model in Montreal. Und sie gab sich in der Öffentlichkeit auch nicht auffällig, sie bestellte nicht mal ihre Kleidung in exklusiven Geschäften. Komplimente ärgerten sie so sehr, dass mein Vater es lohnender fand, sie zu beleidigen. »*Das* soll ein Kleid sein? Sieht eher aus wie ein Kartoffelsack, wenn du mich fragst...« Wenn er sich über sie lustig machte, lachte sie ihr kreischendes Lachen. Sie wusste, wie sie aussah, und wer in Greenwoods besaß schon Geschmack genug, um ihr eigenes Urteil über sich beeinflussen zu können? Oh ja, arrogant war sie schon. Aber auch schüchtern, glaube ich. Freundschaften zu schließen, hatte sie vermutlich nie gelernt, und mit Ausnahme von Mrs. Bently (selbst eine Außenseiterin) hielt sie sich fern von den Menschen und dem Risiko, dass sie sich in ihr Leben einmischten, über sie klatschten und urteilten.

Aber was ist mit ihrem Lachen? Kann man eine Person mit einem solchen Lachen schüchtern nennen? Kommt wahrscheinlich drauf an, ob sie sich selber hören kann oder nicht. Ich glaube, meine Mutter konnte es nicht. Sie konnte keine Töne unterscheiden, was sie allerdings nicht davon abhielt, Blueslieder aus dem Radio mitzusingen (all die Songs über Frauen, die weinen und die Hoffnung nicht aufgeben – ein Verhalten, über das sie sich im wirklichen Leben zweifellos lustig gemacht hätte).

Bei den Scharadepartys hatte ihr Lachen, ihr erstes Lachen des Abends anlässlich einer besonders dummen Vermutung oder abwegigen Bemerkung, eine dramatische Wirkung. Die Ehefrauen griffen sich an den Hals, die Männer warfen die Köpfe in den Nacken. Sie hatten dieses Lachen schon öfter gehört, sie mussten damit gerechnet haben. Und trotzdem. Von dem Augenblick an wurde die Stimmung locker, so schien es mir. Ein Lachen, das Glas zum Zerspringen bringen kann, bricht oft genug das Eis.

Etwa zwei Monate nach ihrem Verschwinden sagte mein Vater – zu meiner Verblüffung –: »Ich vermisse ihr Lachen.«

Verschwinden ist das Wort, das mein Vater dafür gebraucht, monatelang das einzige. Für ihn kam ihre Flucht so plötzlich und unerwartet, dass er jeden, der von »Weggehen« oder »Davonlaufen« spricht, umständlich korrigiert. Weggehen und Davonlaufen, führt er aus, sind keine Handlungen, die spontan passieren. Was meine Mutter getan hat – an einem Tag den Kühlschrank abtauen und am nächsten einen Abschiedsgruß daran kleben (eigentlich war es kein Abschiedsgruß, nur: »Ich bin weg. Ich komme nicht wieder. Louise weiß, wie man die Waschmaschine bedient«) –, das vergleicht er mit einem Fingerschnippen oder einem der großen Geheimnisse.

Er zweifelt nicht daran, dass ein Mann, der Schleimer, sie mehr oder minder hypnotisiert hat. Von diesem Mann grübelt er sich schnell ein komplexes Bild zurecht. »Ein Flachskopf«, sagt er, »ein

Blonder«. Er sagt, meine Mutter habe eine Schwäche für Blond-schöpfe, wie sie selbst einer ist, außerdem für Schnurrbärte, daher trägt der Schleimer einen buschigen Schnurrbart. Er ist ein »mie-ses Schlitzohr«, er blättert Hundertdollarscheine von einem dicken Bündel, er feilt sich die Nägel, seine Krawatten sind aus rei-ner Seide, seine Hüte aus Kaschmir, der Schmeichler weiß genau, was er tragen muss, alles fauler Zauber, und das Schlimmste ist, meine Mutter ist nicht die erste glücklich verheiratete Frau, die sei-netwegen verschwunden ist.

Oder verduftet ist, sich aus dem Staub gemacht, Leine gezogen hat. Bis zum Sommer hat das heilige Wort Synonyme ausgebrütet.

Aber selbst dann, nachdem der Schock sich in Gram verwandelt hat, bleibt mein Vater noch bei der These, dass sie im Affekt ge-handelt hat, aus einer Laune heraus: »Man taut nicht den Kühl-schrank ab, wenn man am nächsten Tag...«

Oh doch, das tut man. Genau wie man morgens ein Kleid kauft und es am nächsten Tag zurückschickt. Nicht, dass ich meine Mei-nung laut sage. Als ich ihre Notiz sehe, weiß ich sofort, dass sie am Scharadeabend schon die Tage gezählt hat. Nachdem der letzte Ehe-mann mit seiner Frau zur Tür hinaus war, sagte ich: »Mami, du warst die beste Spielerin«, und sie wedelte ihren Zigarettenqualm beiseite, um mich richtig sehen zu können, strich mir mit den Fin-gerrücken übers Gesicht und sagte: »Süße« (sie hatte mich noch nie Süße genannt), »wer würde glauben, dass du meine Tochter bist.«

Wenn sie mich mitnähme, meinte sie.

# 05

**Im Auto,** auf dem Heimweg von der Party, rechtfertige ich mich nicht, ich sage nur: »Ich hatte keine Ahnung, dass er auch dort sein würde.« Tim schnaubt nur und schweigt, so dass ich aus dem Fenster schauen und an Abel denken kann.

Ich bin mit ihm morgen früh um neun auf dem Bahnsteig des U-Bahnhofs Bloor-Yonge verabredet, aber wir haben nur eine Stunde Zeit, denn um zwei fliegt er mit seinem Vater nach Vancouver zurück. Wie soll ich schon wieder einen Abschied von ihm ertragen? »Oh Gott«, murmele ich, und Tim, der das als Reue auslegt, sagt: »Das hättest du dir früher überlegen sollen.«

Ich werfe ihm einen Blick zu.

»Ich meine, Herr im Himmel…« Er boxt gegen das Lenkrad. »Woher willst du wissen, dass er dich nicht geschwängert hat?«

Wir stehen vor meinem Haus. Ich bin noch ziemlich stoned und habe gar nicht mitbekommen, dass der Wagen gehalten hat, geschweige denn, wie wir in unsere Straße eingebogen sind. Ich öffne die Tür. »Mach dir keine Sorgen«, sage ich.

»*Ich* mache mir keine Sorgen«, murmelt er.

Ich auch nicht. Jedenfalls nicht sehr. Im Lauf der Nacht schlittert sein kehliges »geschwängert« ein paar Mal in meine Ekstase hinein, aber ich beruhige mich damit, dass ich eben erst meine Tage hatte und nicht in der fruchtbaren Phase des Zyklus bin. Ich werfe mich im Bett hin und her, schiebe immer wieder die Bettdecke von mir und staune über mich, über mein Frausein. Ich bin jetzt keine Jungfrau mehr. Ich bin Abels Geliebte. Abel und ich haben miteinander geschlafen.

Kurz vor Morgengrauen stehe ich auf und mache mich daran, die Beine meiner ausgebeulten, unmodischen Blue Jeans enger zu nähen, und zwar mit der Hand, da wir keine Nähmaschine besitzen. Danach ist keine Zeit mehr, um mir die Haare zu waschen, also drehe ich sie oben auf dem Kopf zusammen und stecke sie mit zwei Teak-Kämmen von meiner Mutter fest. Bei ihren Kosmetiksachen finde ich einen Kajalstift, mit dem ich meine Augen nachziehe, dann esse ich eine Handvoll Cornflakes direkt aus der Packung und renne aus dem Haus, um den Bus um halb acht noch zu erwischen.

Anderthalb Stunden später, um kurz nach neun, treffe ich am U-Bahnhof Bloor-Yonge ein. Abel ist schon da, er lehnt an einer Säule und liest Zeitung. Von weitem sieht er aus wie ein fünfundzwanzigjähriger Rockmusiker, aber als ich näher komme und er aufblickt, wirkt er so alt, wie er ist, und nicht mal annähernd so selbstsicher, wie es einem so attraktiven Jungen zustünde.

»Hi«, sagt er und wirft die Zeitung in einen Papierkorb.

»Hi.«

Wir lächeln uns an. Ich berühre die zackige Narbe über seinem rechten Auge, wo ihn ein Junge namens Jerry Kochonowski einst mit einem Ziegelstein getroffen hat. Er berührt die Kämme in meinem Haar. Ich nehme seine Hand und küsse sie, er legt den Arm um mich, und wir gehen aus dem Bahnhof hinaus in den glühend heißen Morgen. Das Pflaster fühlt sich unter meinen Sandalen bereits warm an. Er trägt die gleichen Klamotten wie am Abend zuvor: die Cowboystiefel und die Blue Jeans mit Schlag, das weiße T-Shirt, das nach Marihuana riecht. Als ich ihm das sage, erklärt er, es sei ein anderes T-Shirt, aber er habe zum Frühstück einen Joint geraucht. Und zwei Flaschen Bier getrunken.

»Wirklich? Und was hat dein Vater dazu gesagt?«

»Der hat noch geschlafen, aber es wäre ihm sowieso egal gewesen. Jedenfalls das Bier. In Deutschland trinken schon kleine Kinder Bier. In verdünnter Form.«

»Aber zum Frühstück!«

»Das ist eine alte Familientradition.«

Ich lache. »Klar.«

»Ich meinte meine richtige Mutter.«

»Ach so.« Ich atme hörbar aus.

»Sie ist gestorben. Letzten Monat.«

Ich bleibe stehen. »Woher weißt du das?«

»Jemand von der Kirche hat meine Eltern angerufen.«

»Was für eine Kirche?«

»Wo ich gelebt habe. Ehe ich adoptiert wurde.«

Als er achtzehn Monate alt war, brachte seine Mutter ihn in ein Waisenhaus, das sich im Keller einer Kirche in der Innenstadt von Toronto befand. Mrs. Richter hat mir das erzählt. Sie sprach mit einer gewissen staunenden Bewunderung über diesen Ort, wie sauber und still es dort war, wie die Bodenfliesen glänzten und wie weiß die Bettlaken waren. »Man konnte eine Nadel hören!«, sagte sie, und natürlich meinte sie, man konnte eine Nadel fallen hören, aber jahrelang stellte ich mir eine wahrhaft göttliche Stille vor, in der die Nadeln in den Damenhüten und den Kleidern der Waisenkinder wie Stimmgabeln summten.

»Sie ist wohl manchmal noch dort hingegangen«, sagt Abel. Er bückt sich, hebt einen Zweig auf und fängt an, ihn schnell durch seine Finger gleiten zu lassen – vom Zeigefinger zum kleinen Finger und wieder zurück.

»Haben sie dir gesagt, woran sie gestorben ist?«

»Nein.« Er lässt den Zweig fallen.

»Aber du glaubst, sie hat getrunken.«

Er schüttelt den Kopf. »Ich weiß auch nicht, warum ich das gesagt habe.«

»Na ja, immerhin haben sie dir mitgeteilt, *dass* sie gestorben ist. Wenigstens weißt du Bescheid.«

Er nickt.

Mein Herz fühlt sich an, als würde es jeden Augenblick zerspringen. Ich schiebe meine Hand um seine Taille. »Hier in der Nähe ist ein Park.«

Er hebt den Kopf. »Wo?«

»Ein paar Straßen weiter.«

Eigentlich kein Park, sondern eine Rasenfläche aus der Zeit, als auf dieser Straßenseite noch Häuser standen. In der Mitte steht ein riesiger Baum, und dort gehen wir hin. »Eine Eiche«, sage ich, um ihn zu beeindrucken. Ich bin sicher, dass es eine Eiche ist.

»Eine Buche«, sagt er. Er schaut mit leidenschaftlichem Gesichtsausdruck zu ihr hinauf, und mir wird klar, dass er unter den Millionen von Jugendlichen, die sich als pazifistische Naturfans ausgeben, einer der wenigen Glaubwürdigen ist. Als damals die Fäden aus seiner Stirn gezogen worden waren und ich Rachepläne gegen Jerry Kochonowski schmiedete, fand er immer neue Entschuldigungen für dessen Benehmen, meinte, sein älterer Bruder hätte ihn angestiftet, Jerry hätte den Stein gar nicht so doll werfen wollen, und schließlich – zu der Zeit ein bahnbrechendes Geständnis für einen Jungen –, dass er selber nicht gerne kämpfen würde.

Er streicht mit einer Hand über die glatte Rinde des Baumes. »Erinnert dich das nicht auch an die silbrigen Wohnzimmergardinen aus unserer Kinderzeit?« Ich umarme ihn von hinten und presse mein Gesicht an seinen Rücken.

In einer Ecke des Parks stehen ein paar wild wuchernde Forsythiensträucher, zwischen denen wir uns verstecken, um einen Joint zu rauchen. Dann legen wir uns ins Gras. Er küsst meine Mundwinkel, was sich wunderbar anfühlt, aber irgendwie zu ausgeklügelt, zu erfahren, und obwohl ich Angst habe, Besitz ergreifend zu wirken, ziehe ich meinen Kopf weg und sage so beiläufig wie möglich: »Wirst du deiner Freundin von mir erzählen?«

»Welcher Freundin?«

»In Vancouver.«

»Ich habe keine Freundin.«

»Nein?«

Er stützt sich auf einen Ellbogen. »Und dein Freund? Was hast du dem erzählt?«

»Tim?« Ich sage seinen Namen, aber ich kann mir nicht mal sein Gesicht vorstellen. »Oh, keine Sorge, das ist vorbei.«

»Er schien ziemlich verstört zu sein.«

»Wir waren gar nicht richtig zusammen. Sind bloß ab und zu zusammen ausgegangen. Ich habe nie mit ihm geschlafen oder so was.«

Abel lässt das auf sich wirken. »Gestern Nacht war das erste Mal für dich?«

»Du hast mich defloriert«, sage ich theatralisch, mit einem kurzen Lachen. »Mich meiner Jungfernschaft beraubt.«

Er zuckt leicht zusammen. Hatte er wirklich geglaubt, ich sei nicht mehr Jungfrau? Oder bin ich ihm bloß zu schnoddrig? Ich dachte immer, ich könne seine Gedanken lesen. »Du liebst mich«, habe ich ihm schon vor Jahren gesagt, ehe es ihm selber bewusst wurde. »Du liebst mich ganz ganz doll.«

Jetzt, obwohl ich nicht mehr so sicher bin wie letzte Nacht, sage ich: »Für dich war es auch das erste Mal.«

Er nickt.

»Dann sind wir quitt.«

»Tja.« Er rupft am Gras. »Nimmst du die Pille?«

»Nein, aber das macht nichts. Es ist die falsche Zeit des Monats.«

Er blickt auf.

»Ich kann nicht schwanger sein. Das ist unmöglich.« Ich zupfe an seinem Arm. »Komm her –« Ich ziehe ihn wieder zu mir herunter.

Wir küssen uns. Da jederzeit jemand vorbeikommen kann, können wir nicht mehr tun. Wir küssen uns und reden.

Das heißt, von meiner Seite aus ist es eher ein Verhör. Hat er *je* eine Freundin gehabt? (Er ist mit ein paar Mädchen gegangen, nichts Ernstes.) Sahen sie mir ähnlich? (Die eine, ein bisschen.) War sie dünn? (Nicht *so* dünn.) Spielt er noch Klavier? (Jeden Tag. Er gibt jetzt nach der Schule auch Klavierstunden.) Malt er noch? (Nicht mehr so viel wie früher. Aber er macht viele Federzeichnungen.) Hat er je an mich gedacht? (Die ganze Zeit.) Warum hat er mir dann nicht geschrieben? (Das hatten wir doch gestern schon.) Was machen wir jetzt? (Weiß er nicht.) Wie wär's, wenn wir uns jeden Sonntagabend um sieben Uhr seine Zeit, zehn Uhr meine Zeit, wenn die Ferngesprächsgebühren niedrig sind, anrufen, immer abwechselnd, einen Sonntag ruft er mich an, am nächsten ich ihn? (Klingt gut.) Wie wär's, wenn ich ihn Weihnachten besuchen würde? (Geht das denn?) Ich habe einen Teilzeitjob in einem Laden für Damenmode im Greenwoods Shopping-Center. Ich könnte das Geld für das Flugticket sparen.

Er sagt: »Vancouver würde dir gefallen. Es ist wunderschön dort.«

»In dem Fall«, sage ich, »bleibe ich vielleicht da. Ich könnte bei dir und deinen Eltern wohnen. Wir sagen allen, ich wäre deine Schwester.«

Sein Gesichtsausdruck wird leer. Ich bedränge ihn, denke ich, dann höre ich irgendwo eine Uhr schlagen, und mir wird klar, dass er darauf reagiert hat.

Er schaut auf seine Armbanduhr. »Ich muss gehen.«

»Ich liebe dich«, sage ich.

Er fährt mit dem Finger über meine beiden Augenbrauen. Und schweigt quälend.

»Liebst du mich?«, frage ich schließlich.

Der Finger bewegt sich abwärts über mein Kinn. »Merkst du das nicht?«

»Ich muss es hören.«

Er klopft sanft gegen meine Unterlippe.

»Sag es. Sag, dass du mich ganz ganz doll liebst.«

»Ich liebe dich *zu* doll.«

Ich starre ihn an. »Kannst du gar nicht.« Ich greife nach seiner Hand und küsse sie. »Kannst du nicht. Kannst du gar nicht.«

»Louise, ich muss gehen.«

»Du kannst mich nicht zu doll lieben. Ich bin ein bodenloser Abgrund.«

Er lächelt. »So was gibt es nicht.«

Wir laufen zur U-Bahn. Jeder Grashalm, jeder rote Ziegel der viktorianischen Slums auf der anderen Straßenseite ist etwas Besonderes, etwas Wertvolles. Ich weiß, dass ich stoned bin, aber es kommt mir so vor, als betrachte ich die Welt mit seinen Augen. Für ihn war sie immer hell erleuchtet, ein Schauspiel, und wenn er bei mir war, habe ich sie auch so gesehen. Aber kaum war er in den Westen gezogen, wurde alles grau. Ich hatte nichts ohne ihn. Er hingegen hatte die Insekten, die Salamander, die Wolkenformationen, die Musik oder was auch immer gerade seine Aufmerksamkeit erregte. Trotzdem, wenn er mich *zu* doll liebt, dann hat er mehr gelitten, als ich zu hoffen wagte, und das macht seine Abreise nach Vancouver zu einem romantischen Abschied. Erträglich.

# 06

**Wenn ich im Traum** eine Schachtel öffne, in der nur eine weitere Schachtel ist, in der wiederum eine Schachtel ist und so weiter, dann bin ich eher erleichtert als enttäuscht. Und wenn ich leere Reihen in verlassenen Sportstadien oder auf Choremporen sehe, versuche ich auch nicht, sie mir vollbesetzt vorzustellen. Beim Anblick leerer Stühle in leeren Räumen packt mich ein Gefühl, das der Liebe sehr nahe kommt. Es ist nicht so, dass ich mich nach diesem Anblick sehne oder ihn tröstlich finde, sondern eher so, dass mir der Anblick vertraut ist. Tief vertraut.

Ich vermute, es hat damit zu tun, dass unser Haus in Greenwoods so spärlich möbliert war. Wir hatten gerade genug Stühle, Sessel, Tische und Lampen, dazu ein paar gerahmte Bilder und die Schönheitswettbewerbspokale, aber solange meine Mutter bei uns wohnte, waren alle Abstellflächen frei von den Dingen, die sie als Ramsch bezeichnete und die andere Leute Vasen, Andenken, Zimmerpflanzen oder Nippes nennen. Dass sie die Kühlschranktür mit einer Abschiedsnotiz verschandelte, überraschte mich fast so sehr wie die Nachricht selbst. Ein paar Jahre zuvor hatte ich einmal eine Buntstiftzeichnung von einem Bauern dort hingehängt, die ich in der Schule gemacht hatte und für die ich von meiner Lehrerin gelobt worden war, weil ich dem Bauern Augenbrauen und zwischen die Lippen einen Strohhalm gemalt hatte. Meine Mutter nahm sie sofort wieder ab. »Das ist hier keine Kunstgalerie«, sagte sie und schwächte so die Kränkung mit einem indirektem Lob ab (wie sie oft ein Lob mit einer indirekten Kränkung abschwächte).

Wenn meine Vorliebe für leere Stühle und Räume mit ihrem Verschwinden zu tun hat, dann vielleicht auch mit der Tatsache, dass ich ein Einzelkind bin. Ein paar Jahre lang stellte ich mir vor, ich hätte eine Schwester, eine jüngere Schwester, aber ich fand es schwierig, letztendlich zu entscheiden, wie sie sein sollte. Nicht wie ich. Aber auch nicht zu schön. Ich konnte mich nicht mal auf einen Namen festlegen. Kitty? Nadine? Laura? Kittys waren schlau und mutig, und manchmal wollte ich, dass sie so war. Aber wenn ich mir vorstellte, wie ich ihr die Haare kämmte, dann sollte sie Laura heißen, ein Name, den ich aus einem Song im Radio kannte: »Laura! Doch es ist nur ein Traum…« Wie ich auf Nadine gekommen bin, weiß ich nicht mehr genau. Ich mochte die Endung »ine«; ich fand, das klang glanzvoll.

Ich brauchte meine Mutter nicht zu fragen, warum sie kein zweites Kind bekommen hatte. So lange ich denken kann, hatte sie über Frauen wie Mrs. Dingwall und ihre Schuld an der Überbevölkerung der Welt hergezogen. Aber dann erfuhr ich eines Tages, dass es doch ein zweites Baby gegeben hatte. Jedenfalls beinahe. Ich bekam es mit, weil meine Mutter es Mrs. Bently erzählte, ganz beiläufig, so als wüsste ich darüber Bescheid.

Am Donnerstagnachmittag saßen Mrs. Bently und meine Mutter immer bei uns am Küchentisch, tranken Kaffee – in Mrs. Bentlys Fall mit einem Schuss Whisky versetzt, den sie im Flachmann mitbrachte – und leerten eine große Dose geröstete Erdnüsse. Dass ich dabei saß, was ich manchmal tat, wenn ich aus der Schule kam und Mrs. Bently noch da war, schien ihre Unterhaltung nicht im Geringsten zu beeinflussen. Mrs. Bently benutzte trotzdem weiter Schimpfwörter und beklagte sich über Mr. Bently, der doppelt so alt war wie sie, meistens schlechte Laune hatte und im Rollstuhl saß. Ich fragte mich, warum sie ihn überhaupt geheiratet hatte. Abgesehen von ihrer Haut (sie hatte einen pockennarbigen Teint) war sie auf eine dunkle, kantige Art schön, fast so schön wie meine Mutter.

Was meinen Vater betraf, so bezog sich die übliche und einzige Klage meiner Mutter darauf, dass er sich alles gefallen ließ. »Er ist ein Fußabtreter«, sagte sie. »Der nette Typ, der als letzter durchs Ziel geht.« Meistens jedoch zogen Mrs. Bently und sie über andere Frauen her und malten sich deren Sexleben aus. Was ihr eigenes Sexleben anging, waren sie eher verschlossen, obwohl Mrs. Bently einmal sagte: »Teufel noch mal, da esse ich doch lieber einen Apfel.«

Am nächsten kam meine Mutter der Erwähnung von Sex mit meinem Vater, als sie Mrs. Bently von diesem anderen Baby erzählte. Sie sagte, gleich nachdem sie mit mir aus dem Krankenhaus gekommen war, konnte mein Vater die Finger nicht von ihr lassen, und als ich sechs Monate alt war, dachte sie, sie sei wieder schwanger. Es entpuppte sich als falscher Alarm, aber in den Tagen, ehe sie zum Arzt ging, lebte sie in Angst und Schrecken.

»Ich schwöre, ich konnte spüren, wie es wuchs«, sagte sie. »Ich wusste, es würde ein Mädchen werden. Ich sah es schon vor mir. Sawyers Glubschaugen und seine fahle Haut. Ein Alptraum. Ich weiß noch, wie ich an der Spüle stand und mir beim Abwaschen die Augen ausheulte.«

»Ich kann mir gar nicht vorstellen, dass du überhaupt heulst«, sagte Mrs. Bently dazu, »schon gar nicht die Augen aus.«

»Hab ich aber getan«, sagte meine Mutter und klang selber erstaunt. »Ich weiß noch, wie die Tränen ins Abwaschwasser fielen.«

Kaum war Mrs. Bently weg, fragte ich meine Mutter, wie sie das andere Baby genannt hätte, wenn es geboren worden wäre.

Sie zuckte die Achseln. »Wer weiß?«

»Grace?«

»Ich hasse Leute, die ihre Kinder nach sich benennen.«

»Phyllis?« Nach Mrs. Bently.

»Machst du Witze? Damit aus ihr eine Alkoholikerin mit einem Gesicht wie eine Dose Würmer geworden wäre?«

»Wie wäre es mit Laura?«

»Was soll dieses Verhör?«

Aber ich konnte jetzt nicht aufhören. »Na gut«, sagte ich, »was, wenn ich sterbe? *Dann* würdest du vielleicht noch ein Baby kriegen. Wie nennst du sie dann?«

Sie schaute mich lange ausdruckslos an. »Louise«, sagte sie schließlich. »Ich werde sie Louise nennen.«

»Wen?« Ich war verwirrt.

»Na wen wohl. Das Baby.«

»Aber das ist doch *mein* Name.«

»Das ist der einzige Name, der mir gefällt. Wozu ihn verschwenden?« Sie rammte ihre Zigarette in den Aschenbecher. »Wie auch immer«, sagte sie streng, »du wirst nicht sterben.«

Die Vorstellung, ich könnte sterben, beunruhigte sie! Das war eine so unerwartete, herzerwärmende Erkenntnis (ich wusste wohl, dass sie sich nicht meinen Tod wünschte, aber dass ihr besonders viel an meinem Leben lag, hatte ich nie geglaubt), dass die Fantasie von der kleinen Schwester völlig aus meinem Kopf verschwand. Und nie wiederkam.

# 07

**Am Valentinstag** kommt die ältere Schwester meines Vaters, Tante Verna, aus Houston, um den Haushalt zu übernehmen und bei der Suche nach meiner Mutter zu helfen. Als junge Frau hat Tante Verna ihre gut bezahlte Sekretärinnenstelle aufgegeben, um nach Houston zu gehen und sich um ihre Eltern (zugleich natürlich die Eltern meines Vaters) zu kümmern, die in dem Glauben, extreme Hitze verdünne das Blut, sechs Monate zuvor in den Ruhestand gegangen und dorthin gezogen waren. Trotzdem starben sie beide am Herzinfarkt, schon wenige Wochen nach Tante Vernas Ankunft und im Abstand von nur drei Tagen. Großmutter und Großvater Kirk. Mutt und Jeff, sagt mein Vater, wenn wir uns das Schwarzweißfoto von ihrer Hochzeit anschauen, auf dem Großvater mindestens einen Kopf größer ist als meine zierliche Großmutter. An Attraktivität waren die beiden sich allerdings ebenbürtig, er dunkelhaarig mit hohen Wangenknochen, sie mit einem kleinen, runden Gesicht und üppigem, blondem Haar, das sie zu einem tempelähnlichen Gebilde aufgesteckt trug. Auf dem Hochzeitsbild halten sie sich beide eine Hand aufs Herz, um das Ehegelöbnis zu bekräftigen, sagt mein Vater, aber für mich hat diese Geste in Verbindung mit ihren ernsten Gesichtern immer eine Warnung an die Zukunft bedeutet: »Unsere Herzen werden uns eines Tages umbringen, wirst schon sehen.«

Nach der Beerdigung blieb Tante Verna in Houston und fand eine Stelle als Sekretärin bei einem Privatdetektiv namens Mr. Crimp. Sie hatte die Idee, seine Visitenkarten mit einer Zackenschere zurechtzuschneiden, und das fand mein Vater so toll, dass er eine in seiner Brieftasche bei sich trug, zusammen mit einem Schnappschuß, auf dem Tante Verna von der Schauspielerin Sophie Tucker auf die Wange geküsst wird, nachdem sie im Alleingang deren entführte Siamkatze im Wäschekorb eines Hotels aufgespürt hatte – gefesselt und geknebelt, aber lebendig.

Wenn er das Bild zeigt, fragen die Leute immer: »Ihre Zwillingsschwester?«, und wer will es ihnen verdenken? Hätte er zementfarbenes Haar und trüge es so kurz und kraus wie ein Pudelfell, dann sähe er genau so aus wie sie. Ich kann kaum glauben, dass sie kein Mann ist. Über einsachtzig groß, dürr, kein Busen, kein Make-up, nicht mal Lippenstift, Fingerknöchel, so dick wie Weintrauben. Ihre drei Röcke, einer in beige, einer in braun, einer in dunkelgrün, sind alle aus schwerem, borstigem Stoff, wie ich ihn sonst nur als Sofabezug kenne. Ihr Gepäck besteht aus dem Überseekoffer, den mein Großvater als junger Immigrant aus Cheltenham in England mitgebracht hat, und als wir sie am Flughafen entdecken, trägt sie ihn auf dem Rücken, und die Leute drehen sich staunend nach der starken Frau um.

Auf dem Weg zum Parkplatz fassen sie und mein Vater jeder an einem der Seitengriffe an.

»Was ist da drin?«, frage ich.

»Provisorisches Büro!«, schreit sie. Sie schreit die ganze Zeit und spricht mit breitem Südstaatenakzent, obwohl sie bis zu ihrem fünfundzwanzigsten Lebensjahr in Toronto gewohnt hat. Sie nennt mich Lulu und Süße. Wie sich herausstellt, habe ich sie schon einmal gesehen, als ich drei Jahre alt war. »Du warst hin und weg von meinen Krampfadern«, schreit sie. »Wolltest sie dauernd anfassen.« Sie streckt eine dürre, stoppelige Wade vor, um die sich violette Würmer ringeln. »Tja, Süße, inzwischen gibt es hier noch wesentlich mehr Objekte der Begierde zu bestaunen.«

Ich weiche zurück.

Sie schläft auf dem Schlafsofa im Arbeitszimmer meines Vaters. Ihre Füße hängen über die Kante, ihre Schnarchtöne dringen durch die Lüftungsschächte und reißen mich aus Alpträumen von Männern, die mit schweren Maschinen versuchen, in unser Haus einzubrechen. Wenn sie in der Küche arbeitet, sitzt sie auf einem Holzstuhl mit Rollen, den sie mitgebracht hat, weil die Lehne nach innen gebogen ist und ihre knarzenden Hüften stützt, und rollt zwischen Telefon, Tisch und Spüle hin und her. Um den Stuhl in dem Überseekoffer zu verstauen, hat sie die Beine abgeschraubt und bei uns mit ihrem eigenen Schraubenzieher wieder angebracht. Mein Vater besitzt eine Remington-Schreibmaschine, aber in dem Koffer war genug Platz für ihre Underwood, deshalb ist auch die mitgekommen. Sie sagt: »Ich haue schon so lange auf diese Tasten ein, dass sie schon im Voraus wissen, was ich schreiben werde. Wie das alte Pferd, das immer den Weg nach Hause findet.«

Ich frage (beim Gedanken an Texas): »Hast du bei dir zu Hause ein Pferd?«

Sie lacht schallend. »Da, wo ich herkomme, *bin ich* das Pferd.«

Jetzt fällt mir ein, wie meine Mutter sagte: »Verna ist ein Spaßvogel.« Und das ist sie, aber von einer Sorte, die ich noch nicht kenne, denn der Spaß geht auf ihre Kosten. Sie ist tollpatschig, sie rennt gegen die Möbel, sie knöpft ihre Bluse schief zu, sie trägt zwei verschiedene Strümpfe, und wenn ich sie auf diese Pannen aufmerksam mache, ohrfeigt sie sich selber und bellt: »Was bin ich für ein Schusselkopf!« Sie lässt unser Abendessen anbrennen. Die Wände und Decken sind mit Fettspritzern übersät, die Töpfe kochen über, und ihre Spaghetti klumpen sich zu einem Kloß zusammen, der aussieht »wie ein Gehirn«, wie sie selber feststellt. »Bei mir würde selbst Eis verkohlen!«, brüllt sie. Wenn sie lacht, schieben sich ihre Lippen an ihren langen Zähnen hoch und geben den Blick auf ihr Zahnfleisch frei, und ich wende mich schaudernd ab mit einem Gefühl, als hätte ich etwas Nacktes gesehen.

Aber ich bin froh, dass sie da ist. Sie hat sich offenbar ganz der Aufgabe verschrieben, uns bei Laune zu halten, obwohl ich kein bisschen das kummervolle Waisenkind bin, für das sie mich hält. Sie umklammert meine Schultern mit ihren großen Texanerhänden und trompetet: »Ich bin dran an dem Fall!« Mindestens einmal am Tag sagt sie: »Trübsal blasen lohnt sich nicht!«

»Tu ich gar nicht«, sage ich.

Ich frage, was ist, wenn sie meine Mutter findet und die sie einfach wegschickt? »Manche Leute wollen nicht gefunden werden«, sage ich, den Polizeibeamten zitierend.

»Das hängt davon ab, ob sie aus freien Stücken gegangen ist oder nicht«, sagt Tante Verna knapp und in professionellem Ton.

»Ob sie weggelockt wurde, meinst du?«

»Irgendjemand oder irgendetwas könnte ihren Verstand vernebelt haben.«

»Der Schleimer«, biete ich an.

»Vielleicht eine Schlange im Gras. Oder auch nicht. Vielleicht ein Erpresser. Vielleicht Narkotika.«

»Was sind Narkotika?«

Ihre Miene friert ein. Das hätte ihr nicht rausrutschen sollen.

Ich dagegen passe gut auf, dass mir nichts rausrutscht. *Ich* glaube, auch wenn das sonst keiner glaubt, meine Mutter ist einfach verschwunden, weil sie Greenwoods hasste. Das hat sie immer gesagt. Eines Tages ist sie einfach abgehauen, ob nun mit oder ohne Mann, was macht das schon aus, *sie* hat sich nie herumkommandieren lassen. Wieso sollte sie zurückkehren? Wir kommen prima ohne sie zurecht. Jeden Abend nach dem Essen spielen wir Scrabble, oder wir schauen fern, und niemand macht sich lustig über die Schauspieler oder darüber, wie die Frauen in den Werbespots angezogen sind. Wenn ich mit Migräne aufwache, dann reibt Tante Verna meine Schläfen, bis ich wieder einschlafe, anstatt mir Aspirin in den Hals zu schieben.

Die Möglichkeit, dass meine Mutter zurückkehren könnte, verursacht mir die gleiche leichte Übelkeit wie das nahende Ende der Sommerferien, und um ihre Rückkehr hinauszuzögern oder sogar zu verhindern, schrecke ich nicht davor zurück, die eine oder andere falsche Spur zu legen. Auf Tante Vernas Frage: »Hat Grace je einen Ort erwähnt, wo sie unbedingt mal hin wollte?«, antworte ich: »Australien.«

»Australien?«, fragt mein Vater verwirrt.

»Und Japan«, sage ich.

Die Ermittlungen verlaufen stürmisch. Tante Verna dreht Matratzen und Kissen um. Sie leert alle Schubladen, Kommoden und Schränke, durchwühlt den Inhalt ausgiebig und stopft dann alles einfach wieder hinein. Anfangs bin ich entsetzt, falte die Pullover ordentlich zusammen und ordne die Dosen in den Regalen.

»Du kommst nach deiner Mutter«, stellt Tante Verna fest, und diese Bemerkung verblüfft mich dermaßen – ich bin *kein bisschen* wie meine Mutter –, dass ich die offene Dose mit weißem Zucker, die ich gerade in Händen habe, zu Boden fallen lasse.

Im Haus herrscht also Chaos. Mir ist es egal, und meinem Vater scheint es nicht einmal aufzufallen. Tante Verna sucht nach einem Tagebuch, einer Notiz, einer Landkarte, einem Brief, einem Liebespfand, einem verdächtigen Medikamentenrezept. Wir finden nichts dergleichen. Aber in der weißen, ledergebundenen Bibel, die meine Mutter als Kind bekommen und angeblich seit zwanzig Jahren nicht aufgeschlagen hat, finden wir ihre Geburtsurkunde. Das gilt als eine Art Durchbruch. Tante Verna steht auf dem Standpunkt, wenn man wegläuft, ohne seine Geburtsurkunde mitzunehmen, dann will man in neun von zehn Fällen eine neue Identität annehmen.

Und das, sagt sie, ist kinderleicht. Sie erklärt uns, wie man es macht. Man geht in die Stadtbücherei und fragt nach dem Anzeigenteil einer Tageszeitung aus dem Jahr, in dem man geboren wurde. Man sucht die Todesanzeige eines Babys vom gleichen Geschlecht, das nur ein paar Stunden oder Tage gelebt hat. Man notiert sich den Namen des Babys, der Eltern, das genaue Geburtsdatum und den Ort. Damit geht man zu einer Behörde und gibt die Daten als seine eigenen aus. Falls sie es nachprüfen, was nur selten vorkommt, finden sie bloß heraus, dass an dem betreffenden Tag und Ort tatsächlich ein Baby geboren wurde. Man bekommt seine Geburtsurkunde. Man taucht sie in Kaffee und legt sie in die Sonne, um sie alt erscheinen zu lassen.

»Grace würde auf so was nie kommen«, sagt mein Vater und streicht sich mit einer Hand über sein unrasiertes Kinn.

Genau wie das Haus und Tante Verna befindet sich mein Vater in einem chaotischen Zustand. Sein Haar steht unordentlich ab, niemand bügelt seine Hemden. Und doch geht er jeden Morgen zur Arbeit, leert beim Abendessen seinen Teller, gewinnt beim Scrabble. Er wird gut damit fertig, scheint mir. Wenn ich mitten in der Nacht von Tante Vernas Schnarchen aufwache und die Dielen am Ende des Flurs knarren höre, dann stelle ich mir nicht vor, dass er von heftigem Liebeskummer geplagt auf und ab geht (da ich noch nicht weiß, dass ihm das Lachen meiner Mutter fehlt). Er ist ein Mann, der so manches Wochenende lang frustriert in seinem Arbeitszimmer auf und ab gegangen ist, bloß weil er ein Wort im verschlüsselten Kreuzworträtsel nicht herausgekriegt hat. Er geht auf und ab, ja, das stelle ich mir schon vor. Er schlägt sich mit der Faust in die flache Hand. Er verlangt Antworten.

»Vielleicht kommt sie drauf«, sagt Tante Verna zum Thema gefälschte Geburtsurkunde, »vielleicht auch nicht. Wir wissen nur, dass sie ihre Geheimnisse hatte und sie für sich behielt. Außerdem könnte sich ihr Komplize in solchen Dingen auskennen.«

Mein Vater nickt. »Der miese kleine Ganove.« Weil er in diesem Ton nur von dem Schleimer spricht, weiß ich gleich, wer mit »Komplize« gemeint ist. »Der Hochstapler«, sagt er mit einem irren Leuchten in den Augen.

»Gauner«, sage ich. »Taschendieb.« Für mich ist das nicht mehr die wahre Geschichte, die es für meinen Vater ist. Aber intuitiv begreife ich, dass der Schleimer umso mehr an Substanz gewinnen muss, je mehr meine Mutter meinem Vater verloren geht, und deshalb trage ich zur Vervollständigung seiner Biographie bei.

Genau wie Tante Verna. »Hat sein Lebtag nichts Anständiges gearbeitet!«, blafft sie.

»Abzocker«, murmelt mein Vater.

Mein Vater und ich sind Tante Verna keine große Hilfe bei der Suche. Die eigentliche Arbeit erledigt sie tagsüber, wenn wir aus dem Haus sind. Überall quetscht sie die Leute aus, auf der Polizei, in Krankenhäusern, Modelagenturen, Schönheitssalons und Modegeschäften, ermittelt etliche alte Bekannte meiner Mutter aus ihrer Zeit in Montreal, besorgt sich Kopien ihrer Arzt- und Zahnarztakten. Sie macht sich Notizen, die sie morgens abtippt und in einen kupferfarbenen Ziehharmonika-Ordner mit der Aufschrift »Fall Helen Grace Kirk, geb. Hahn« steckt. Fast jeden Nachmittag stolziert sie ein, zwei Stunden lang in ihrem langweiligen Rock, den verschiedenen Strümpfen, den Quadratlatschen und dem Männertweedmantel durch die Straßen von Greenwoods, klopft an Türen und verhört Hausfrauen. Auf dem Heimweg von der Schule höre ich manchmal ihre schallende Stimme: »Ich werde Sie nur ein paar Minuten in Anspruch nehmen… ich bin Sawyer Kirks Schwester Verna.« Dann verstecke ich mich aus Angst, sie könnte mich sehen und »Lulu« rufen.

Zu Hause legt sie sich flach auf den Teppich, um ihre schmerzenden Hüften zu entspannen. Ich lege mich neben sie. Sie hat mir erklärt, dass eine Ermittlung nicht in erster Linie aus dem Sammeln von Beweisen besteht, sondern vielmehr im allmählichen Reduzieren der unendlichen Anzahl von Möglichkeiten. Langsam, aber sicher schrumpft dieses Universum der Möglichkeiten zusammen. Sie illustriert den Vorgang durch das Zusammenführen ihrer Hände in einer Art Würgegriff. Sie hält mich auf dem Laufenden über das, was bereits ausgeschlossen werden kann: Meine Mutter sitzt weder in einem kanadischen Gefängnis noch in einer Nervenheilanstalt. Sie wird nicht von der berittenen Polizei gesucht. Unter ihrem richtigen Namen hat sie keinen Bibliotheksausweis beantragt und keine kanadische Filiale einer Schweizer Bank kontaktiert. Da sie auffällig genug aussieht, selbst wenn sie eine Perücke trüge, kann man mit ziemlicher Sicherheit annehmen, dass sie persönlich weder einen Flugschein noch eine Zug- oder Busfahrkarte gekauft hat, jedenfalls nicht in Toronto. Sie hat sich in keinem Hotel oder Motel in Südontario eingemietet. Sie hat ihren Schmuck nicht im Leihhaus versetzt. Ihr Komplize, der Schleimer, ist keiner der Ehemänner aus unserem Vorort und auch kein Lieferwagenfahrer von Eaton's.

Beim Abendessen erzählt sie meinem Vater, was sie am Tag herausgefunden hat, und seine Reaktionen reichen von gespannter Aufmerksamkeit über düsteren Zynismus (an den Schleimer gerichtet) bis zu sprachlosem Staunen. Am Ende sagt er unweigerlich: »Ich kann es nicht glauben.« Er kann nicht glauben, dass sie spurlos verschwunden ist. Ohne ein Wort, nicht mal zu Mrs. Bently.

Natürlich hat er Mrs. Bently angerufen. »So eine falsche Schlange«, schnaubte Mrs. Bently, giftig genug, um ihn davon zu überzeugen, dass sie nichts wusste. Dann machte sie ein paar Vorschläge, wen man aufspüren sollte: ein mehr als trinkfestes Model aus Flin-Flon, Manitoba. Jane oder Anne oder Joanne. Und den Verehrer meiner Mutter aus der Highschool-Zeit, einen Typen mit Schwimmhäuten zwischen den Zehen und dem unglaublichen Namen Duck. Tom oder John oder Ron oder auch Rob Duck. »Sackgassen«, prophezeite Tante Verna, aber sie rief alle Ducks in den Provinzen Quebec und Ontario an. Außerdem rief sie alle Leute an, die mein Vater bereits angerufen hatte, unter anderem auch die Mutter meiner Mutter, Großmutter Hahn, die seit zehn Jahren bei St. Petersburg, Florida, in einem Wohnmobil lebt und deren Weihnachtsgeschenk jahrein, jahraus aus den gleichen drei rot-grünen, selbst gehäkelten Platzsets bestand, die meine Mutter jedes Jahr in den Müll geworfen hat, nicht ohne vorher auf die Flecken und die Fehler im Muster hinzuweisen und zu sagen: »Die Frau hat den Verstand verloren.«

Rein zufällig sagte Großmutter Hahn genau dasselbe über meine Mutter, als mein Vater ihr die Neuigkeit berichtete. »Muss sie ja wohl«, erklärte sie, »wenn sie einen verlässlichen Ernährer so mir nichts, dir nichts sitzen lässt.« Sie meinte, meine Mutter sei schon immer leichtfertig gewesen. »Fräulein Alleskönnerin«, sagte sie. »Fräulein Locker-Flockig. Fräulein Zum-Teufel-mit-euch-allen. Na, für mich ist sie Fräulein Der-Teufel-soll-dich-holen. Fräulein Komm-bloss-nicht-heulend-bei-mir-angelaufen-wenn-du-auf-die-Nase-fällst«, und diese ausufernde Liste von Beinamen verfehlte nicht ihre Wirkung bei meinem Vater, der sie mit einem gewissen Staunen wiedergab.

Wochen später sagte Tante Verna bezüglich dieses Telefongesprächs: »Also ich für mein Teil halte deine Mutter nicht für verrückt oder durcheinander oder so etwas.«

Sie und ich liegen nebeneinander auf dem Wohnzimmerfußboden. Nach Wochen ohne Staubsaugen ist der Teppich zu einer farbenprächtigen Landschaft aus Flecken geworden, deren Herkunft ich mir nicht vorzustellen vermag, und in den Lichtstreifen, die durch die Jalousien ins Zimmer fallen, tummeln sich Fäden, Haare und tote Fliegen.

»Sie ist bloß ein bisschen nervös«, sagt Tante Verna. »Das sind schöne, dünne Frauen oft, weißt du. Sie sind so aufgedreht, dass sie manchmal eben ausrasten.«

»Sie hat nie geschrien oder gebrüllt«, sage ich. »Sie hat mich nie geschlagen.«

Ich sage das nur zur Information. Es ist mir noch nicht eingefallen, sie zu verteidigen oder anzuklagen oder mich auch nur wirklich zu fragen, wo sie wohl sein mag.

»Aber wer sagt denn, dass sie dich geschlagen hat«, ruft Tante Verna erschrocken. »Gütiger Gott, das will ich doch wohl nicht hoffen.«

Meistens liege ich auf der Seite und schaue Tante Verna an, die Arme zum Schutz vor ihrem Geschrei an meine Ohren gepresst. Manchmal tätschelt sie mir das Bein oder umschlingt mein Knie. In allem, was ich von mir gebe, wittert sie entweder den Kummer des Waisenkindes oder die Loyalität der Tochter. Ich sage aus reiner Spekulation darüber, was meine Mutter wohl macht: »Ob sie sich selbst die Haare aufdreht?«, und Tante Verna ruft: »Ach Schätzchen, ich würde dir ja die Haare aufdrehen, aber ich habe zehn linke Daumen!«

Eines Nachmittags Anfang März sagt sie: »Lulu, wir sind mit unserem Latein am Ende.«

»Wie meinst du das?«

»Wir haben keine Anhaltspunkte mehr.«

»Nein?«

»Das heißt aber nicht, dass wir den Fall abschließen.« Sie drückt mein Knie. »Die Akte bleibt offen. UFO. Ungelöst, Fall offen.«

»Dann ist sie also davongekommen«, sage ich. Ich kann es kaum glauben. Sie ist wirklich weg.

»Vorläufig ja. Vorläufig ist sie davongekommen.«

Wir liegen da und schauen uns an. Ich brauche einen Moment,

ehe ich begreife, dass ihr Scheitern bei der Suche nach meiner Mutter bloß die jüngste Enttäuschung in ihrem Leben ist. Den Kummer der hausbackenen alten Jungfer, deren größte Leistung es ist, sich die Hoffnung zu bewahren, erkenne ich mit der feinen, untrüglichen Verständigkeit meiner neun Jahre. Mit einem Kloß im Hals sage ich: »Keine Sorge« (denn obwohl ich vielleicht nicht alles, was ich zu der Zeit sehe, ganz verstehen kann, habe ich doch inzwischen gelernt, es am Glitzern in den Augen zu erkennen, wenn die Abreise einer Person unmittelbar bevorsteht), »ich kann kochen.«

## 08

**Im Gehirn meines Vaters** besteht eine Unzahl von Analogien, die alles mit allem anderen verbinden. Jedenfalls wenn er sich in seinem Normalzustand der Aufgeschlossenheit befindet. Nach dem Weggang meiner Mutter, in jenen ersten Wochen, beschränkt sich »alles« auf Diebe und Schleimer und »alles andere« auf Haie, Schlangen, Ratten, Kakerlaken, Heißluftballons und Süßholzraspler.

Aber sowie sich seine Aufmerksamkeit vom Schuldigen auf den erlittenen Verlust verlagert, bekommt die Welt einen Sprung und zeigt sich ihm in ihrer ganzen Erbärmlichkeit. Alles, was abhanden kommt, und das ist in unserem chaotischen Haushalt eine Menge, alles, was zu Boden fällt oder zur Neige geht, wie zum Beispiel die Frühstücksflocken, entlockt ihm Seufzer oder Wutanfälle. Beim Essen sitzt er gramgebeugt da und starrt den Hocker an, auf dem meine Mutter immer thronte, wenn sie das Abendessen gemacht hat. Er steht noch da und wartet auf sie. Eine Säule der Zuversicht. Eine Bastion des Vertrauens. Oder Zeit, alle Zeit: die Gegenwart, weil sie leer ist, die Vergangenheit, weil sie sich nicht verändert hat, die Zukunft, weil sie unergründlich ist.

Dennoch bleibt er hoffnungsvoll, genau wie seine Schwester, bleibt überzeugt, dass meine Mutter eines Tages zu ihren Pullovern und Schuhen und ihrer blauen Noxema-Cremedose zurückkehren wird. Er betrachtet diese Dinge nicht als Überbleibsel. Obwohl sie ihm die Tränen in die Augen treiben, stellt er sie zur Schau, als Beweis für eine nur vorübergehende Abwesenheit. Noch das kleinste ihrer Utensilien ist so unbestreitbar *vorhanden* (wenn auch nicht unbedingt am alten Platz), so unerschütterlich das, was es ist, dass es nicht nur sirenenhaft nach ihr ruft, sondern schon die schlichte Tatsache seiner Existenz meinem Vater Recht zu geben scheint.

Manchmal öffnet er den Flurschrank und nimmt einen ihrer Hüte aus dem Karton, irgendeinen, es spielt keine Rolle, welchen. Er dreht ihn in den Händen hin und her und betrachtet ihn eingehend. Wenn es das Matador-Modell ist, zieht er die Nadel heraus und sagt: »Eine Zuchtperle.« Verzückt hält er die Nadel gegen das Licht. »Eine echte Zuchtperle.«

Um die Zeit, als Tante Verna ihre bevorstehende Abreise ankündigt, stellt er diese Art der Vergötterung allmählich ein. Er spricht nicht mehr von meiner Mutter, abgesehen von einem kurzen »Sie kommt wieder«, als Tante Verna vorschlägt, dass wir ihre Kleider in den Keller bringen oder in die Kleidersammlung geben sollen. Unsere beiden Familienfotoalben, die früher im Wäscheschrank aufbewahrt wurden und hauptsächlich Studioaufnahmen aus der Model-Zeit meiner Mutter enthalten, verstaut er in der abgeschlossenen unteren Schublade seines Schreibtisches. Aus Angst, Tante Verna könnte sie für Ermittlungszwecke konfiszieren. Das nehme ich jedenfalls an. Erst Jahre später stelle ich mir vor, wie er die Bilder betrachtet, sich in Erinnerungen, Wut und Lust verliert. In Vorwürfen. Ich werde sechsundzwanzig werden und Abel wird tot sein, ehe ich begreife, dass sogar Vorwürfe der Erinnerung dienen können.


Ehe sie abreist, widmet sich Tante Verna noch einer weiteren Suche. Der nach einer Haushälterin, auf Zeit natürlich, denn die Akte Helen Grace Kirk, geb. Hahn, bleibt Ungelöst, Fall offen.

»Das Essen kann ich auch selber anbrennen lassen«, argumentiere ich, und erwachsen, wie ich bin, bekomme ich mitgeteilt, dass ein Gesetz besagt, Kinder in meinem Alter dürften nicht allein gelassen werden. Aber ich soll mir keine Sorgen machen, ich werde nicht zu sehr beaufsichtigt werden. Die Haushälterin wird vormittags kommen, putzen, einkaufen, mein Mittagessen kochen, die Wäsche waschen und bügeln und das Abendessen vorbereiten. Wenn mein Vater um sechs nach Hause kommt, geht sie.

»Es gibt keinen Grund, warum sie den ganzen Abend hier herumlungern sollte«, sagt Tante Verna. »Und an den Wochenenden brauchst du sie auch nicht zu ertragen.« Sie klingt verärgert, so als würde ihre Nachfolgerin sich bereits im Haus breit machen.

Es gibt etliche Bewerberinnen. An drei verschiedenen Nachmittagen treffe ich die drei, die in die Endauswahl gekommen sind. Sie ähneln den drei Bären: eine kräftige Blondine, eine zierliche Dunkelhaarige, eine mittelgroße, hübsche Braunhaarige. Oder anders ausgedrückt: eine fröhliche Plaudertasche, eine nervöse und fast Stumme (deren Stimmbänder bei einer verpfuschten Drüsenoperation schwer gelitten haben) und eine, die ruhig und entspannt ungefähr so viel redet, wie man erwarten sollte. Die kräftige, fröhliche, blonde Plaudertasche gefällt mir nicht. Sie erinnert mich an Maureen aus der Schule – eine verdeckte Tyrannin; sie spricht ein bisschen zu eifrig davon, mich zu mästen. Die mittelgroße, ruhige Hübsche scheint die beste Wahl zu sein, bis sie sich zum Gehen fertig macht und ich mitkriege, wie sie sich im Flurspiegel betrachtet und einen Moment lang völlig von ihrem Anblick gefangen ist, nichts um sie herum mehr wahrnimmt. Das jagt mir einen Schauer durch den ganzen Körper.

Also wird es die kleine, dunkle, nervöse, fast stumme Kandidatin. Mrs. Carver. Sie ist vermutlich sowieso die beste Köchin. Zu ihrem zweiten Vorstellungstermin (bei dem ich dabei sein durfte) kam sie mit einem in Alufolie verpackten kalten Hackbraten, einem Weckglas voller Kartoffelsalat und einer Papiertüte mit selbst gebackenen Mürbekeksen. All diese Gaben holte sie aus einer riesigen, dunkelblauen Tasche und steckte sie Tante Verna zu, als sei es Schmuggelware. An dem Abend verschlangen Tante Verna, mein Vater und ich das Essen und erklärten es für vorzüglich (was es vielleicht war, vielleicht aber auch nicht, denn wie Tante Verna betonte, schmeckte im Vergleich mit *ihrer* Kochkunst selbst Hundekuchen wie eine Gourmetmahlzeit), aber dennoch hatten wir weiterhin das Gefühl, dass Mrs. Carvers Sprechschwierigkeiten, so bedauernswert sie auch sein mochten, von Nachteil waren. Aber am nächsten Tag schied die hübsche Anwärterin aus, und wir gelangten zu der Ansicht, dass eine zierliche, schweigsame Frau genau das war, was wir brauchten: Sie würde nicht sehr stören und uns nicht mit ihrer Lebensgeschichte langweilen.

»Ihr werdet kaum merken, dass sie da ist!«, brüllte Tante Verna. »Ihr werdet aufpassen müssen, dass ihr nicht über sie fallt!«

Dann kommt der erste April. Mein Vater bringt Tante Verna im Morgengrauen zum Flughafen, und Mrs. Carver trifft irgendwann später ein, als ich schon in der Schule bin. Um zwölf Uhr mittags komme ich nach Hause und brauche nicht erst einen Berg von Stiefeln und Schuhen beiseite zu schieben, um mich durch die Haustür zu quetschen. Der Flur ist leer. Die Fliesen glänzen. Da das unmissverständliche Zeichen für die Anwesenheit meiner Mutter sind, kriege ich einen Moment lang weiche Knie, ehe ich Mrs. Carver oben an der Treppe stehen sehe.

»Oh, hallo«, sage ich. Ich streife die Stiefel ab. Meine Jacke werfe ich übers Treppengeländer wie immer.

Mrs. Carver ringt die Hände. Ihre Augen, von dicken Brillengläsern zu großen, braunen Pfützen vergrößert, rollen aufgeregt hin und her.

»Was ist denn?«, frage ich erschrocken.

Sie zeigt mit dem Finger auf den Wandschrank. Ich denke, sie will mir sagen, dass jemand dort drinnen ist. Ein Eindringling!

»Häng sie auf!«, flüstert sie.

»Ach so.« Mein Atem kehrt zurück. »Okay. Tut mir Leid.« Ich öffne den Schrank und werde erneut überrascht. Mäntel auf den Bügeln. Die Bügel auf der Stange. Die Schuhe in einer Reihe auf dem Boden.

Die Küche befindet sich noch mitten im Prozess der Wiederherstellung. Die Backofentür steht offen, die Roste lehnen an der Wand. Tassen und Teller stehen überall herum, weil sie gerade die Regale mit frischem Papier auslegt. Aber auf dem Tisch (wo man gestern noch unbezahlte Rechnungen, Bleistiftstummel, schmutziges Geschirr und wer weiß was sonst noch zur Seite schieben musste, um ein Eckchen für sich frei zu machen) liegt und steht nichts außer meinem Mittagessen: ein Glas Milch, ein diagonal geteiltes Eiersalat-Sandwich, ein paar Möhrenstifte, zwei kleine

Stücke Schokoladenkuchen und ein geviertelter und entkernter Apfel.

»Alles ist kleingeschnitten«, stelle ich fest und denke an den seltsamen Zusammenhang zwischen dieser Tatsache und ihrem Namen. Mrs. Carver, die Schnitzerin.

Sie bedeutet mir, mich zu setzen.

»Was ist mit *Ihrem* Essen?«, frage ich.

Sie zeigt auf ein leeres Glas und einen leeren Teller in der Spüle.

»Sie haben schon gegessen«, sage ich.

Sie nickt. Ich spüre, wie ein Funke der Zufriedenheit zwischen uns überspringt. Ich lerne allmählich, sie zu entschlüsseln.

Ich setze mich, und sie steigt unverzüglich wieder auf einen Stuhl und fährt fort, die Schrankbretter abzuseifen. Sie ist sehr klein und agil, fast wie ein Kind, aber sie ist nicht mehr jung, sie ist fünfundvierzig. Ich weiß das aus Tante Vernas Notizen. Ich weiß, dass sie in Kingston geboren wurde, die Witwe eines pleite gegangenen Erfinders ist (dessen beste Ideen – die elektrische Schreibmaschine und der elektrische Lockenstab – ihm geklaut worden sind) und eine zweiundzwanzigjährige Tochter hat, die seit letzten Juni verheiratet ist und jetzt in Port Hope lebt.

Ich warte auf ihr Signal: ein forschender Blick, oder vielleicht spricht sie die Frage auch direkt aus. Ich bin daran gewöhnt, beim Mittagessen eine Beschreibung meines Tages abzuliefern, entweder einen halbwegs ehrlichen Bericht, wie ihn Tante Verna verlangte, oder – was meine Mutter vorzog – eine witzige, übertriebene Version. Aber Mrs. Carver putzt einfach weiter, und nachdem ich zwei Sandwichviertel verspeist habe, kapiere ich, dass keine Unterhaltung stattfinden wird. Erleichtert sacke ich auf meinem Stuhl zusammen. Ich schaue sie mir eingehend an.

Von hinten sieht man, dass ihr kurzes, schwarzes Haar langsam dünner wird, auf dem Oberkopf sogar in beängstigendem Ausmaß. Und dass es gefärbt ist. Auf der rosigen Fläche, wo die Haare ausfallen, leuchten die weißen Ansätze. Sie trägt die gleiche kurzärmelige, gelbe Bluse wie bei ihrem zweiten Vorstellungstermin. Aus Nylon, mit Rändern unter den Achseln. Der schwarze Rock ist aus dünnem Flanell. »Billige Stoffe«, denke ich, aber ohne den Spott meiner Mutter. Arme Mrs. Carver, mit ihrem toten Versager-Ehemann und den ruinierten Stimmbändern. Fährt einen schäbigen Sedan und muss anderer Leute Schränke saubermachen, um die Miete für ihre Wohnung in der Innenstadt bezahlen zu können. Vor ein paar Wochen, als Tante Verna und mein Vater darüber sprachen, ob eine Haushälterin nötig sei, hörte ich Tante Verna sagen: »Ein Mädchen in Louises Alter braucht eine Frau um sich.«

Also, hier ist sie nun, die Frau, die ich brauche. Besser als eine Schlampe, sage ich mir, oder eine Plaudertasche. Besser als diese herrische, geschwätzige Madame. Ich überlege, wer sonst noch in Frage gekommen wäre. Mrs. Bently! Auf jeden Fall besser als *sie*. Besser als eine Alkoholikerin mit einem Gesicht wie eine Dose Würmer.


Innerhalb von drei Tagen hat Mrs. Carver das Haus auf Vordermann gebracht, wenn auch nicht ganz so picobello, wie es bei meiner Mutter war. Trotz ihres unermüdlichen Putzens fehlt Mrs. Carver der Perfektionismus des schrubbenden Engels, dem bewusst ist, dass der Staub herumfliegt, ehe er sich setzt, und dass er sich sogar auf vertikalen Oberflächen niederlässt. Deshalb saugt man auch in der Luft und an den Wänden. Und verbannt, so weit es geht, mögliche Landeflächen wie Bilderrahmen oder Schnickschnack. Auf gar keinen Fall würde man einen verästelten Porzellankorb mit drei Porzellankatzen darin aus der hinteren Ecke eines Küchenschranks holen und in die Mitte des Kaffeetisches stellen. Am Tag, als dieser Korb auftaucht, nehme ich ihn hoch und sage provozierend: »Ein wahrer Staubmagnet.«

Mrs. Carver reibt mit schnellen Bewegungen die Hände an ihrer Schürze, und ich interpretiere das als atemloses: »Ja, das ist mir klar und es gefällt mir auch nicht, aber ich versuche nur, die Wohnung ein bisschen aufzuheitern.« Dann flitzt sie zurück in die Küche.

Unter der Herrschaft meiner Mutter war ich ordentlich, um mir keine sarkastische Bemerkung einzuhandeln. Jetzt fürchte ich,

Mrs. Carvers scheinbar endlose Sorgen zu vermehren. Was mich allerdings nicht sehr einschränkt. Ich tue, was ich noch nie getan habe, ich lasse Sachen auf der Kommode liegen – ein Kartenspiel, eine Packung Buntstifte. Wenn ich mit meinen Puppen spiele, dann ziehe ich sie nicht nur an, kämme ihnen das Haar und lege sie dann zurück in die Spielzeugkiste, sondern ich trage sie herum und setze sie vor den Fernseher. Ich esse auch mein Mittagessen vor dem Fernseher, und Mrs. Carver schimpft nur, wenn ich dabei keinen Teller benutze, und selbst dann bekomme ich noch die Chance zu bemerken, dass sie schimpfen wird (weil sie hörbar einatmet oder die Handflächen aneinander reibt), und mir selbst einen Teller aus der Küche zu holen, bevor sie losrennt, um mir einen zu bringen.

Mein Vater, der sie jeden Tag nur ein paar Minuten sieht, versucht immer wieder, eine Unterhaltung mit ihr anzufangen. Hinterher schelte ich ihn, und er sieht betroffen aus und sagt, er wolle doch nur höflich sein, zum Kuckuck noch mal. Aber er findet sie rührend, und es fällt tatsächlich schwer, das nicht zu tun. Er hilft ihr in ihren zerschlissenen Mantel. Von der Haustür aus schaut er zu, wie sie in ihrem klotzigen, alten Ford davonfährt, und fragt sich, wie sie es schafft, über das Lenkrad zu schauen.

Am nächsten Nachmittag begrüßt er sie mit der Frage: »Was gibt es zum Abendessen, Mrs. Carver?«, und sie rollt hinter den Brillengläsern die Augen und flüstert: »Kotelett mit Erbsen und Kartoffeln« (zum Beispiel), und er sagt, »Wie bitte?«, und sie versucht es erneut: »Kotelett mit Erbsen und Kartoffeln«, und er versteht sie immer noch nicht. Oder er versteht doch und fragt unbekümmert weiter, was für Kartoffeln, so dass ich mich gezwungen sehe einzugreifen.

»Überbackene Kartoffeln«, fauche ich, »gegrillte Koteletts und gekochte Erbsen, okay?«

»Schön«, sagt er einfältig. »Klingt köstlich.«

Ich übersetze auch ihre Gesten. Im Handumdrehen habe ich heraus, was ihr Zucken und Wedeln bedeutet. Ich schreibe mein Geschick den Ermittlungstechniken zu, die ich von Tante Verna gelernt habe, die mir Sachen beigebracht hat wie zum Beispiel:

Lügner reiben sich die Nase und bewegen die Augenlider entweder zu oft oder zu selten; Leute, die nicht direkt lügen, aber dennoch etwas zu verbergen haben, reiben sich das Kinn und schauen nach links. Achte auf die Augen, den Mund und die Hände, riet Tante Verna. Das mache ich, und es ist ein klarer Fall für mich, dass Mrs. Carver sowohl ehrlich als auch voller Geheimnisse ist.

Außerdem bin ich zu dem Schluss gekommen, dass sie fürchtet, an einem durch ein lautes Geräusch ausgelösten Herzanfall zu sterben, wie es ihrem Mann passiert ist. Wenn ich einen Löffel fallen lasse oder eine Schublade zuknalle, greift sie sich an die Brust, und ständig wartet sie angespannt auf ein Klopfen an der Haustür, obwohl nur selten jemand anklopft, und wenn doch, dann nur ganz kurz, denn mit ihrer animalischen Wahrnehmung hat sie bereits die Schritte gehört, ist in den Flur gelaufen, hat die Tür aufgerissen und den Besucher in ein überraschtes Schweigen versetzt, das *sie* bestimmt nicht brechen wird. Bei anderen lauten Geräuschen rennt sie ans Fenster. Wenn sie etwas Aufregendes sieht, pfeift sie durch die Zähne und winkt mich herbei, und dann schauen wir gemeinsam nach draußen wie zwei Gefangene oder Spione.

Oft ist das Aufregende nur ein Hund oder einer der Dingwall-Jungs. »Nur« für einen unwissenden Beobachter. Für Mrs. Carver, die sich mit Omen auskennt, bedeutet ein schwarzer Hund im eigenen Garten Unglück. Ein gelber Hund bringt Glück, genau wie alles Gelbe: ein gelber Vogel, der Anblick einer Person mit gelbem Mantel oder gelbem Hut, ein gelbes Auto, das vorbeifährt. Ein gelbes Auto mit einem Nummernschild, in dem eine oder mehrere Dreien vorkommen, ist ein besonders gutes Zeichen – drei, nicht sieben, ist die wahre Glückszahl. Wo man hinschaut, gibt es Zeichen. Die guten bringen Mrs. Carver zum Lächeln – sie sind das einzige, was sie zum Lächeln bringt –, und dann sieht man kurz ihre Grübchen und die ebenmäßigen, weißen Zähne, die ihr Mann sehr anziehend gefunden haben muss.

# 09

**Dank Mrs. Carver** erfahre ich von den Richters schon am Tag ihrer Ankunft. Eines Donnerstagnachmittags Anfang Dezember komme ich von einem Treffen des Modeclubs nach Hause, und Mrs. Carver steht im Mantel draußen vor dem Haus. Sie streckt einen Finger aus, und ich drehe mich um und sehe ein Stück weiter einen großen, gelben Lieferwagen auf der Straße stehen, in dem gerade drei Männer in gelben Overalls verschwinden. »Heiliges Kanonenrohr«, sage ich angesichts so vieler Glücksbringer. Ein Schrank mit Spiegelwand schiebt sich aus dem Lieferwagen und schwebt über eine Hecke, die den Blick auf die drei Männer verwehrt. Der Spiegel sieht aus wie ein Stück heruntergefallener Himmel, das ganz alleine durch die Luft gleitet.

»Die O'Hearns sind anscheinend weggezogen«, sage ich. Ich war so vertieft in meinen derzeitigen Lieblingstagtraum (in dem ich eine schöne ägyptische Prinzessin bin und die Mitglieder des Modeclubs meine Sklavinnen), dass mir der Lieferwagen gar nicht aufgefallen ist.

»Oh!«, macht Mrs. Carver. Die untergehende Sonne ist im Spiegel zu sehen.

»Wie eine Apfelsine«, sage ich. Kurz darauf platzt die Apfelsine und verschwindet dann, als der Schrank das Ende der Hecke erreicht und die Männer wieder auftauchen.

Ich schaue zu Mrs. Carver hinüber, die wie erwartet lächelt. »Das werden nette Leute sein«, sage ich über die neuen Nachbarn, während ich versuche, mir vorzustellen, in welcher Gestalt sich das Glück wohl zeigen wird.

Mrs. Carver nickt heftig.

»*Sehr* nett«, sage ich.

Als ich am nächsten Tag aus der Schule komme, erwartet mich

eine überraschende Situation: Nachbarn sind bei uns, und unter ihnen ist auch Mrs. Dingwall, von der meine Mutter immer gesagt hatte, dass sie unser Haus nur über ihre Leiche betreten würde. Die anderen beiden sind Mrs. Dingwalls vierjährige Zwillinge, Gord und Ward, die ich auf dem Wohnzimmerfußboden vor dem brüllend laut gestellten Fernseher vorfinde. Ich gehe hin und drehe den Ton leiser, und sie starren mich ausdruckslos an. Weil sie zu diesem wortlosen Starren neigen und keine Augenbrauen haben, bin ich mir nicht ganz sicher, ob sie normal sind. »Ihr wollt doch nicht taub werden«, sage ich, aber in Wirklichkeit denke ich an die arme Mrs. Carver.

Jetzt höre ich auch Mrs. Dingwalls Stimme aus der Küche. »Oh«, seufzt sie, als ich hereinkomme und hallo sage. »Da ist ja Louise.« Sie zwinkert mir ein paarmal langsam zu. Ihre Augen haben die gleiche wässrig-goldene Farbe wie die der Zwillinge, Augen wie Ginger Ale, aber anders als die der Jungs suchen sie Kontakt, ihr ganzes rundes Gesicht, in Kummer und Sehnsucht getränkt, sucht Kontakt. Sie trägt ein altes Hemd von ihrem Mann über den weiten, roten Hosen, die meine Mutter als Clownshosen bezeichnete und hinzufügte, Mrs. Dingwall gehöre erschossen, weil sie solche Hosen nicht nur besitzt, sondern auch noch außerhalb des Hauses darin herumläuft.

Ich gehe auf die andere Seite des Tisches, wo Mrs. Carver kerzengerade auf ihrem Stuhl sitzt und wütend am Verschluss einer Margarinepackung herumknetet, während sie das Chaos aus Krümeln, Zucker und verschütteter Milch um Mrs. Dingwalls Kaffeetasse beäugt. Zwei Zitronenkekse sind noch in der Dose, die heute Mittag bis zum Rand gefüllt war. Ich frage, ob ich einen haben kann.

»Bedien dich«, antwortet Mrs. Dingwall. »Ich bin bloß auf einen kleinen Plausch mit Mrs. Harver vorbei gekommen.«

»Carver«, sage ich.

»Carver? Ach so. Tja, da siehst du's, ich bin taub wie eine Nessel von den Tropfen, die ich gegen meine Ohrentzündung nehmen musste. Irgendwas ist aber auch immer, verflixt noch mal. Jetzt bei der Kälte spielen meine Lungen verrückt.« Sie hustet. »Wie dem auch sei, ich habe gerade gefragt, was dein Vater dir wohl über die Leute erzählt hat, die das Haus von den O'Hearns gekauft haben.«

»Wieso sollte er etwas über sie wissen?«

»Mr. Dingwall…« Sie wirft einen Seitenblick zu Mrs. Carver hinüber. »Das ist mein Mann, seit fast neunzehn Jahren. Bill. Jedenfalls, er sagt, wo dein Vater arbeitet, haben sie die, wie heißt es noch gleich, die Hypothekenbriefe aufgesetzt.«

Mr. Dingwall ist Regierungsbeamter, und seine Arbeit führt ihn gelegentlich in das Anwaltsbüro, in dem mein Vater beschäftigt ist.

»Er hat gestern länger gearbeitet«, sage ich über meinen Vater. »Ich war schon im Bett, als er nach Hause gekommen ist.«

»Sie sind gestern eingezogen. Du musst den Umzugswagen gesehen haben. Ich lag den ganzen Tag mit Atembeschwerden im Bett, deshalb habe ich alles verpasst. Ich weiß nur, was Dora O'Hearn mir erzählt hat, und die hat sie auch bloß ein einziges Mal getroffen. Sie sind Deutsche, musst du wissen. Sind nach dem Krieg hergekommen, also vor fast fünfzehn Jahren, aber sie haben immer noch einen starken Akzent. Dora hat kaum ein Wort von dem verstanden, was die Frau gesagt hat. Greta heißt sie. Die Frau. Er heißt Karl. Greta und Karl Richter. Klingt ziemlich deutsch, nehme ich an, obwohl ich auch eine Greta in Strathroy kenne, wo ich aufgewachsen bin, und in der Kirche gibt es einen Karl, Karl Stock, einer von den Gemeindeältesten, und die sind beide keine Deutschen. Jemandem namens Richter bin ich, glaube ich, noch nie begegnet. Ich hab zu Bill gesagt, Bill, hab ich gesagt, woher wollen wir wissen, dass das keine Nazis sind? Und er sagt, woher wollen wir wissen, dass sie nicht im Widerstand waren? Bill sieht immer das Positive. Sie haben nur einen Jungen, und der ist adoptiert.«

Ich hebe den Kopf. »Adoptiert?«

»Und ungefähr in deinem Alter, Louise, was mich fast vom Stuhl gehauen hat, als Bill es mir erzählte, denn die beiden sind alt genug, um die Großeltern zu sein. Ich würde ja rübergehen und sie in der Nachbarschaft willkommen heißen, aber wenn sie dann Heil Hitler sagen, falle ich glatt tot um.«

»Ich habe noch nie jemanden kennen gelernt, der adoptiert war«, sage ich.

»Konnte wohl aus irgendeinem Grund keine eigenen Kinder haben.« Sie dreht den Kopf zu Mrs. Carver. »Ich weiß nicht, ob Sie davon gehört haben, aber ich habe ein Baby verloren. Am Valentinstag werden es vier Jahre. Die Ärzte meinten, es habe daran gelegen, dass ich fix und fertig war. Ich kann froh sein, dass ich noch am Leben bin.« Sie presst sich die Fäuste auf die Augen.

Ehe mir klar wird, dass sie weint, ist Mrs. Carver schon aufgesprungen. Schnell geht sie um den Tisch herum und tätschelt Mrs. Dingwall die bebenden Schultern. »Soll ich die Papiertücher holen?«, frage ich. Keine Antwort. Ich schaue auf den Kalender – er ist neben dem Telefon an die Wand gepinnt – und sehe, dass gestern, am achten Dezember, der Jahrestag meiner Empfängnis war. Dadurch fühle ich mich berechtigt, den letzten Keks zu essen.

Mrs. Carver ist diejenige, die mich rührt, wie sie Mrs. Dingwall mit zuckendem Gesicht so schnell auf die Schulter klopft, dass es kaum tröstlich sein kann. Mrs. Dingwall gegenüber empfinde ich nur Wut. Ich knabbere an meinem Keks und betrachte ihre abgekauten Fingernägel und den Schmutz in den Falten ihrer Fingerknöchel, und ich spüre echten, unbarmherzigen Ekel vor den Tragödien der Erwachsenen. Vor dem Chaos, das sie aus allem machen.

Am nächsten Morgen wache ich nicht wie sonst meistens ängstlich, sondern mit einem Glücksgefühl auf. Ich überdenke noch einmal den vorangegangenen Tag, um einen Grund dafür zu finden, aber es gibt keinen. Es ist ein seltsames, hohles Glück, beinahe unerträglich. Freude, denke ich. Dieses Gefühl ist vielleicht Freude.

Ich schaue auf die Uhr an meinem Bett. Viertel nach acht. Dann kann es nicht mein Vater sein, der draußen schaufelt, nicht so früh an einem Samstagmorgen. Ich stehe auf und ziehe die Vorhänge zurück. Die Fensterscheibe ist mit Reif überzogen. Mit dem Daumennagel versuche ich, ein Stück Glas freizulegen, aber der Frost ist zu dick, deshalb mache ich stattdessen das Fenster auf.

Schnee liegt wie ein Pelz über allem. Den Autos, den Büschen und Hecken. Die einzigen Spuren – die ein paar Meter vom Fenster entfernt über unser Grundstück führen – stammen von jemandem, der durch alle Vorgärten gelaufen ist, mitten durch die Schneeverwehungen. Wer? Der Schneeschipper ist Mr. Parker, auf der anderen Straßenseite. In all dem Weiß wirkt seine rote Mütze wie eine klaffende Wunde. »Der Tag bricht an«, denke ich und setze diesen Bruch und das kratzende Geräusch seiner Schaufel zueinander in Beziehung.

Jetzt noch glücklicher wegen des Schnees gehe ich zum Schrank und hole meinen Bademantel und die Pantoffeln heraus. Der Bademantel hat denselben Schnitt und dieselbe Farbe wie der, der im Schrank meiner Mutter hängt, und immer wenn ich meinen anziehe, denke ich daran, wie meine Mutter sich mit der Entscheidung gequält hat, ob wir ihn in Champagner oder in Kornblumenblau bestellen sollten. Schließlich haben wir Champagner genommen, weil das zu ihrem Haar passt. »Das Blau passt dafür zu deinen Augen«, warf ich ein und bekam in kühlem Tonfall Bescheid, dass ihre Augen Delftblau seien.

Ich öffne die Schlafzimmertür und gehe auf Zehenspitzen den Flur hinunter. Vor der Tür meines Vater bleibe ich stehen und lausche. Sein gleichmäßiges Schnarchen erinnert mich an Männer im Fernsehen, die durch Schnorchel oder Gasmasken atmen. Am liebsten würde ich hineinstürmen und ihm von dem Schnee erzählen, aber ich habe das Zimmer meiner Eltern nie betreten, wenn die Tür geschlossen war, und jetzt, wo meine Mutter weg ist und ich weiß, dass mein Vater ihr Lachen vermisst, habe ich Angst, ihn in einem unvorstellbaren, kummervollen Zustand anzutreffen.

Ich gehe weiter bis ins Badezimmer, wo ich mir, nachdem ich auf dem Klo war und mir Gesicht und Hände gewaschen habe, mit der gläsernen Bürste meiner Mutter die Haare kämme. Dann tupfe ich einen Tropfen ihres Babyöls unter jedes meiner Augen und reibe Jergens-Lotion in meine Ellbogen ein. Ich sage mir, das ich gegen die Falten kämpfe (meine Mutter meinte, ich hätte eine dünne Haut, die zu frühzeitigem Altern neigt), aber eigentlich kreisen meine Gedanken um diesen Übergriff, den ich niemals wagen würde, wenn meine Mutter mich dabei erwischen könnte, und da ich ihn jetzt wage, scheint ihre Rückkehr unmöglich geworden zu sein. Ich schließe damit den Deckel ihres Sargs. (Obwohl ich sie mir nicht tot vorstelle.) Manchmal spiele ich mit dem Gedanken, ihr Parfüm und ihre Schals zu tragen, aber da ist ja noch mein Vater mit seiner unheilbaren Hoffnung.

Ein paar Minuten später gehe ich nach unten in die Diele und schiebe gegen den Widerstand des Schnees die Tür auf. Wie erwartet, finde ich weder Zeitung noch Milchflasche; wenn jemand den Weg heraufgekommen wäre, hätte ich die Fußabdrücke gesehen. Ich habe mir angewöhnt, jeden Morgen die Milch und die Zeitung zu holen und dann zwei Gläser Orangensaft einzuschenken. An Wochentagen mache ich noch eine Kanne Kaffee für meinen Vater, aber samstags und sonntags spare ich mir das, weil er sowieso lange schläft.

Ich trinke meinen Saft am Küchenfenster. Der ganze Unrat im Vorgarten der Dingwalls, die kaputten Stühle und Dreiräder, ist begraben. Man sieht noch nicht einmal den Zaun zwischen unseren beiden Grundstücken. Heute gibt es keinen Privatbesitz und keinen Dorn im Auge. Unter den Schneelasten beugen sich die vier Zedern vor unserem Haus so sehr, dass ich an Tante Verna denken muss, die ihren Überseekoffer trägt. Als sie sich von mir verabschiedet hat, am Abend vor ihrer Abreise nach Texas, bin ich ihrem Kuss ausgewichen, aber nur, weil ich nicht daran gewöhnt bin, Leute zu küssen, und sie sagte: »Ja, ich weiß, du bist mir böse, weil ich weggehe«, und bekam ganz rote Augen. Ich denke an Mrs. Dingwalls Tränen und an die deutsche Familie – die Richters. Ich beschließe, nach dem Frühstück an ihrem Haus vorbeizugehen.

Bis ich ausgehfertig bin, ist mein Vater aufgestanden und geht mit einem Spachtelmesser von Fenster zu Fenster. »Wie soll die Feuerwehr da durchkommen?«, ruft er. »Und die Rettungswagen?« Mit dem Spachtel attackiert er den Frost an den Scheiben. »Krieg bloß keinen Schlaganfall, Louise! Oder einen Blinddarmdurchbruch!«

»Bestimmt nicht«, sage ich und ziehe meinen Schneeanzug an.

Seit meine Mutter weg ist, ist mein Vater nicht mehr so munter gewesen.

»Wenn doch, sehe ich mich gezwungen, selbst zu operieren!« Mit fliegendem Bademantel und wehenden Haaren stürmt er die Treppe hinunter und kratzt an dem langen Fenster neben der Tür herum.

»Könntest du das?«, frage ich überrascht.

Er überlegt. »Ich müsste in meinen Anatomieatlas schauen. Und das Tranchiermesser schärfen.« Er drückt die Stirn gegen die Fensterscheibe. »Jungfräulicher Schnee«, sagt er. »Unverdorben.«

»Jemand ist über unseren Rasen gegangen.«

Er kratzt eine größere Fläche frei.

Ich sage: »Ich wette, das war der deutsche Junge.«

Wir haben am Abend vorher über die Richters gesprochen. Mrs. Dingwall hatte Recht, mein Vater kennt ihren Rechtsanwalt, weil er in seiner Kanzlei arbeitet. Vor sechs Jahren hatte mein Vater mit dem Aufsetzen der Adoptionspapiere für ihren Jungen zu tun, kann sich an den Namen aber nicht erinnern. Er weiß nur noch, dass die Richters gern ein kleines Mädchen haben wollten, nachdem sie zehn Jahre zuvor ihr eigenes kleines Mädchen verloren hatten, aber dann waren sie in einem kirchlichen Waisenhaus plötzlich ganz hingerissen von einem Jungen, der noch dazu kein Baby mehr war, sondern schon drei Jahre alt. Was alles in allem viel besser war, meinte mein Vater. Er sagte, es wäre schwierig für Leute im Alter der Richters gewesen, ein gesundes Neugeborenes zu bekommen.

»Abelard«, sagt er jetzt. »So heißt er. Abelard.«

Ich verlasse das Haus und bahne mir einen Weg bis zu den Fußstapfen. Darin läuft es sich leicht. Inzwischen sind überall Leute am schippen. Die älteren Dingwall-Zwillinge, Larry und Jerry, stehen auf dem Dach ihrer Garage und nehmen immer gleichzeitig eine Schaufel Schnee auf, und ich sehe weiße Flügel, die sich öffnen, wenn der Schnee geworfen wird, und schließen, wenn er zu Boden fällt. Der Himmel hinter ihnen ist von einem so klaren Blau, dass ich mich nach oben gezogen fühle, so ähnlich, wie man manchmal von einem blauen See magisch angezogen wird.

Und richtig, die Fußstapfen führen zum Haus der O'Hearns, jetzt das Haus der Richters. Und da sind sie auch, Mr. Richter und der Junge. Abelard. Ich habe ein altes Buch, das meinem Vater gehört hat, als er in meinem Alter war, mit dem Titel »Völker der Welt«, deshalb bin ich erstaunt, dass die beiden nicht wie Vater und Sohn in dem Buch kurze Lederhosen mit Latz und rote Robin-Hood-Hüte tragen. Abelard ist angezogen wie alle anderen Jungs auch: Blue Jeans, braune Jacke, braune Mütze. Mr. Richter trägt einen langen schwarzen Mantel und einen schwarzen Filzhut und sieht tatsächlich wie ein Richter aus.

Ich gehe weiter bis zum Grundstück der Gorys direkt gegenüber, wo ich hoffe, zwischen einer Gruppe kleiner Mädchen, die einen Hang hinunterrodeln, nicht aufzufallen. Abelard schippt in kräftigen, schnellen Schüben. Mr. Richter fegt auf, was er zurücklässt. Mir kommt der Gedanke, dass die Richters einen Jungen adoptiert haben, damit er die schweren Hausarbeiten erledigen kann, und in dem Moment, gerade als er anfängt, mir Leid zu tun, tritt Mrs. Richter durch die Vordertür nach draußen.

Obwohl ihre Kleidung keine Ähnlichkeit mit den Sachen der deutschen Frau in meinem Buch hat, sieht sie doch sehr fremd aus, sehr theatralisch. Sie ist groß und kräftig für eine Frau, viel kräftiger als ihr Mann, und trägt einen rot-orange gemusterten Rock und ein rotes Schultertuch. Weder Mantel noch Handschuhe. Ich erkenne erst auf den zweiten Blick, dass ihr Haar, das sie zu Zöpfen geflochten und mehrmals um ihren Kopf geschlungen hat, keine braune Mütze ist. Sie trägt ein Tablett mit zwei dampfenden Gläsern darauf, und Mr. Richter und Abelard hören auf zu arbeiten und nehmen sich jeder eins. Sie stellt das Tablett auf das Verandageländer. Abelard nimmt seine Mütze ab, er schwitzt, und sie zaust ihm das Haar, das genauso dunkelbraun ist wie ihr eigenes. Während er und sein Vater trinken, vollführt sie mit gerafftem Rock einen kleinen Tanzschritt. Dann zeigt sie auf das Muster, das ihre Füße im Schnee hinterlassen haben, und es entspinnt sich ein Gespräch, vermutlich auf Deutsch (wegen des Geschreis der kleinen Mädchen kann ich keine Worte unterscheiden), über dieses Muster.

Abelard stellt sein Glas auf das Tablett und trampelt auch ein Muster in den Schnee. Mrs. Richter wickelt ihn in ihre Stola ein, und ehe sie ihn wieder herausdreht, umarmen sich die beiden. Dann sagt er etwas, und sie klatscht in die Hände, wirft den Kopf in den Nacken und fängt an zu singen: »La, la, la, la, la, la, la.« Das höre ich ganz deutlich. Die kleinen Mädchen hören es auch und verstummen. Sie klingt wie eine Frau im Radio. Sie singt das Gleiche noch einmal, ohne Text, nur »La, la, la, la, la, la, la.« Abelard schaut zu mir herüber. Er setzt seine Mütze wieder auf und nimmt die Schaufel in die Hand. Hinter mir klettern die Mädchen unter Geschrei wieder den Abhang hinauf.

Mrs. Richter dreht sich um. Sie streckt dem vielen Schnee die geöffneten Arme entgegen, dann dreht sie sich erneut um und scheint die kleinen Mädchen und auch mich in ihre Freude mit einzubeziehen. Überwältigt von einem plötzlich aufwallenden Gefühl, einer Art Schmerz, erwidere ich ihr Lächeln.

# 10

**Hat Abel** immer »seltsamerweise« gesagt? Mrs. Richter glaubt das. Zwei Monate nach seinem Tod erzählte sie mir, dass sie andauernd diesen Ausdruck benutze, »genau wie Abel«. Sie sagte: »Du weißt das sicher noch.«

Nein, ich erinnere mich nicht daran, aber ich tue so als ob.

Allerdings ist mir wohl aufgefallen, dass sie und ich und Mr. Richter uns in kleinen Dingen so verhalten wie er, seine Ticks und sogar seine Vorlieben übernommen haben. Er war in Baumfrösche vernarrt, und jetzt bin ich es auch. Ich liebe ihre schlanken Taillen und stämmigen Beine, ich gehe extra hinunter in die Schlucht, um nach ihnen zu suchen. Wenn Abel nervös war, zupfte er sich am Ohrläppchen. Wenn er zuhörte, legte er den Kopf schief. Mrs. Richter legt neuerdings den Kopf schief, und Mr. Richter zupft sich am Ohrläppchen.

Es gibt Beispiele noch und noch. Wie er seine Bücher sortiert hat: die größten oben links, die kleinsten unten rechts, eine exzentrische Anordnung, die ich übernommen habe. Und das Rauchen! Keiner von uns dreien rauchte, aber schon eine Woche nach der Beerdigung pafften sein Vater und ich Player's, Abels Marke, und mir fiel auf, dass Mr. Richter die Zigarette in der gleichen Art wie Abel hielt, zwischen zwei gestreckten Fingern.

Als sei sein Geist in Fetzen in den Äther geflogen und wir würden die Teile aufheben, die wieder herunterfielen. Unwillkürlich, sogar gegen unseren Willen.

## 11

**Wir sind nie in die Kirche gegangen** und haben auch nie vor dem Essen oder vor dem Schlafengehen gebetet; das wurde in meiner Familie nicht gemacht. Nach der Meinung meiner Mutter war Religion eine Krücke für abergläubische Schwächlinge. Gott, Jesus, Himmel und Hölle, das alles war »ein Haufen Mist«.

Mein Vater, der Enkel eines anglikanischen Bischofs, hat mir einmal die Grundzüge einer Kirche (Kanzel, Altar und so weiter) sowie die allgemeinen Glaubenssätze der protestantischen Religion erklärt, damit ich mir vorstellen konnte, was die meisten unserer Nachbarn am Sonntagmorgen machten und warum sie glaubten, dass die Mühe sich lohne. Da ich zu der Zeit sieben Jahre alt war, fand ich die märchenhaften Elemente – die Geburt von Jesus, die Auferstehung, die Engel – bezwingend, und ich fragte meinen Vater, woher er wusste, dass diese Dinge *nicht* wahr waren.

»Ich weiß es gar nicht«, sagte er.

Ich fragte: »Warum glaubst du dann nicht daran?«

»Weil ich an die Menschen glaube«, lautete seine undurchdringliche Antwort.

Wie ich später herausfinden sollte, glaubt er auch an das Wunder des Lebens. Daran, dass das Leben aus dem Nichts entsteht und ins Nichts mündet. Er hat gesagt, dass jeder, der dieses Wunder erklären will (zum Beispiel durch eine Parabel), sich in einen Prozess der Entwürdigung verstrickt, der einem Sakrileg gleichkommt, denn für ein Wunder gibt es per Definition keine logische oder auch nur einleuchtende Erklärung.

Was vermutlich eine gemäßigte Variante der Meinung meiner Mutter ist.

Aber als ich sieben bin, sagt er mir nur, dass wir in unserer Familie nicht gläubig sind und ich »säkulare Humanistin« antworten soll, wenn der Lehrer mich nach meiner Religion fragt. Ich antworte »protestantisch«. Und mehr noch, ich bete, zuerst das Vaterunser, wie ich es in der Schule gelernt habe, und dann bitte ich darum, entweder beliebt oder unsichtbar zu sein. Von dem Tag an, als ich Mrs. Richter zum ersten Mal gesehen habe, bete ich, dass sie mich adoptiert.

Ich bin krank vor Liebe. Manchmal, wenn ich an sie denke, flackert ein weißes Licht am Rand meines Gesichtsfelds auf, ein Licht, das wie ein Engel geformt ist, ein junger, weiblicher Engel. Ich nenne die Frau den Engel der Liebe, weil sie sich noch mehr als ich danach zu sehnen scheint, dass Mrs. Richter mich bemerkt. Auf ihr Drängen schreibe ich Briefe:

»Liebe Mrs. Richter. Herzlich willkommen in Oaktree Terrace. Ich wohne im Haus Nummer 4. Als der große Schneesturm war, habe ich Sie singen hören, und ich finde Ihre Stimme wunderschön ...«

»Liebe Mrs. Richter. Wenn Sie mitten in der Nacht nach draußen gehen, um Ihren Sohn zu rufen, machen Sie sich keine Gedanken darüber, dass Sie die Nachbarn wecken könnten. Es macht uns nichts aus! Wir wünschten nur, Sie würden sich wärmer anziehen. Sie werden sich noch erkälten ...«

»Liebe Mrs. Richter. Falls Sie fürchten, andere Kinder könnten sich über Ihren Sohn lustig machen, weil er adoptiert ist, das glaube ich nicht. Über mich machen sie sich auch nicht mehr lustig, jetzt, wo ich beinahe ein Waisenkind bin. Meine Mutter ist weggegangen und nicht wiedergekommen. Ich glaube auch nicht, dass sie noch einmal wiederkommt. Ihr Nachname als Mädchen lautete Hahn, das ist ein deutscher Name ...«

Kurz vor dem Abendessen gehe ich an ihrem Haus vorbei, ich warte extra, bis es dunkel ist, damit ich in das erleuchtete Wohnzimmer schauen kann. So ein Zimmer habe ich noch nie gesehen. Es ist vollgestopft mit aufregend romantischen, altmodischen Möbeln: Stühle mit hohen Lehnen, ein rubinrotes Sofa, Tische aus dunklem Holz, Lampenschirme mit Fransen in tiefen Grün- und Blautönen. Und ein Klavier, auf dem Abelard – oder Abel, wie man ihn in der Schule nennt – dauernd zu spielen scheint. (»Liebe Mrs. Richter. Musik mag ich sehr gern…«) In meiner Jackentasche steckt der Brief, den ich mir geschworen habe durch ihren Briefschlitz zu schieben – heute soll der große Tag sein –, aber ich schrecke jedes Mal davor zurück. Ich traue mich nicht mal, einen Fuß auf ihr Grundstück zu setzen.

Ich bete, sie zufällig zu treffen, und wenn wir dann auf der Straße aneinander vorbeigehen, senke ich den Blick. Manchmal drehe ich mich um und folge ihr, oder vielmehr, ich »beschatte« sie, wie Tante Verna dieses Verhalten genannt hat. Anders als alle anderen Erwachsenen, die ich kenne, macht Mrs. Richter Spaziergänge. In ihren schwarzen Schnürstiefeln und dem wadenlangen, dunkelroten Stoffmantel. Unterwegs schaut sie in den Himmel oder nach unten in die Gullis, bleibt stehen, um die Häuser zu betrachten, und wenn die Bewohner zufällig draußen sind und Schnee schippen oder gerade ihre Einkäufe ins Haus tragen, lächelt sie und winkt ihnen zu, als seien sie alte Freunde. Die Bewohner winken leicht verwirrt zurück. Ich höre förmlich, was sie denken: »Da ist die seltsame deutsche Frau, die uns letzte Nacht alle geweckt hat«, und mein Herz stolpert beschützend hinter ihr her.

Im März erfahre ich, dass die Richters zur Kirche gehen. Die Neuigkeit kommt von Maureen Hellier, die ich auf der Schultoilette sagen höre: »Sie übertönt den gesamten Chor«, und irgendwie weiß ich sofort, dass »sie« Mrs. Richter ist. Ein paar beiläufige Fragen versorgen mich mit den Einzelheiten. Gottesdienst um neun, St. Mark's Presbyterian Church.

Ich erzähle meinem Vater, dass ich am nächsten Sonntag in die presbyterianische Kirche gehen muss, weil die Musiklehrerin in der Schule gesagt hat, ich solle mir unbedingt den wunderbaren Chor dort anhören.

»Interessierst du dich für Chormusik?«, fragt er mit seinem manchmal erschreckenden Eifer.

Ich nicke vorsichtig.

»Warum hast du das nicht eher gesagt?« Und dann muss ich mir Auszüge aus seiner Plattensammlung anhören, während er im

Zimmer hin und her läuft und dirigiert. Dann sagt er, bezogen auf den Sonntag: »Ach was soll's, vielleicht komme ich einfach mit und leiste dir Gesellschaft«, aber da ich plane, mich in Sichtweite von Mrs. Richter zu setzen und verloren auszusehen, sage ich, ich hätte mich schon mit ein paar anderen Mädchen verabredet.

»Ach so!« Er nickt und steckt die Hände in die Taschen, und zum ersten Mal wird mir klar, dass ich seine Gefühle verletzen könnte, wenn ich zu Mrs. Richter ziehe, und, was mich genauso verstört, dass er dann womöglich Mrs. Carver entlassen würde.

Na ja, wenn es so weit ist, werde ich mir eben etwas einfallen lassen müssen. Ihn jeden Tag besuchen. Ja, das werde ich machen, das hatte ich sowieso vor. In meinen Zukunftsvisionen hat er von Anfang an die Rolle des freundlichen Nachbarn gespielt, der jederzeit ein gern gesehener Gast ist. Mrs. Carver ist die loyale Haushälterin und wird seine Scrabble-Partnerin, sobald er ihr das Spiel beigebracht hat.

Was Mr. Richter und Abel betrifft, die kommen in meinen Fantasien kaum vor. Sie sind in anderen Zimmern oder nicht zu Hause, außer zu den Essenszeiten, und da essen sie schnell und schweigend, ähnlich wie Tagelöhner. Meine schöpferischen Einfälle konzentrieren sich ganz auf mich und Mrs. Richter. Wir backen zusammen Kuchen und Pie und tragen dabei beide die gleichen Rüschenschürzen, die ebenso wie unsere Unterarme vom Mehl ganz weiß sind. Sie bringt mir das Klavierspielen bei. Ich flechte ihre Zöpfe. Sie nennt mich Greta, nach ihr selbst, »kleine Greta«. Sie liegt neben mir im Bett und erzählt mir ihre Lebensgeschichte, in der (nach meiner Vorstellung) ihr Vater von einem Planwagen überrollt wird und stirbt, und dann ihre Mutter und alle ihre Geschwister an der Pest zu Grunde gehen, obwohl sie von ihr gepflegt wurden.

Die Auswahl der Sachen, die ich zur Kirche tragen will, beschäftigt mich tagelang. Ich muss gut erzogen, aber vernachlässigt wirken. Schäbig, aber dennoch sauber und achtbar. Schließlich entscheide ich mich für ein gelbes Wollkleid (gelb, weil es Glück bringt) mit blassgrüner Lochstickerei an Hals und Ärmeln. Ich bin aus dem

Kleid herausgewachsen, wie aus den meisten meiner Sachen, und das allein verrät zumindest ein bisschen Vernachlässigung, wenn auch nicht genug, um aufzufallen. Am Samstagnachmittag, als mein Vater im Eisenwarenladen ist, öffne ich an mehreren Stellen den Saum und reiße ein paar Löcher in die Stickerei. Eigentlich will ich auch den passenden gelben Mantel ruinieren, traue mich aber nicht mehr, als mir einfällt, wie ich ihn eines Morgens zum Zahnarzt getragen habe und mein Vater sagte: »Diese Farbe steht dir zum Umfallen gut.«

Meine Mutter trug an jenem Morgen ihre weiße Fuchspelzstola, und als mir diese Stola mit dem ekelhaften Kopf daran einfällt, gehe ich ins Zimmer meiner Eltern, öffne die Zedernholztruhe und ziehe sie unter einem Stapel Decken hervor.

Ich versuche gleich an Ort und Stelle, den Kopf abzureißen, aber er gibt nicht nach. Also schleppe ich die Stola ins Arbeitszimmer meines Vaters, hole eine Schere aus seinem Schreibtisch und fange an zu schnippeln. Nicht leicht bei so dickem Pelz, und als der Kopf endlich abgeht und die spitze Nase auf meinen bestrumpften Fuß fällt, fühle ich mich absichtlich angegriffen, wickle eine Handvoll Fell um die Schere und steche die Klinge hindurch. Das mache ich noch einmal, dann ein drittes Mal, dann schleudere ich die Stola in die Luft. Ich hebe den Kopf auf und schleudere ihn ebenfalls durchs Zimmer.

Im Luftzug über den Heizungsschlitzen wirbeln Fellfetzen herum. Die Stola fällt neben ein Bücherregal und sinkt in sich zusammen. Der Kopf ist auf dem Aktenschrank gelandet und liegt mit dem Gesicht nach oben. Ein schwarzes Knopfauge zielt auf mich. »Wen kümmert's?«, denke ich wütend.

Meine Mutter jedenfalls nicht. Meinen Vater schon, wenn er es herausfände. Was er aber nicht wird. Er kramt nicht mehr in ihren Sachen. Ich vermute, dass er nicht einmal mehr genau weiß – ich weiß es bis zur letzten Haarnadel –, was alles zu ihren Sachen gehört.

Ich hole eine Papiertüte, packe den Kopf und die Fellfetzen hinein und stopfe die Tüte dann draußen in die Mülltonne. Wieder in meinem Zimmer, probiere ich die Stola an und finde, sie sieht genau richtig aus: zerzaust, im Grunde völlig abgewrackt, aber doch immerhin echter Fuchspelz. Ich glaube, anstatt einer Mütze sollte ich ein Kopftuch von meiner Mutter tragen, damit ich deutscher aussehe.

Am nächsten Morgen stehe ich um viertel vor sieben auf. Ohne das Licht anzuschalten, gehe ich ins Bad und schleiche mich dann auf Zehenspitzen hinunter in die Küche, wo ich mir eine Schüssel Cornflakes mache. Aber beim Gedanken an Essen dreht sich mir der Magen um. Ich sitze bloß am Tisch und kaue auf meinem Daumennagel herum.

Ich habe nicht gut geschlafen. Immer wieder bin ich aus schlechten Träumen aufgewacht. Einmal hat mich Mrs. Richter geweckt, die nach Abel rief, und ich bin ans Fenster gegangen und habe hinausgeschaut, bis sie aus der Dunkelheit auftauchte. Ein andermal saß ich aufrecht im Bett, weil mir die Kollekte eingefallen war, und ich bin aufgestanden, habe zwei Fünfundzwanzig-Cent-Münzen aus meinem Sparschwein geschüttelt, sie in ein Taschentuch gewickelt und es in die Tasche des gelben Mantels geschoben.

Ich schütte mein unberührtes Frühstück ins Spülbecken und gehe zurück in mein Zimmer. Obwohl es erst viertel nach sieben ist, ziehe ich das gelbe Kleid an und binde ein rotes Kopftuch um. Rot, weil das zu Mrs. Richters Schultertuch passt. Ich setze mich auf die Bettkante. Nach ein paar Minuten wird mir kalt, und ich wickle mich in die Stola und lege mich hin, nur den Oberkörper, die Stola unter meiner Wange.

In dem Pelz rieche ich meine Mutter. Nur ein vager Dufthauch wie von verwelkten Rosen – ein Gemisch aus Parfüm und Zigarettenrauch –, aber dennoch verblüffend, weil der Geruch so intim und so unzweifelhaft ihrer ist.

Ich schiebe die Stola über die Bettkante auf den Boden. »Sie ist weg«, denke ich erschrocken. Ich weiß wohl, dass sie weggegangen ist und nicht wiederkommt. Was mir ganz plötzlich diese Ehrfurcht einflößt, ist die logische Folge: dass ich sie nie wiedersehen werde.

Ich spreche es laut aus: »Ich werde sie nie wiedersehen«, und daraufhin scheint das Zimmer sich aufzulösen. Ich rieche das Bleichmittel, mit dem Mrs. Carver die Bettwäsche behandelt, und es ist so, als würde mir eine Umgebung angeboten, die offen und antiseptisch genug ist, um ausgiebig an meine Mutter zu denken, ohne sie in unser Leben zurückzuholen. Mit beinah nostalgischen Gefühlen erinnere ich mich an das silberne, rückenfreie Satinkleid, das sie an Silvester getragen hat. Ich sehe etwas vor mir, das ich nie erlebt habe: wie sie lächelnd zum Abschied winkt. Ich lasse ihr Bild davonschweben, bis ich bloß noch eine winzige, weiß behandschuhte, wedelnde Hand sehe, dann wird die Hand zu einem Punkt, und die Straßenlaterne vor meinem Fenster geht aus.

Es ist halb acht. Immer noch viel zu früh, aber am anderen Ende des Flurs höre ich meinen Vater husten, also hebe ich die Stola auf und schlüpfe aus dem Zimmer. Als ich in der Diele meine Stiefel anziehe, erkenne ich einen Augenblick lang, wie lachhaft es ist zu glauben, dass Mrs. Richter mich adoptieren will. Aber ich habe nicht vor, meinen Plan noch einmal zu überdenken, geschweige denn ihn aufzugeben. Der Plan ist alles, was ich *habe*, und seine Umsetzung hiermit angelaufen.

Kalte, windstille, graue Dämmerung. Von der Straße aus sehe ich Licht im Badezimmer der Richters, und da ich unter dem Eindruck stehe (zweifellos weil meine Mutter mal so etwas gesagt hat), dass europäische Frauen nie duschen oder baden, kommt mir das Bild von Mrs. Richter in den Sinn, die in einem Korsett am Waschbecken steht und sich mit einem Schwamm die Arme wäscht. Ein verstörendes Bild: ihr großer Busen (der Busen meiner Mutter war klein), die dunkle Spalte zwischen ihren Brüsten, und die Brüste selber, geschwollen wie Brotlaibe. Schnell werfe ich Kleidungsstücke ins Bild … irgend etwas, einen Bademantel. Auf dem Weg zur Kirche kleide ich Mrs. Richter pausenlos in ausgewählte, weite Gewänder. Als ich ankomme, trägt sie ein hermelingesäumtes Cape mit Kapuze über einem bodenlangen, burgunderroten Kleid, genau die Art von prachtvollem Outfit, die in meiner Fantasie auch die Queen am Sonntag trägt.

Allerdings nicht, um in diese Kirche zu gehen.

Ich stehe da und betrachte das Gebäude. Nicht zum ersten Mal frage ich mich, ob Gott selbst überhaupt weiß, um was es sich dabei handelt. Abgesehen von dem spitzen Dach und dem schlichten Lattenkreuz obendrauf könnte es ebenso gut eine Fabrik sein. Zwei Autos stehen auf dem Parkplatz. Die Tür ist vermutlich offen, ich könnte hineingehen. Aber ich widerstehe der Versuchung. In Anbetracht meines Aufzugs (ich bin plötzlich nicht mehr halb so überzeugt davon wie in meinem Schlafzimmer) scheint es mir besser zu sein, mich an den ursprünglichen Plan zu halten, erst in letzter Minute mit den Nachzüglern in die Kirche zu schlüpfen und vorher nicht allzu viel Aufmerksamkeit zu erregen. Ich gehe über die Straße zu einem niedrigen Mietshaus. Dort setze ich mich auf die Treppenstufen vor dem Haus, klemme die Hände unter die Achseln und kuschele mich mit dem Kinn in die Pelzstola. Keine Menschenseele ist zu sehen, und es sind auch keine Autos auf der Straße. Ich fange leise an zu singen, die Lieder, die mein Vater unter der Dusche grölt, oder vielmehr früher gegrölt hat, als meine Mutter noch bei uns wohnte: »In Brasilien Kaffeebohnen wachsen munter zu Millionen...« und »Ich wünsch mir eine feine Kleine, bin nicht gerne so alleine...« Am Rand meines Gesichtsfeldes flackert schwach der Engel der Liebe.

Ungefähr eine halbe Stunde vergeht, ehe ein Mensch auftaucht. Es ist eine Frau, die aus dem Mietshaus kommt. Sie sieht energisch aus, Typ Motorradbraut, und trägt eine braune Lederjacke und enge rote Hosen. Ich rücke zur Seite, um sie vorbeizulassen. Sie schaut sich nach mir um und kneift die Augen zusammen. »Das bringt Unglück«, denke ich, dieser fiese Blick, und ich schaue mich nach glückbringenden Zeichen um: einem schwarzen Eichhörnchen, einem Wagen der Royal Mail, irgendetwas Gelbem.

Meine Gliedmaßen werden jetzt langsam taub. Gerade will ich aufstehen und probieren, ob die Tür zum Mietshaus offen ist, da finden sich gegenüber allmählich Leute ein. Eine fünfköpfige Familie läuft schwankend über den vereisten Rasen, und gleichzeitig fahren zwei Autos auf den Parkplatz. Dann noch eins, und noch eins. Schließlich ist es ein steter Strom von Leuten ... aus dem keine sehr große Frau herausragt. Die Kirche hat allerdings noch einen

Hintereingang: Kann sein, dass die Richters dort hineingegangen sind.

Als der Strom abflaut, stehe ich auf. »Bitte, lieber Gott«, sage ich. Ich gehe die Stufen hinunter. Ich fühle mich, als steuere ich auf ein offenes Gulliloch zu, Passanten rufen »Halt!«, aber ich höre sie nicht, weil ich einen Zaubertrank zu mir genommen habe, weil ich hypnotisiert bin, weil ich eine lebende Tote bin. Als ich die Hand nach der Kirchentür ausstrecke, greift eine behandschuhte Männerhand nach der Klinke. Wo kommt *der* plötzlich her? Eine Frau ist auch dabei. »Oh je!«, sagt sie. Der Mann zieht die Tür auf, ich husche hinein und remple eine andere Frau an, die »Paß doch auf!« zischt.

Mit steifen Fingern ziehe ich mir das Kopftuch tief in die Stirn.

Im Foyer stehen noch mindestens zwanzig Personen herum. Ich dachte, sie hätten sich alle sofort auf ihre Plätze gesetzt. Ich schiebe mich mit einer kleinen Gruppe in Richtung einer Halle, in der eine Orgel spielt. Ich höre eine Frau sagen: »*Wer*?«, und eine andere: »Die kleine Kirk.« Hinter mir ruft eine bekannte Stimme: »Louise?«

Maureen Hellier, umgeben von drei anderen Mädchen aus meiner Klasse. Sie versperren den Absatz einer Treppe zum Keller, und während Jungs und Mädchen aller Altersgruppen sich an ihnen vorbeidrängeln, dämmert mir, dass die Kinder woanders hingehen als die Eltern. »Sonntagsschule«, denke ich. Ich hatte ganz vergessen, dass es so etwas gibt.

In meiner Verwirrung starre ich die Mädchen meinerseits an, und nach ein paar Sekunden zupfen sie sich gegenseitig an den Armen und flüstern sich etwas zu, ehe sie mir alle gleichzeitig einen besorgten, mitfühlenden Blick zuwerfen. Das Verschwinden meiner Mutter hat mich dazu getrieben, dieses Schauspiel zu bieten, sagen ihre Gesichter. Also, *sie* verstehen das. Nicht ich bin schuld, sondern mein Unglück. (Genauer gesagt ist Mrs. Carver schuld, wie ich morgen herausfinden werde, wenn Maureen auf mich zukommt und sagt: »Diese Frau, die sich um dich kümmert, hätte dir sagen sollen, was man zur Kirche anzieht. Wieso hat sie deinen Saum nicht genäht? Dein Vater sollte sie rausschmeißen.« Und ich, feige, wie ich neuerdings auf dem Schulhof bin, allzeit bereit, zu verraten was mir lieb und teuer ist, werde sagen: »Sie hat mich *gezwungen*, die Stola zu tragen. Sie ist total verrückt.«)

Aber jetzt und hier im Kirchenfoyer weiß ich nicht, was ich tun soll. Was hat es für einen Sinn, in den Keller zu gehen? Mrs. Richter wird dort nicht sein. Aber wird man mich oben bei den Erwachsenen dulden? Die dritte Möglichkeit – wieder zu gehen – kommt mir gar nicht in den Sinn. Ich schiebe mich weiter. Ich gehe durch die Tür.

Ich bin drin.

Ich trete an die Seite und lasse den Blick über die Sitzreihen schweifen. Ich sehe weder sie noch Mr. Richter, aber da alle Frauen Hüte tragen und einige Leute noch stehen und die Sicht versperren, ist es schwer zu sagen, ob sie da ist oder nicht. Alle scheinen mich anzustarren, deshalb ducke ich mich unter meinem Kopftuch und halte unauffällig Ausschau, während ich bis zur zweiten Reihe vorgehe. Da ich nicht die Traute habe, den ganzen Weg zurückzugehen, setze ich mich hin.

Sie ist nicht da.

In meiner Reihe sitzt bloß noch eine andere Person. Eine bucklige alte Frau. Sie wendet sich mir zu und nickt. Ich nicke zurück und schüttele die Stola von meinen Schultern. Dann falte ich die offenen Saumstellen an meinem Kleid nach innen. Am liebsten würde ich auch das grelle Kopftuch abnehmen – ich habe das Gefühl, alle hinter mir sind geschockt –, aber ich weiß nicht genau, ob es nicht eine noch größere Sünde ist, sein Haar zu zeigen.

Ich senke den Kopf. Mir fällt ein, dass ich die Gelegenheit nutzen sollte, um zu beten. »Vater unser, der du bist im Himmel«, denke ich gerade, als mich ein durchdringender Orgelton hochfahren lässt und ein paar Leute weiter hinten zu singen anfangen. Ich schaue mich um. Die Sänger kommen in blauen Gewändern paarweise den Mittelgang herauf. Vorne angekommen, steigen sie die Stufen hinauf und setzen sich in die Bankreihen auf der Plattform, und jetzt sehe ich auch den Mann, der hinter ihnen herhinkt. Ist das der Pastor? Kann nicht sein. Er ist es. Wie er die Stufen erklimmt sieht gefährlich aus, aber niemand springt auf, um seinen

Arm zu ergreifen, vermutlich, weil er es ganz sicher schaffen wird, Gott wird ihn nicht stolpern lassen. Schwankend geht er zur Kanzel. Dort angekommen, lässt er den Blick durch den Raum schweifen, und seine Augen ruhen einen Moment lang auf mir. Ich mache mich klein. »Lasset uns beten«, sagt er.

Ich schließe die Augen und spüre endlich, was ich fühle. Ein Pochen im Kopf. Heftige Schmerzen in meinen langsam auftauenden Fingern und Zehen. Erleichterung.

Sie ist nicht hier.

Wenn sie hier wäre! Ich stelle mir vor, wie sie genau in der Mitte sitzt, auffallend wie ein Kirchturm, aber nicht peinlich berührt deswegen, nicht verschämt wie ich. Sie würde aufrecht dasitzen, zufrieden mit sich in ihrem violetten Mantel, obwohl sie, wenn ich es mir recht überlege, zur Kirche vielleicht nicht Violett tragen würde. Aber ob sie es merkt oder nicht, man macht sich über sie lustig (Maureens Mutter sagt, sie übertönt den ganzen Chor), und unter der Woche starren die Leute sie an.

Der Chor ist wieder aufgestanden, die Orgel spielt. Um mich herum stehen ebenfalls alle auf, also tue ich das gleiche.

»Psst.« Das kommt von der alten Frau.

Sie hält ein kleines, blaues Buch aufgeschlagen in Händen, und als ich ihren Blick auffange, nickt sie in Richtung der Reihe vor mir. Da liegt noch so ein Buch, in einer Öffnung in der Rückenlehne. Ich hole es heraus. »Nummer fünfhunderteinundvierzig«, flüstert sie.

»Steht auf, steht auf für Jesus«, singt die Gemeinde, »ihr Krieger im himmlischen Heer.«

Ich suche das Lied und stimme ein: »Von Schlacht zu Schlacht führt siegreich er sein Volk.« Etwa in der Mitte der zweiten Strophe habe ich die Melodie drin und singe mit mehr Selbstvertrauen. Nach der vierten Strophe hat mich eine Heiterkeit ergriffen, die ich nur dem Heiligen Geist zuschreiben kann.

Aber es ist Mrs. Richter, nicht Jesus, für die ich in meiner Fantasie in den großen Kampf ziehe. Gegen *ihre* ungezählten Feinde, damit *sie* glorreich herrschen kann, singe ich lauthals mit den höchsten Stimmen des Chors.

# 12

**Der Tag, an dem Abel** mir in der Schlucht die goldäugige Kröte zeigt, ist ein Durchbruch. Von da an fühle ich mich berechtigt, in der Schule hallo zu ihm zu sagen. Er murmelt hallo zurück und erlaubt sich manchmal sogar ein Nicken. In diesem Nicken, das durch eine Abweichung von der üblichen Dauer oder dem üblichen Neigungswinkel fremdländisch wirkt, erkenne ich Höflichkeit, Bescheidenheit und Mitleid: Eigenschaften, die ich nicht benennen kann, deren wohltuende Aura ich jedoch spüre. Trotzdem kommt es für uns nicht in Frage – solange Zeugen dabei sind –, über dieses vorsichtige Grüßen hinauszugehen. Ein Junge ohne Freunde ist ein Aussätziger. Ein Junge ohne Freunde, der mit Mädchen spricht, ist ein Aussätziger, der unbedingt gehänselt werden will. Ich treibe mich auf dem Schulhof herum, behalte ihn im Auge und male mir Ereignisse aus, die ihn verpflichten würden, mich zu sich nach Hause mitzunehmen (ich finde einen Zettel mit einer auf Deutsch verfassten Nachricht; ich höre, wie jemand plant, seinen Vater zu ermorden), während er am Maschendrahtzaun lehnt und zuschaut, wie die Jungs aus seiner Klasse Murmeln oder Cowboy und Indianer spielen. Seit das Wetter wärmer geworden ist, vertieft er sich gerne in die Betrachtung des Unkrauts, das am Fuß des Zauns sprießt. Manchmal hebt er etwas auf und dreht es zwischen den Fingern hin und her, als wäre es Geld.

Er tut mir mehr Leid als ich mir selber. Ich habe mich an meine Unbeliebtheit gewöhnt; sie ergibt einen Sinn für mich. Ich bin nicht hübsch, ich sage mit untrüglicher Sicherheit immer das Falsche, so dass alle schon betreten schweigen, wenn ich bloß den Mund aufmache, ich kann im Gegensatz zu einer erstaunlichen Anzahl von Mädchen in unserer Schule nicht den Highland Fling tanzen, obwohl ich den authentischsten Kilt von allen besitze, ich besitze überhaupt die teuerste Kleidung, was natürlich ein weiteres Vergehen ist, jetzt zwar nicht mehr so schlimm wie bevor meine Mutter uns verlassen hat, aber noch immer ein Dorn im Auge von Maureen Hellier, die im Laufe der Zeit immer länger braucht, um ihren Gesichtsausdruck auf freundlich umzustellen, wenn sie mich sieht.

Abel dagegen…

Er sieht gut aus. Er ist ein ruhiger Typ. Alles, was gegen ihn spricht, ist ein Umstand, für den er nichts kann (während der Umstand, für den *ich* nichts kann – das Verschwinden meiner Mutter –, *für* mich spricht). Es ist nicht seine Schuld, dass seine Mutter nicht so ist wie andere Mütter und dass ein Gerücht kursiert, sein Vater sei ein russischer Spion und ehemaliger Nazi. Ich habe ihn noch nie mit einem Baseballhandschuh oder einem Eishockeyschläger gesehen, und da ich mir nicht vorstellen kann, dass Mrs. Richter ihm irgendetwas verweigert, nehme ich – zu Recht, wie sich herausstellt – an, dass niemand ihm je beigebracht hat, einen Ball zu werfen oder einen Puck zu schlagen. Dennoch kommt es mir nicht in den Sinn, dass er einsam sein könnte, bis ich eines Nachmittags sehe, wie er in der Schlucht einen Stein in die Luft wirft und probiert, ihn mit einer langen Metallstange zu treffen, die er in der Nähe des Klärwerks gefunden haben muss.

Er ist zu vertieft, um mich zu bemerken, und nach ein paar Minuten schleiche ich mich davon und grüble über diese Lücke in seinem Selbstvertrauen nach. Hätte ich ihm anbieten sollen, ihm den Ball zuzuwerfen? Nein, zu gewagt. Selbst hallo ist jetzt zu gewagt, jedenfalls in der Schlucht. Durch meine verschärfte Überwachung ist mir klar geworden, wie gespalten Abels Welt ist, wie drastisch der Kontrast zwischen dem reglosen, lauernden Jungen am Maschendrahtzaun und dem Tarzan der Schlucht, so dass letzterer mir beinahe wie eine heimliche zweite Identität vorkommt. Aber vielleicht ist er das ja auch. Wenn Mr. Richter tatsächlich für die Russen spioniert, dann ist Abel vielleicht sein Gehilfe, der den Wald absucht nach… wonach? Vergrabenen Karten? Vergrabenen Bomben? Mir egal. *Ich* werde ihn bestimmt nicht verraten, und ich vermute, dass sein Nicken in der Schule zum Teil auch eine Würdigung meiner

Komplizenschaft und Verschwiegenheit ist – Eigenschaften, für die mir die Worte fehlen, obwohl ich sie als Amateurspionin natürlich instinktiv zu schätzen weiß.

Selbst wenn er nicht für die Russen arbeitet, würde er es vorziehen, dass ich ihn an einem Ort, der so eindeutig ihm gehört, allein lasse. Wenn er nach Zweigen greift und sich über Felsspalten schwingt, denke ich an jemanden, der durch ein Haus rennt und überall das Licht einschaltet, ohne auch nur einen Blick auf die Wände werfen zu müssen. Eindringlinge wie mich oder kleine Gruppen von Jungs, die an den Hängen spielen, duldet er, weil er keine andere Wahl hat. Wenn wir in der Schule das Vaterunser aufsagen, dann denke ich bei der Zeile, wo es heißt »und vergib uns unsere Schuld«, an ihn und unser schuldhaftes Eindringen. Er weiß, dass ich mitbekomme, wo er sich aufhält, er weiß, dass ich da bin, und seit der Sache mit der goldäugigen Kröte (ob meine gespielte Begeisterung ihn beleidigt hat?) hält er tatsächlich Abstand, aber er versteckt sich nie vor mir. Wenn er vor den Jungs fliehen will, klettert er manchmal so flink am Stamm einer Wildkirsche hoch, wie die Männer in offiziellen Wettkämpfen Pfähle erklimmen. Einmal habe ich sogar gesehen, wie er einem Hund entkommen ist. Er ähnelt einem Signallicht, das an einer Stelle aufflackert und schon kurz darauf an einer anderen, scheinbar weiter als möglich entfernten Stelle zu sehen ist.

Ich habe das Gefühl, dass er auch nachts in die Schlucht geht, und finde es komisch, dass Mrs. Richter noch nicht darauf gekommen ist. Mein Vater findet es komisch, dass die Richters ihn nicht in seinem Zimmer einsperren. Ich sage empört: »So etwas würde Mrs. Richter nie tun! Sie ist *nett*!« Ich sage mir, dass er am Morgen nach einer Nacht, in der sie suchend durch die Straßen gelaufen ist, auf ihre Frage, wo er war, nur ausweichend antwortet.

»Draußen«, sagt er. »Bin bloß so rumgelaufen.«

In der Schlucht. In den Sommerferien verbringt er jeden Tag dort, ganz egal, wie das Wetter ist. Außer Samstagvormittags bin ich auch immer dort.

Samstagvormittags erledigt Mrs. Richter ihre Einkäufe, und das gibt mir Gelegenheit, sie mindestens eine Stunde lang anzuschauen.

Ich warte auf der anderen Straßenseite auf sie, hinter der Zedernhecke der Gorys. Gegen zehn verlässt sie das Haus. Sie zieht einen Einkaufsbuggy hinter sich her. Ich folge ihr. Im Dominion-Supermarkt stehe ich so dicht bei ihr, dass ich ihren Rock berühren könnte, wenn ich den Mut dazu hätte. Wahrscheinlich würde sie es gar nicht merken. Selbst wenn alle nackt herumliefen, würde sie es nicht merken, so beschäftigt ist sie damit zu überlegen, was sie kaufen will. Sie klopft sich mit einem Finger gegen die Wange und legt den Kopf schief. Ich muss an die Scharadendarsteller denken. Ich wünschte, ich könnte ihr behilflich sein. Ihren Einkaufswagen schieben oder auf dem Heimweg den Rollbuggy ziehen. Einstweilen versuche ich, ihre Entscheidungen durch Telepathie zu beschleunigen. Ich denke: »Nimm die Macintosh-Äpfel, die Delicious schmecken zu sauer.« Neun von zehn Malen macht sie, was ich ihr befehle.

Also denke ich: »Dreh dich um und schau dir das Mädchen in den pinkfarbenen Shorts an, liebe sie, habe den Wunsch, sie zu adoptieren«, aber das klappt nie.

In der Schlucht lasse ich mich in einen Tagtraum fallen, in dem ich eine verwaiste Indianerprinzessin namens Kleine Feder bin, und Mrs. Richter ist eine gefangene deutsche Siedlerin, die der Häuptling in Nachtigall umbenannt und zur Frau genommen hat. Weil Mrs. Richter zum Kinderkriegen zu alt ist und ich für sie sowieso wie eine Tochter bin, haben sie und der Häuptling mich adoptiert. Ich bringe Mrs. Richter die Indianerlieder bei, die ich letztes Jahr im Camp Wanawingo gelernt habe – »Indianer sind ein edles Volk«, »Wir sind die Rothäute«, »Pow-Wow, der Indianerjunge«. Sie bringt mir die deutsche Sprache und deutsche Bräuche bei. Alles ist prima, bis Maureen Hellier angetanzt kommt. Maureen ist eine Halbblutschlampe namens Weißes Schwein. Als sie anfängt, sich wichtig zu machen, lässt der Häuptling sie an einen Baum fesseln und knebeln. Manchmal kommt sie in dem Tagtraum auch gar nicht vor, weil sie in die Wildnis verbannt worden ist. Manchmal stelle ich mir vor, dass alle, auch Mrs. Richter, weg sind. Ich bin ganz allein in meinem Tipi. Die einzige Überlebende eines Massakers der weißen Männer.

Ich habe mir auf einem breiten Vorsprung am Osthang einen Unterschlupf gebaut. Obwohl ich ihn Tipi nenne, weiß ich, dass es bloß eine Art Hütte ist: ein paar Äste, die ich gegen einen Stapel Baumstämme gelehnt und am obersten Stamm mit Wolle in der Tarnfarbe Waldgrün befestigt habe. Die Wolle stammt von einem Strickpullover mit Zopfmuster, den meine Mutter am letzten Weihnachtsmorgen, den sie in unserem Haus verbrachte, getragen hat. Zum Durchtrennen der Wolle benutzte ich Streichhölzer, ebenfalls aus dem Besitz meiner Mutter, gefunden in diversen Taschen, wo sie komischerweise von Tante Verna unentdeckt geblieben waren, die möglicherweise durch die Orte auf den Briefchen auf Spuren gekommen wäre: Satin Doll Lounge, Bart's Esso. Die fünf vollen Briefchen von Bart's enthielten hauptsächlich Blindgänger.

Inzwischen trage ich ein Messer bei mir, falls ich mal etwas schneiden muss. Das Taschenmesser meines Vaters, das ich aus seiner Schreibtischschublade genommen habe und das er bislang noch nicht vermisst hat. Im Tipi sitze ich zwischen Streifen aus Sonnenlicht, sortiere meine Steinsammlung und füttere schwarze Ameisen mit Brausepulver. Manchmal nehme ich über meinem Kopf ein entferntes Wimmern wahr, das ich den vorbeiziehenden Wolken zuschreibe. Und dann gibt es Momente so vollkommener Stille, dass ich schwören könnte, die Fußstapfen der Ameisen zu hören; sie machen ein klingelndes Geräusch, so als trügen sie Glöckchen an den Knöcheln. Wenn ich ein Ohr auf den Sandboden presse, klingt das Graben der Würmer wie entfernter Donner. Überall um mich herum blockieren Kiefern die Sicht. Ich befinde mich im Herzen einer unzugänglichen Festung. In Sicherheit.

Das Tal mit seinen kühlen Hängen ist auch Abels Lieblingsplatz in der Schlucht. Im anderen Teil, wo das Tal aufhört, ist das Land offen, an Bäumen stehen dort nur buschige Färber- und Holzapfelbäume und ein paar Weiden. Dort unten fließt ein Fluss, und die Jungs, die darin baden, kriegen Ausschlag und riechen wie das

Klärwerk und wie Camp Wanawingo, wenn der Wind von Süden kommt. In dem Camp herrscht eine unheimliche Stille, das dachte ich sogar während meines kurzen Aufenthalts dort. Hier in meinem Tipi ist das einzige Geräusch, das ich von dort höre, das mittägliche Rufen des Camp-Mottos: »Jip jap honika wonika! Tip tap inika si!« – was angeblich in der Huronensprache »Tapfer sind wir und treu! Über alles unser Stamm!« heißt.

Nachdem ich meinem Vater erzählt hatte, dass es kein Trinkwasser gab und wir den Gemüsegarten jäten mussten, änderte er die Übersetzung um in: »Opfer sind wir auch heut! Müde ackern wir im Schlamm!«

Mein Tipi ist so weit vom Camp entfernt, wie es geht, und gut versteckt hinter den ganzen Stämmen und Zweigen, die im Laufe der Jahre auf dem Vorsprung gelandet sind. Jungs laufen über und unter dem Vorsprung herum, ohne es zu entdecken. Nur Abel weiß, dass ich hier bin, da bin ich mir ziemlich sicher, denn der Vorsprung ist der einzige Ort in der Schlucht, den er meidet. Manchmal sehe ich ihn auf dem gegenüberliegenden Hang, und dann wünschte ich, ich hätte etwas, wofür es sich lohnen würde, ihn herzurufen. Eine von den goldäugigen Kröten zum Beispiel, und ich habe auch schon jeden einzelnen Stein im Umkreis von hundert Metern umgedreht. Oder ein Indianerwerkzeug, oder ein besonderer Stein.

Oder eine Leiche.

An einem Donnerstagnachmittag Ende Juli liegt ein Mann mit dem Gesicht nach unten vor meinem Tipi.

Er ist groß und alt, oder zumindest nicht jung. Schmutziger, grüner Overall, kein Hemd darunter, durchgelaufene Schuhsohlen, aber volles, seidiges, weißes Haar.

»Hallo?«, sage ich.

Auf dem rechten Oberarm hat er eine Tätowierung. Schlangen, die sich um ein Wort ranken, das ich von da, wo ich stehe, nicht richtig sehen kann, deshalb gehe ich auf Zehenspitzen um ihn herum. »Greta«, lese ich. Erschrocken trete ich zurück. Nein, das kann nicht sein. Oder doch? Aber selbst wenn es sich um eine andere Greta handelt, es ist ein deutscher Name. »Ein Spion«, denke ich, »ein als Landstreicher verkleideter Spion.« Jetzt fürchte ich mich richtig und schaue mich suchend nach Abel um.

Dann schaue ich wieder den Mann an.

Ich kann nicht erkennen, ob er atmet oder nicht. Seine rechte Hand ist zur Faust geballt. Ohne den Blick von der Hand abzuwenden (er könnte eine Granate festhalten), hebe ich einen Stock vom Boden auf und berühre damit seine Wade. »Aufwachen«, sage ich. Ich pieke ihn mit dem Stock in die nackte, schwarze Fußsohle. »Aufwachen.« Meine Stimme scheint eine immense Leere zu entweihen. Ich gehe zu seinem Kopf und beuge mich hinunter, zucke aber gleich wieder zurück, weil er so stinkt. »Mister«, rufe ich zaghaft. Dann lauter: »He Mister! Aufwachen!«

Ein großes, schwarzes Insekt krabbelt neben seinem Ohr aus seinem Haar.

Ich schreie auf.

Er regt sich nicht.

Schreiend laufe ich an den Rand des Vorsprungs, springe hinunter und renne den Hang hinab.

Ehe ich noch unten ankomme, taucht Abel zwischen den Bäumen auf. An seinem erschrockenen Gesicht erkenne ich, wie markerschütternd meine Schreie gewesen sein müssen.

»Da ist ein Mann.« Ich strecke einen Finger aus. »Da oben. Ein toter Mann.«

»Tot?«

»Er atmet nicht. Er liegt bloß da. Er bewegt sich nicht.«

Abel schaut zum Vorsprung hinauf.

»Ich habe ihn mit einem Stock gepiekst.«

»Blutet er?«

»Nein. Vielleicht. Weiß nicht.«

Abel schaut weiter zum Vorsprung hinauf. Ein angestrengter Ausdruck tritt auf sein Gesicht. Ihm scheint ein Gedanke oder eine Idee zu kommen. Bei seinem Anblick beruhige ich mich. »Sollen wir die Polizei rufen?«

»Noch nicht.« Er kratzt sich am Arm. Er trägt ein rot-gelb gestreiftes T-Shirt und neue Blue Jeans, in die er noch hineinwachsen soll. Die Beine sind zu breiten Aufschlägen hochgerollt. Sein Gürtel besteht aus einem Strick. An der Gürtelschlaufe neben seiner rechten Hand hängen eine Lupe und ein Klappmesser. »Okay«, sagt er und zieht die Jeans hoch. Er fängt an zu klettern.

Ich kraxle hinter ihm her. »Es ist ein alter Mann. Er ist dreckig. Er hat eine Tätowierung –« Ich halte inne. Abel wird die Tätowierung sehen.

Er erreicht den Vorsprung. Als ich ankomme, beugt er sich bereits über die Leiche. Ich stelle mich neben ihn. Er starrt auf die Tätowierung.

Ich sage: »Deine Mutter heißt Greta, nicht?«

Er schaut mich an. Nickt.

»Aber sie kann es nicht sein«, sage ich schnell.

Keine Antwort.

»Wer er wohl ist?«, sage ich, so als hätte ich nicht schon einen Verdacht.

»Ein Vagabund.«

Mein Herz macht einen Satz. »Aus einem fremden Land?«

»Keine Ahnung.«

»Was ist ein Vagabund?«, frage ich dann.

»Jemand, der nirgendwo wohnt.«

Ich seufze. »Ein Landstreicher.« Klar ist er ein Landstreicher.

»Ich habe ihn schon mal gesehen.«

»Wirklich?«

»Unten beim Klärwerk. Einer von den Arbeitern gibt ihm immer Zigaretten.«

Ich mag die Spion-Theorie nicht so schnell aufgeben. »Ich glaube, er hat etwas in der Hand. Eine Granate vielleicht.«

Abel geht gar nicht darauf ein. Er hockt sich hin und legt eine Hand auf den Oberarm des Mannes. »Kalt ist er nicht.« Höflich sagt er zu dem Mann: »Sir? Sir?« Er rüttelt an der Schulter. Als nichts passiert, drückt er ihm zwei Finger an Kinn und Unterkiefer.

»Was machst du da?«

»Ich fühle seinen Puls.«

Ich schaue von dem Mann zu Abel und fange automatisch an,

ihn zu taxieren. So aus der Nähe wird er zur Ware, zu dem Waisenkind unter all den anderen Waisenkindern, das Mrs. Richter ausgewählt hat. Das Grübchen in seinem Kinn ... das dürfte ihr gefallen haben, die meisten Leute mögen Grübchen. Aber den Ausschlag hat wohl sein Haar gegeben, der gleiche Braunton wir ihr eigenes.

»Er lebt«, sagt Abel und richtet sich auf.

»Aber ich wette, er ist verletzt.« Eine mitleidslose Vermutung. Jetzt, wo der Mann weder ein Spion noch tot ist, finde ich ihn abstoßend.

»Er ist nicht runtergefallen, jedenfalls nicht von oben.«

»Woher weißt du das?«

»Keine abgeknickten Zweige.« Er zeigt auf den Hang über uns. »Man würde sehen, wo sein Körper entlanggeschleift ist.«

»Also ist er *heraufgeklettert*?«

»Hat wahrscheinlich nach einem Schlafplatz gesucht. Wo ihn keiner belästigt.«

»Er ist also ganz bis hier heraufgeklettert und hat sich dann platt auf die Nase gelegt?«

»Nicht mit Absicht. Er war betrunken. Daher kommt der Geruch.«

»Er ist ein Sumpfhuhn«, erkläre ich. Das ist ein Ausdruck, den meine Mutter öfters für Mrs. Bently benutzt hat.

»Also ...«, Abel zieht seine Jeans hoch. »Ich schätze, wir sollten ihn einfach liegen lassen.«

»Spinnst du?«

Er schaut mich an.

»Was soll ich denn machen?«, rufe ich. »Einfach dastehen und warten? Was, wenn er sich in die Hose macht? Oder wenn er sich umdreht? Dann stürzt mein Tipi ein!«

Abel blinzelt und verschränkt die Arme. Mir wird klar, dass ich ihn erschreckt habe. *Ich*. Ein großer, betrunkener Mann liegt auf dem Boden, aber fürchten tut er sich vor *mir*. Das ist beleidigend. Aber auch schmeichelhaft. »Warum stecken wir nicht seine Hose in Brand«, sage ich kühn. »Wir könnten deine Lupe dazu benutzen.«

Er legt eine Hand auf die Lupe, als könnte ich danach greifen. Das provoziert mich nur noch mehr. »Wir könnten ihm auch einen Tritt geben!«, sage ich. Ich trete schwankend näher. Und dann trete ich ihn zu meiner eigenen Überraschung tatsächlich ins Hinterteil, wenn auch nicht sehr doll.

»Heh!«, sagt Abel.

Ich will ihn noch einmal treten.

»Nicht«, sagt Abel gequält.

Ich zögere, beeindruckt von seinem Tonfall. »Was *nicht*?« Aber ich trete stattdessen meinen Rucksack. »Ich habe ihn doch kaum berührt.«

Abel hebt den Rucksack auf. »Hast du Wasser da drin?«

»Wieso?«

»Wenn wir ihm etwas zu trinken einflößen, wacht er vielleicht auf. Er leidet vermutlich an Flüssigkeitsmangel, und das ist gefährlich.«

»Ich habe nur Traubenlimo.«

»Das geht.«

»Nein.«

Er wartet.

»Seine Keime«, sage ich. »Die sind dann überall an meiner Tasse.«

»Wir brauchen seine Lippen nicht zu berühren. Aber schon gut, ich habe Wasser mit. Ich hole es schnell.«

»Nein!« Ein furchtbarer Gedanke, allein gelassen zu werden. Ich seufze. »Er kann meine Limo haben.«

Abel macht den Rucksack auf, nimmt die Thermosflasche heraus und stellt sie auf den Boden. »Wir müssen ihn auf den Rücken drehen. Wir rollen ihn herum, dann öffne ich seinen Mund und du schüttest die Limo hinein.« Er stellt sich neben den Mann. »Ich nehme seine Schulter. Du schiebst da.« Er zeigt mit einem Kopfnicken auf die Beine des Mannes.

Ich gehe in die Knie. Der Geruch ist überwältigend. »Ich muss gleich brechen«, murmele ich, während ich meine Hände auf den Overall lege.

»Nein, Louise, so.«

Er kennt meinen Namen. Warum auch nicht? Ich bin seine Nachbarin, oder vielleicht hat er ihn in der Schule gehört. Vielleicht sprechen sie bei ihm zu Hause über mich. Ein betörender Gedanke. »Wer ist das Mädchen, das sich immer draußen vor dem Haus herumdrückt?« »Das ist Louise.« »Da ist Louise wieder!« »Louise hat keine Mutter.«

»Du musst die Hebelwirkung nutzen,« sagt Abel. Seine Hände sind nach außen gedrückt, die Handflächen liegen unter der Schulter des Mannes.

»Hebelwirkung«, sage ich. Ich habe keinen Schimmer, was das Wort bedeutet.

»Und los. Eins, zwei ... drei!«

Wir schieben. Wir stöhnen. Wir drehen ihn ein paar Zentimeter weit, aber dann werden meine Arme zu Gummi, und ich lasse los.

»Komm schon!«, keucht Abel. »Mach weiter!«

»Ich kann nicht.«

Der Mann grunzt.

»Sir?«, sagt Abel.

»Ich komme auf die Beine.«

»Himmelherrgott«, murmelt der Mann.

Abel steht auf und tritt einen Schritt zurück.

Der Mann stützt sich auf die Ellbogen und rappelt sich dann grunzend bis auf die Knie hoch. »Verdammte Scheiße.«

Angewidert gehe ich ein Stückchen weiter weg.

»Wo zum Teufel...?« Jetzt hat er Abel gesehen. »He!«, sagt er.

»Sind Sie durstig?«, fragt Abel.

»Was haste denn?«

»Traubenlimonade.«

Der Mann murmelt etwas und schlägt sich auf die Brust. »Haste ne Zigarette?«, bellt er.

»Nein, tut mir Leid.«

Irgendwie spürt er meine Anwesenheit, wirbelt herum und bellt mich an: »Hast *du* ne Zigarette?«

Ich schüttele den Kopf.

»Ha!« Er stützt sich auf einen Arm und lächelt mich dämlich an. »Was'n los?«, brüllt er. »Liebste mich nich mehr?«

Ich schaue Abel an. Der schaut den Mann an. »Im Werk haben sie Zigaretten«, sagt er.

»Worauf warten wir dann?«, brüllt der Mann. Er versucht aufzustehen, fällt aber zurück auf seine Hüfte.

»Kommen Sie, ich helfe Ihnen hoch«, sagt Abel. Er greift nach dem Arm des Mannes. Der Mann zieht eine Grimasse. Ich habe Angst, dass Abel eine gewischt bekommt, aber der Mann stützt sich mit seinem Gewicht auf Abels Schulter. Abel gerät ins Wanken.

Wochen, Monate, Jahre später werde ich daran denken, wie er diesen Mann gestützt hat. Nach seinem Tod werde ich diese Tat nicht als mutige Heldentat betrachten, was sie natürlich war (der Mann war etwa viermal so groß wie er selber), sondern als meine erste Erfahrung mit seinem übertriebenen Heroismus. Er hätte dort gestanden, bis seine Wirbelsäule gebrochen wäre. Und wofür? Der Mann wäre auch allein auf die Beine gekommen. Es war Abels Pech – neben anderen Dingen –, dass er solchen nicht wirklich hilflosen Leuten, Zufallsbekanntschaften, denen er nichts schuldig war und die man getrost sich selbst hätte überlassen können, am wenigsten widerstehen konnte.

Im Augenblick allerdings bin ich einfach nur froh, dass er da ist. Ich nehme an, dass ihm genau wir mir nur daran liegt, den Mann möglichst schnell loszuwerden. »Ich halte Sie, ich halte Sie«, sagt er. Der Mann sagt: »Scheiße, Scheiße«, bis er endlich steht, Abel abschüttelt, sich nur Zentimeter von meinem Tipi entfernt taumelnd umdreht und dabei meine Thermosflasche umstößt.

»Es gibt einen Pfad nach unten«, sagt Abel. »Den kann ich Ihnen zeigen.«

»Immer langsam!« Er schaut mich an, das Gesicht wieder zu diesem geistlosen Grinsen verzogen. Er greift sich zwischen die Beine, macht den Hosenschlitz auf, holt etwas heraus, das wie eine dreckige, rosafarbene Socke aussieht, schüttelt es ein paar Mal und uriniert.

Ich wirbele herum.

»Was 'n los? Noch nie 'nen Schwanz gesehen? Hat dein Freund dir seinen noch nicht gezeigt?« Sein Lachen klingt röchelnd und blechern, wie ein Motor, der nicht anspringt. Ich kann den Urin riechen. Ich denke mehrmals, jetzt ist er fertig, aber es kommt immer noch mehr. *»I got a girl in Kalamazoo!«*, grölt er. *»Don't wanna boast but I know she's the toast of kalamazoo-zoo-zoo-zoo!«*

Endlich höre ich, wie er den Reißverschluss wieder zuzieht.

»Wenn Sie eine Zigarette wollen«, sagt Abel, »dann sollten wir jetzt besser gehen.«

Er geht voran. Der Mann stolpert hinter ihm her. Ich rühre mich nicht vom Fleck. Selbst als sie nicht mehr zu hören sind, warte ich noch. Irgendwann fangen Vögel an zu schreien, wie Unfallopfer. Ich gehe zu der Stelle, wo der Urin ist, und scharre Erde darüber, dann krieche ich in meine Hütte.

Ich nehme an, dass Abel nicht zurückkommen wird, aber er kommt doch. »Bist du da?«, fragt er aus ein paar Meter Entfernung.

Ich krieche nach draußen. Kurz hinter dem Eingang, noch auf Knien, fasse ich mit der Hand in feuchte Erde. Schreiend springe ich auf. »Ich hab in seine Pisse gefasst! Ich hab in seine Pisse gefasst!« Ich hocke mich hin und reibe meine Handfläche im Sand. »Es geht nicht ab!«

Abel greift nach meiner Hand und gießt Limo darüber. »Jetzt reib sie noch einmal mit Sand ab.«

»Er hat alles kaputt gemacht«, wimmere ich. »Mein ganzer Platz ist hin.«

»Es gibt noch viele andere gute Stellen.«

»Gibt es nicht.«

»Doch.« Er schraubt den Deckel wieder auf meine Thermosflasche. »Plätze, die er niemals finden würde.«

»Wo denn?«

»Ich zeige sie dir.«

Er will sie mir zeigen. Ich höre auf zu weinen.

»Es gibt sogar eine Höhle. Warst du da schon mal?«

Ich schüttele den Kopf.

»Willst du sie sehen?«

Ich nicke.

»Willst du sie jetzt gleich sehen?«

»Vielleicht« – ich lege das Zittern wieder in meine Stimme – »vielleicht lieber morgen.«

»Okay.« Er steht auf.

»Jetzt«, sage ich, »möchte ich ein Glas Milch. Milch hilft mir immer. Nur leider ist der Milchmann heute nicht zu uns gekommen.« Letzteres stimmt rein zufällig.

»Zu uns auch nicht«, sagt Abel. »Aber ich glaube, wir haben noch eine Flasche. Wir können mal nachschauen.«

Da ist sie: die Einladung. Trommelwirbel in meinem Kopf. Leuchtende Blitze. »Wirklich?«

»Ja, klar.« Er wird rot.

Ich springe auf, suche meine Sachen zusammen – die Schachtel mit dem Brausepulver, meine Steinsammlung – und stecke sie mit der Thermosflasche in meinen Rucksack, den er, ohne mich anzusehen, zu tragen anbietet.

Wir gehen los.

Als Erwachsene habe ich jedes Mal, wenn ich umziehe (was so oft vorkommt, dass ich nie einen Kühlschrank abtauen muss), das gleiche Gefühl wie jetzt: dass der Ort mir nicht die versprochene Seelenruhe und Unangreifbarkeit gegeben hat. Dann sehe ich mich hinter Abel diesen Hang hinunterlaufen, der mit abgeknickten Ästen und Gleitspuren übersät ist, die aussehen wie freiliegende Muskeln, ganze Büsche sind niedergetrampelt, so als hätte der Landstreicher einen Bulldozer gesteuert. Dadurch wurde der Abstieg erleichtert, auch daran werde ich mich erinnern.

# 13

**Den ganzen Sommer über** und bis in den September hinein hält Abel sich an unsere Verabredung – die wir am Morgen nach der Party getroffen haben –, uns abwechselnd jeden Samstagabend anzurufen. Wenn ich mit Anrufen dran bin, wartet er immer schon, auch wenn sein Vater oder seine Mutter ans Telefon gehen.

Wenn es seine Mutter ist, vollführt mein Herz beim Klang ihrer Stimme noch immer einen Hüpfer. Ich liebe ihr verschwörerisch klingendes »Hallo?«, ihr erfreutes, schallendes »Louise, wie *geht* es dir?« Ich sage gut, danke, und wie geht es ihr? »Wunderbar!«, erklärt sie. Und dann ruft sie wie ein Fernsehmoderator ohne weitere Umschweife: »So, hier ist er, er wartet schon. Abel!«

Während unserer ersten zwei, drei Gespräche rede hauptsächlich ich. Anders als ihm fällt es mir schwer, längere Pausen zuzulassen. Diese Anrufe erinnern mich an die Zeit vor sieben Jahren, als ich versucht habe, ihn kennen zu lernen, und am laufenden Band plapperte, während er mich nur höflich und aufmerksam anschaute wie jemand, der einer Theatervorstellung zusieht.

Eine Folge solcher Aufmerksamkeit ist, dass man dazu neigt, die eigenen Worte in Frage zu stellen, manchmal schon während des Sprechens. Wie zum Beispiel, als ich ihm von meiner Begegnung mit Tim Todd in einem Donut-Laden erzähle. Das war am Labour-Day-Wochenende. Leider hat er mich zuerst gesehen und zu sich gerufen, mich dem Kassierer und einem anderen Mitarbeiter vorgestellt und dann erklärt, er sei dort erst kürzlich in Teilzeit zum Tischeabräumen eingestellt worden. Er wirkte völlig verändert, richtig heiter und freundlich. »Schön«, sagte ich, »gratuliere«, und wollte mich umdrehen und gehen, aber er packte mich am Arm und murmelte, er hätte mich sowieso anrufen wollen, er überlege sich ernsthaft, ob er mir nicht verzeihen sollte. »Du konntest ja eigentlich nichts dafür«, sagte er. »Schuld war dieser Hippie-Fiesling, der dich zum Marihuanarauchen verführt hat. Also« – jetzt wieder in dem freundlichen Tonfall – »ich habe eine neues Süßwasseraquarium, vielleicht möchtest du mal vorbeikommen und es dir anschauen.« Worauf ich gesagt habe: »Lieber rauche ich zehn Jahre lang Marihuana mit diesem Hippie-Fiesling, als mir auch nur zwei Sekunden lang ein blödes Aquarium anzugucken.«

Ich bin erst an der Stelle, wo Tim mich zu sich ruft, als mir klar wird, dass die Geschichte nicht halb so unterhaltsam ist, wie ich dachte. »Was bildet der sich ein?«, sage ich lahm zum Abschluss. »Wir sind bloß zwei Monate miteinander ausgegangen.«

In der langen Pause flackern Gesprächsfetzen aus einer anderen Verbindung auf: »... eine viertel Tasse Ahornsirup ... oh, und von dem braunen Zucker kannst du ruhig die doppelte Menge nehmen.«

»Bist du noch da?«, frage ich.

»Ich bin hier.«

»Ich konnte ihm nicht durchgehen lassen, dass er dich so nennt. Und du hast mich zu gar nichts verführt.«

»Es war doch bloß, weil es vor den Augen seiner Freunde passiert ist.«

»Das waren nicht seine *Freunde*.«

Aber ich bin besänftigt.

Das vergesse ich immer wieder: wie wohlwollend Abel ist. Wenn er von *seinen* Freunden spricht, dann scheinen ihm die Außenseiter und Exzentriker die liebsten zu sein. Ein Typ, Lenny irgendwer, ist von zu Hause weggelaufen und wohnt bei den Richters im Keller, wo er, statt zur Schule zu gehen, den ganzen Tag Diagramme von Profisport-Statistiken zeichnet. »Unter der Oberfläche«, sagt Abel, »ist er ein Kosmologe auf der Suche nach der ultimativen Logik.« Nach Abels Meinung ist jeder unter der Oberfläche etwas anderes, ein besserer Mensch oder doch zumindest jemand, der unsere Sympathie verdient. Über meine lebenslange Feindin Maureen Hellier, die er noch aus der Grundschule kennt, sagt er, für ihn sei sie unter der Oberfläche immer »ein ängstliches kleines Kind« gewesen.

»Aber auf der Oberfläche«, schnappe ich, »da ist sie eine dicke, fette Zicke.«

Schweigen.

»Aber ich weiß, was du meinst«, füge ich schnell hinzu. »Man kann nie genau wissen, wie die Menschen im Innern sind.«

Ich versuche, das tatsächlich zu glauben, weil ich wie er sein möchte. Ich schaue mir alles an – wie ich es, seit er nach Vancouver gezogen war, nicht mehr getan hatte: den Himmel, Schnecken, Hundedreck, die fleckigen Hände alter Frauen –, und was ich auch sehe, ich staune darüber. Er sagt mir, er beschäftigt sich mit Bachs Goldberg-Variationen, und kaum haben wir aufgelegt, durchsuche ich die Platten meines Vaters, bis ich eine Aufnahme von Glenn Gould aus dem Jahre 1954 finde, die ich mir den Rest des Abends anhöre. Allerdings ist es Abel, den ich mir am Klavier vorstelle, seine muskulösen Schultern, die vor Sehnsucht nach mir leidenschaftlich zucken. Mein Vater, der seit der Party gezwungen war, mein endloses Abspielen der »White Rabbit«-Single zu erdulden, sagt: »Du hast dich entwickelt.«

»Ich bin vorangekommen«, sage ich. »Fortgeschritten.«

»Gereift«, sagt er, auf das Spiel eingehend. »Aufgeblüht.«

»Ich floriere«, sage ich.

»Aha!«, ruft er. Denn das Wort ist der Beweis dafür, dass ich die Naturführer, die ich aus seinem Arbeitszimmer geklaut habe, auch tatsächlich gelesen habe. Ich habe sie mehr als gelesen, ich habe ganze Kapitel auswendig gelernt: Insektengattungen, die Namen der Jupiter-Satelliten, die Bedeutung von *ovovivipar* und *Pantopoda* (Asselspinnentiere). Und *florieren*. An den Rand der Briefe, die ich Abel schicke, zeichne ich die karierten Hautmuster von Schlangen oder auch die zwölf Arten der Insektenantennen.

In diesen Briefen lasse ich meinen Gefühlen freien Lauf (oder vielmehr: ich lasse sie tropfenweise heraus): »Beim Aufwachen fühlte ich mich sorglos und sicher. Tief im Innern wusste ich, dass nichts mehr zwischen uns treten kann. Dann fragte mein Vater beim Frühstück: Wie geht es denn Abel *zurzeit*?, und ich konnte nur sagen, wie es dir *neulich* ging, letzten Sonntag, vor fünf langen Tagen, und da wurde mir klar, dass doch etwas zwischen uns steht – und zwar zwei Drittel eines Kontinents!!! Und schon war die Einsamkeit wieder da.«

Nachdem ich den ersten Brief abgeschickt habe, sage ich ihm am Telefon, dass er unterwegs ist. Ich sage: »Du brauchst nicht zu antworten.«

Als zwei Wochen später ein Brief eintrifft, habe ich fast Angst, ihn aufzumachen. Der Umschlag ist klein und rotkehlcheneierblau, das einzige Blatt darin hat dieselbe Farbe und riecht nach Zigarettenrauch. Es ist kein richtiger Brief, sondern ein Gedicht, in Schönschrift abgeschrieben. »Roman« heißt es. Von Arthur Rimbaud.

Man ist mit siebzehn Jahren wahrlich kein Pedant,
Drum, eines Abends, – weg mit Bocks und Limonade –,
Mit dem Lärm der Cafés, voll Leuchterglanz und Tand! –
Geht's unter die grünen Linden der Promenade.

Die Linden duften schön in schöner Juninacht,
Die Luft ist oft so süß, man muss die Augen schließen.
Geräusch der nahen Stadt wird mit dem Wind gebracht,
Dem Rebendüfte und der Duft von Bier entfließen.

Da, eines kleinen Lappens azurdunklen Schein
Erblickt man plötzlich, den ein kleiner Zweig umwindet,
durchbohrt von einem bösen Stern, ganz weiß und klein,
der unter süßen Schauern hinschmilzt und verschwindet.

Darunter schreibt er in Blockschrift: »Du bist nicht allein, deshalb brauchst du dich nicht einsam zu fühlen. Du bist der *Glücks*stern, von einem kleinen Zweig umwunden. In Liebe, Abel.« Und ein Stückchen weiter unten: »Schönheit ist Wahrheit, Wahrheit Schönheit.«

Ich klammere mich an den Titel, an das »In Liebe, Abel« und an die Andeutung, ich wäre *sein* Glücksstern.

Ein weiterer Brief kommt noch im Sommer, Ende August. Wieder auf dem blauen Papier geschrieben, diesmal zwei Seiten, wieder mit einem Gedicht von Rimbaud, mit dessen Schriften ich inzwischen vertraut bin, nachdem ich in einem Antiquariat in der Stadt einen Band mit gesammelten Werken gefunden habe und deshalb auch weiß, dass Abel im ersten Brief das Gedicht nur zum Teil abgeschrieben hat. Warum hat er die letzte Strophe nicht auch abgeschrieben, in der davon erzählt wird, wie der Junge sich in ein junges Mädchen »mit reizendem Getu« verliebt?

»Die Seite war voll«, lautet seine Erklärung.

Das zweite Gedicht trägt den Titel »Ewigkeit« und ist ihm kurz genug, um es ganz abzuschreiben.

Sie ist wiedergefunden.
Was? Die Ewigkeit.
Es ist das Meer verbunden
Mit der Sonne in eins.

Du wachsame Seele,
Gesteh es dir leis,
Wie die Nacht so nichtig
Und der Tag so heiß.

Vom menschlichen Entscheiden
Vom allgemeinen Wahn
Willst du dich also scheiden:
Und fliegst deine Bahn:

Einzig aus deinem Brande,
samtne Kohlenglut,
Dampft hoch mein Müssen,
niemand sagt: Endlich gut!

Kein Hoffen mehr geblieben;
Kein Sonnenaufgangsstrahl,
Geduld und Weisheit üben...
Gewiss ist die Qual.

Sie ist wiedergefunden.
Was? Die Ewigkeit.
Es ist das Meer verbunden
Mit der Sonne in eins.

Das ist schon besser. Viel romantischer und viel leichter auf uns beide übertragbar. Wiedergefundene Ewigkeit, samtne Kohlenglut. Kein Hoffen mehr geblieben, das heißt, kein Hoffen mehr, seit er in Vancouver ist, weit weg von mir. Gewiss ist die Qual bezieht sich auf unsere erzwungene Trennung. Seine Bahn fliegen bedeutet, stoned zu sein.

Unten auf der Seite ist eine Federzeichnung, »Eine wuchernde Seeanemone«, die aussieht wie ein Haufen Würmer, die aus einem gestreiften Sack kriechen. Die Zeichnung ist extrem genau, er muss Stunden daran gesessen haben. Aber ich finde die Zeichnung auf dem anderen Blatt, obwohl er dafür höchstens ein paar Minuten gebraucht haben kann, wesentlich aufregender. Sie zeigt uns beide. Mein schmales Gesicht mit den schweren Lidern, seine Locken und dichten Augenbrauen, und wir lächeln und tragen Mönchskutten. Wir sind, wie er darunter geschrieben hat, »Abelard und Höll-Louise«, ein alter Witz meines Vaters. Darunter steht »Die Wahrheit wird dich befreien«, und darunter ist ein brauner Fleck, von dem ein Pfeil auf die Worte »Von Lenny vergossenes Bier« zeigt.

Von Lenny vergossenes Bier. Im Laufe des Tages wächst meine Verdrossenheit darüber, dass der schlampige Lenny die Zeichnung auch nur *gesehen* hat. Lenny, der genauso gut ein amerikanischer Scheckbetrüger namens Judd oder ein Kartenexperte namens Thumbs oder sonstwer hätte sein können. Irgendeiner von den komischen Käuzen, die Abel im Bus oder im Park oder in einer Bar namens Parliament kennen lernt, wo man ihm, obwohl er minderjährig ist, Fassbier ausschenkt. Am Telefon versuche ich amüsiert zu klingen, wenn er mir von diesen Typen erzählt, obwohl ich nicht verstehe, warum er ihre Gesellschaft dem Alleinsein oder jedenfalls seinen Schulfreunden, von denen es anscheinend eine Schwindel erregende Menge gibt, vorzieht. Nach seinem Einzelgängerdasein hier in Greenwoods hat er sich zum Rattenfänger von Vancouver entwickelt. Fremde Leute folgen ihm bis nach Hause und ziehen sogar gleich ein.

Wenn ich sagen würde, dass sie einen schlechten Einfluss auf ihn zu haben scheinen, würde das spießig klingen. Dennoch deute ich so etwas an, mache meinen unguten Gefühlen in Form gespielter Sorge um sein Wohlergehen Luft. Ich kann mir selbst gegenüber – und erst recht ihm gegenüber – nicht zugeben, dass ich in Wirklichkeit bloß eifersüchtig bin. Sein Interesse an diesen Leuten erscheint mir unnormal und weit größer als sein Interesse an mir. Schon die Tatsache, dass er überhaupt Freunde hat, kommt mir vor wie Verrat.

Sonntagabend. Er ist dran mit Anrufen.

Vor drei Tagen habe ich meinen achtzehnten Geburtstag gefeiert. Mrs. Carver hat einen Mokkakuchen gebacken und mir ein Paar überraschend modischer Kniestrümpfe geschenkt. Von meinem Vater habe ich eine Biographie von J. S. Bach und ein Doppelalbum von Glenn Gould, der Bach spielt, bekommen. Von Abel kam nichts, obwohl ich extra ein paar Hinweise hatte einfließen lassen. Kein Brief, kein Telegramm, kein Anruf. Heute Abend rechne ich mit einer guten Ausrede und einer Entschuldigung.

Es wird zehn. Viertel nach zehn. Um halb elf rufe ich voller Sorge, dass etwas Schreckliches passiert ist, die Vermittlung an und werde verbunden.

Mrs. Richter geht ran. »Louise!«, ruft sie. »Wie *geht* es dir?«

»Ich – mir…« Ich bin nicht auf ihre gute Laune gefasst.

»Hallo?«, ruft sie.

»Hallo. Ich bin noch dran.«

»Wie *geht* es dir?«

»Also, ich warte auf Abels Anruf. Er hätte vor einer halben Stunde anrufen sollen.«

»Er hat nicht angerufen?«

»Nein.«

Sie macht einen gurrenden Laut. »Böser Junge. Er hat es wohl vergessen.«

»Vergessen?«

»Er ist nämlich nicht da. Er ist ausgegangen.«

Mir schnürt sich die Kehle zu.

»Hallo? Louise?«

»Ja.«

»Die Verbindung ist schlecht!«

Ich frage, ob Abel gesagt hat, wo er hin will.

»Wo er hin will? Nein, nein. Er könnte sonstwo sein. Warte mal, ich werde mich erkundigen.« Weg von der Sprechmuschel ruft sie: »Karl! Karl! Hat Abel dir gesagt, wo er hingegangen ist?« Nach einer kurzen Pause: »Louise, er ist einfach *verduftet*! Aber bestimmt wird er bald zurück sein und dich anrufen.«

Er tut es nicht. Ich bleibe lange auf und warte. Im Bett weine ich und gehe immer wieder die Möglichkeiten durch: Er hatte einen Autounfall; einer seiner komischen Freunde hat ihn umgebracht; seine Freunde haben ihn betrunken gemacht und er hatte einen Blackout; er wurde beim Marihuanarauchen erwischt und sitzt im Gefängnis; er hat eine alte Freundin getroffen, die ihn verführt hat; er hat kein Interesse mehr an mir, weil ich ihm gesagt habe, dass er der einzige Mensch ist, mit dem ich reden kann, der einzige, mit dem ich zusammen sein will.

Lieber tot als kein Interesse mehr! Nein, nein, ich habe es nicht so gemeint. Bitte, lass ihn nicht tot sein!

Kurz vor der Dämmerung schlafe ich für etwa eine Stunde ein. Kaum schlage ich die Augen auf, werde ich von einer Welle der Übelkeit erfasst und stolpere ins Badezimmer, wo ich das Hühnchen Cacciatore vom Abend zuvor erbreche.

»Louise?«, ruft mein Vater. Als ich über den Flur gehe, öffnet er seine Tür. Sein Gesicht erschreckt mich, es wirkt so ausgezehrt, noch nicht zu seinem heiteren Tagesausdruck zurechtgerückt.

»Ich glaube, ich habe die Grippe.«

Das bringt den Arzt in ihm zum Vorschein. Er fühlt meine Stirn. »Fieber hast du nicht. Hast du Durchfall? Streck mal die Zunge raus.«

Ich schiebe ihn weg. »Ich muss bloß ein bisschen schlafen.«

»Ich bringe dir ein Glas Ginger Ale.«

»Nein, danke. Das wird schon wieder. Ich bleibe heute zu Hause, könntest du in der Schule anrufen und Mrs. Carver einen Zettel hinlegen?«

Im Bett verliere ich die Besinnung, bis Mrs. Carver kommt. Sie bringt mir einen heißen, roten Tee, der nach Würmern schmeckt. Ich spucke ihn zurück in die Tasse. »Was ist *das* denn?«

»Trink es aus«, flüstert sie. »Das ist gut für…« Sie reibt sich den Bauch.

»Mir ist nicht mehr schlecht.«

»Es ist auch gut, um…« Sie macht mit beiden Händen eine Bewegung, als wolle sie etwas wegschieben.

»Meine Feinde zu vertreiben«, vollende ich den Satz.

Sie schaut mich tadelnd an, als müsse ich inzwischen wissen, dass sie nicht in Kategorien von Feinden oder schlechten Menschen denkt. Wenn man sich schlecht benimmt, dann nur, weil man von schädlichen Geistern aufgestachelt wurde, die ihrerseits bloß die Prophezeiungen schlechter Omen erfüllen. Ihre Denkweise kennt keinen Willen und keine Moral, sondern nur atmosphärische Einflüsse.

Ich zwinge mich, noch etwas von dem Tee zu trinken. Im Laufe der Jahre habe ich mir angewöhnt, ihre okkulten Maßnahmen als eine Art Versicherung gegen den unwahrscheinlichen Fall, dass sie tatsächlich etwas spitzgekriegt hat, zu betrachten. Sie legt ihre raue Kinderhand an meine Stirn. »Mir ist nicht heiß«, erkläre ich. Sie rückt ihre Brille zurecht, um mich anzuschauen, und ihre unruhigen Augen betrachten mich einen Moment lang mit fast durchdringendem Blick.

»Was ist?«, frage ich.

Sie tätschelt mein Bein.

»Was?«

Sie nimmt mir die Tasse ab und stellt sie auf den Nachttisch.

Kaum ist sie weg, versinke ich in Trübsal, überzeugt, dass sie eine Vision von einer Katastrophe in meiner Zukunft hatte. Nein, nein, das bilde ich mir nur ein. Sie kann nicht in die Zukunft schauen! Ich höre sie in der Küche klappern. »Mrs. Carver«, denke ich wohlwollend, und nach ein paar Minuten gelingt es mir, sie auf die liebe, harmlose Witzfigur zu reduzieren, als die ich sie seit einiger Zeit betrachte.

Trotzdem trinke ich den Tee aus.

Es ist jetzt viertel vor elf, viertel vor acht in Vancouver. Wenn Abel zu Hause ist und nicht tot oder im Gefängnis, dann ist er vermutlich noch nicht auf dem Weg zur Schule.

Ich benutze den Apparat im Arbeitszimmer meines Vaters. Während die Vermittlung die Verbindung herstellt, bete ich, dass Abel rangehen wird, aber dann ertönt Mr. Richters ruhiges »Hallo« aus der Leitung. Am anderen Ende hat sich offensichtlich keine Katastrophe ereignet.

»Ist Abel da?« – Ich verstelle meine Stimme, falls er nicht da ist, denn dann braucht er nicht zu wissen, dass ich die Anruferin war.

»Louise?«

Ich gebe die Tarnung auf. »Ja, hallo. Kann ich bitte mit Abel sprechen?«

»Aber natürlich. Natürlich. Einen Augenblick.«

Der Hund bellt. Mr. Richter ruft: »Abel!«, und etwas weiter entfernt singt Mrs. Richter etwas vor sich hin, das ich nicht verstehe. Ein fröhlicher Morgen bei den Richters. Sehnsucht erfasst mich.

»Schwänzt du?« Abel.

»Mir geht's nicht so gut.«

»Was ist denn los?«

»Ich habe kaum geschlafen.«

Eine von diesen ewigen, nervenaufreibenden Pausen, dann: »Tut mir Leid, dass ich nicht angerufen habe. Mr. Earl, der alte schwarze Saxophonist, von dem ich dir erzählt habe, weißt du noch, der hat im Bear Pit gespielt, und ich bin geblieben, bis er dran war. Es war schon nach zwei, als ich nach Hause kam.«

»Er hat am Sonntagabend gespielt?«

»He, wir sind hier an der Westküste.«

»Und wir an der Ostküste.«

Schweigen.

»Abel, ich habe mir wirklich Sorgen gemacht. Ich dachte, du wärst ermordet worden oder so was.«

Wieder Schweigen.

»Ich weiß, dass das verrückt ist.«

»Tu dir das nicht an«, sagt er ruhig.

Das ist zu viel für mich, diese Mischung aus Gleichgültigkeit und Mitleid. Die Tränen laufen mir übers Gesicht. »Tu was nicht?«

»Mach dich nicht fertig.«

»Ich mache mich nicht fertig. *Du* machst mich fertig. Du rufst nicht zur verabredeten Zeit an, das macht mich fertig.«

»Tut mir Leid. Ich … ich hab's einfach vergessen.«

»Vergessen!«

»Es tut mir Leid.«

»Alles bricht auseinander.«

»Nein, tut es nicht. Sag so was nicht. Alles ist in Ordnung.«

Ich seufze.

»Ich muss los. Mein Vater ruft, er nimmt mich im Auto mit.«

»Rufst du mich an, wenn du aus der Schule kommst?«

Keine Antwort.

»Abel!«

»Ich versuch's.«

»Um vier Uhr deine Zeit. Ist das zu früh?«

»Müsste gehen.«

»Ich liebe dich.«

»Ich weiß.« Kaum hörbar.

»Liebst du mich?«

»Jo.«

»Okay, jetzt geht es mir wieder gut.«

Den ganzen Tat lang meistere ich die Herausforderung, mit sechzig zu multiplizieren, denn ich zähle nicht die Stunden, die mir wie Jahrhunderte vorkommen, sondern die Minuten. Fünfhundertneunzig. Vierhundertfünfundachtzig. Ich bleibe im Bett und lese Rimbauds gesammelte Gedichte. »Deine Eckzähne leuchten. Deine Brust gleicht einer Zither, leise Glockentöne kreisen in deinen blonden Armen.« Warum hat er mir das nicht geschickt? Warum sieht er mich nicht in allem, so wie ich ihn?

Zur Abendessenszeit erhebe ich mich, um in der Küche eine

Schale Rinderbrühe zu essen. Mein Vater sagt, ich sehe »noch ein bisschen blass aus, ein bisschen grau, ein bisschen bleich«.

»Was denn nun?«, platze ich heraus. Seine Unfähigkeit, sich für ein einziges Adjektiv zu entscheiden, kommt mir plötzlich wie eine Geisteskrankheit vor. »Blass? Grau? Bleich? Käsig? Farblos?«

Er blinzelt.

»Kahl?«, schreie ich.

»Ich glaube, du meinst fahl«, sagt er vorsichtig.

»Es geht mir gut«, murmele ich.

Er wird ausgeblendet. Ich sehe nur noch die Uhr und das Telefon. Als er sich Kaffee einschenkt, werde ich mir seiner Anwesenheit wieder bewusst und sage: »Du brauchst nicht bei mir sitzen zu bleiben. Ich werde den Abwasch machen.« Erleichtert ergreift er die Flucht. »Wenn das Telefon klingelt«, rufe ich ihm nach, »gehe ich ran.«

Fünf vor halb sieben.

Um viertel vor sieben, nach dem Abwaschen, setze ich mich auf den Stuhl neben dem Telefon.

Fünf vor sieben.

Sieben.

Viertel nach sieben. Halb acht.

Ich lege den Kopf auf den Tisch, auf meine Unterarme. Die Sekunden verstreichen tickend. Sie fallen, tropfenweise, und zerschellen, die Scherben meines Lebens. Jetzt kommt mein Vater herein, um sich noch eine Tasse Kaffee zu holen, und ich bedecke meine Ohren mit den Händen, aber er spricht mich trotzdem an.

»Wärst du im Bett nicht besser aufgehoben?«

Im Bett bin ich nicht besser aufgehoben. Alles, woran ich denken kann, ist Abels »Jo« auf die Frage, ob er mich liebt. »Jo«. Wie jemand, der nicht darüber reden will. Oder – oh Gott – wie jemand, der einem bloß sagt, was man hören will. Aber er könnte damit auch nur das Offensichtliche bekräftigt haben: Jo, natürlich, versteht sich doch von selbst. Im Park hat er gesagt, er liebe mich *zu* sehr. Zu sehr wofür? Für wen? *Will* er mich denn nicht lieben?

Ich kann ihn nicht anrufen, das werde ich nicht tun. Es ist noch

Zeit. In Vancouver ist es erst fünf. Vielleicht wurde er in der Schule aufgehalten, oder bei einer Klavierstunde.

Ich lese seine beiden Briefe noch einmal, auf der Suche nach Hinweisen, nach Hoffnung. Sie machen mich nur noch trauriger. Wie kann er sagen, ich sei nicht allein und solle mich nicht einsam fühlen, und mich dann verlassen? Das Ewigkeitsgedicht erscheint mir jetzt wie eine Warnung, mit all dem Scheiden und Wegfliegen. Aber warum nur? Warum sollte er sich von mir scheiden wollen? Oder vielleicht ist es etwas anderes, vielleicht kann er mir nicht nah sein, wenn wir so weit voneinander entfernt sind. Aus den Augen, aus dem Sinn.

Ich lege die Briefe wieder auf den Nachttisch, stehe auf und gehe ans Fenster, gerade als die Straßenlaternen angehen. Nach ein paar Minuten erscheint eine Motte unter der Lampe auf unserem Grundstück. Sie fliegt kreisend aufwärts. »Nicht, nicht«, denke ich. Aber sie fliegt weiter. Nachdem sie gegen die Lampe geprallt ist, fällt sie fast bis zum Boden, fängt sich wieder und fliegt erneut nach oben. Weil Abel es mir erklärt hat, weiß ich, dass Motten sich nach dem Mond orientieren, daher können große, mondähnliche Objekte sie vom Kurs abbringen. An Sommerabenden haben wir manchmal mit seinem Schmetterlingsnetz verirrte Motten gefangen und sie dann unten in der Schlucht freigelassen. Einmal baten wir, um einen Mondspinner zu retten, der schon mindestens eine halbe Stunde lang immer wieder gegen die Lampe knallte, sogar meinen Vater um Hilfe, denn er hat lange Arme. »Blindes Gottvertrauen«, bemerkte er, während wir zu dritt nach oben schauten und darauf warteten, dass die Motte in Reichweite kam.

Jetzt, beim Betrachten dieser Motte, denke ich, dass es vielleicht keine Frage des Vertrauens ist. Auch nicht der Hoffnung, oder gar der Mutmaßung. Vielleicht ist es einfach so, dass manche Motten beschließen, sich zu Tode zu schmettern. Wer weiß warum? Oder vielleicht ist es so, dass Motten das Prinzip der Ähnlichkeit nicht kennen. Etwas, das aussieht wie etwas Anderes, *ist* für sie auch dieses Andere. Alle Lampen sind der Mond. Diese Motte ist alle anderen Motten, und alle anderen Motten sind diese Motte. Es gibt einen Menschen, und der ist überall.

Es gibt einen Menschen, und der ist nirgends.
Warum ruft er nicht an?

Am nächsten Morgen übergebe ich mich erneut. Diesmal ganz still, in den Papierkorb neben meinem Bett. Im Bad spüle ich ihn aus, dann ziehe ich mich aus und steige in die Dusche. Ich schaue an meinem Körper hinunter. »Nicht *so* dünn«, sagte Abel über das Mädchen, mit dem er ausgegangen war und das mir ähnelte. War es falsch, das als Kompliment zu verstehen? Ich befühle meine Brüste. Sie wirken schwerer als sonst, aber vielleicht auch nicht, ich bin mir nicht sicher. Allerdings sind sie sehr empfindlich. Ich lasse meine Hände hinunter zum Bauch wandern. Immer noch flach. Ich kann nicht schwanger sein. Seit Abel und ich zusammen waren, hatte ich zweimal meine Periode, und außerdem bin ich mir ziemlich sicher, dass die morgendliche Übelkeit schon eher anfängt. Ich bin bloß mit den Nerven am Ende, das ist alles. Wenn man mit den Nerven am Ende ist, dann übergibt man sich.

Aber was, wenn ich es doch bin? Bei dem Gedanken überkommt mich eine neue Welle der Übelkeit, die reine Angst. Ich stelle mir vor, wie ich von der Schule abgehe, den Spott, meinen Vater mit hilflosem, panischem Blick, Tante Verna, die anreist, um eine Wiege zu zimmern und Hebamme zu spielen. Ich stelle mir vor, wie ich Abel gegenüber die Bombe hochgehen lasse: »Ich will dich nicht belästigen, aber ich dachte, du solltest wissen…« Würde ich dann nach Vancouver ziehen und ihn heiraten? Würden wir uns in seinem Keller häuslich einrichten, wir beide und das Baby? Mit Lenny? Nein, Lenny müssten wir loswerden. Abel würde weiter zur Schule gehen, während ich bei Mrs. Richter säße, ihr beim Kohl schneiden und Tomaten pflanzen helfen würde, so wie damals in meiner Fantasie. Das wäre gar nicht so schlecht. Immerhin wären Abel und ich zusammen.

Ob er mich wollte oder nicht.

Ich fange an zu weinen. Er will mich nicht. Er würde so tun als ob, aus Anstand, aus Mitleid. Vielleicht würde er das verflixte Baby sogar *lieben*.

# 14

**Ich sage von mir,** dass ich auf der Highschool keine Freundinnen habe, aber das ist Alice Keystone gegenüber wahrscheinlich nicht fair. Sie ist das Mädchen, mit dem ich zur Schule und wieder nach Hause gehe. Dienstags und donnerstags haben wir zur gleichen Zeit Mittagspause und essen zusammen in der Cafeteria.

Alice erweckt den Eindruck, dass sie sich ständig Sorgen macht, bis man merkt, dass sie ihre Hände nicht andauernd ringt, sondern eincremt. Ein weniger robustes Mädchen würde unter dem Gewicht der Riesendose Jergens-Lotion, die sie in der Handtasche bei sich trägt (neben den Gurkengläsern mit Resten, die ihr Mittagessen enthalten), glatt zusammenbrechen. Sie ist nicht etwa dick, nur stämmig: kräftige Waden und breite Hüften, ungefähr so groß wie ich. »Ich kann einfach kein Papier anfassen, wenn meine Haut zu trocken ist«, erklärte sie mir, kurz nachdem wir uns kennengelernt hatten. Bis dahin hatte ich angenommen, sie sei eitel in Bezug auf ihre spitzen Finger. Wie sich herausstellte, ist sie kein bisschen eitel; sie scheint nicht die leiseste Ahnung zu haben, wie hübsch sie ist. Mit ihren runden, blauen Augen und dem kleinen, weißen Gesicht sieht sie aus wie eine Puppe. Wenn die Lehrerin ihr eine Frage stellt, erscheint auf jeder ihrer Wangen ein roter Kreis in der Größe eines Silberdollars, und dann ähnelt sie erst recht einer Puppe.

Wir sind uns einig, Alice und ich, dass wir fast nichts gemeinsam haben außer unserer Unbeliebtheit und dass wir über diese augenfällige Tatsache nicht sprechen. Mir würde es nichts ausmachen, darüber zu sprechen, von mir aus könnten wir uns gerne ab und zu daran weiden, aber ich bin mir ziemlich sicher, dass Alice schon bei der kleinsten Anspielung auf ihr Außenseitertum, jedenfalls wenn sie von mir käme, am Boden zerstört wäre. Natürlich weiß sie, dass sie eine Außenseiterin ist. Ich weiß ja auch, dass *ich* eine bin, und warum. Die Leute finden mich eigenartig und sarkastisch. Alice selber hat schon ein paar Mal gesagt: »Oh Louise, wie sarkastisch du bist!« Ist damit rausgeplatzt, nachdem ich irgendeine naheliegende und völlig harmlose Bemerkung gemacht habe, etwa: »Mann, das Mädchen da drüben ist echt groß.«

In Alices Gegenwart bin ich vorsichtig. Sie ist nicht nur leicht zu schockieren, sondern auch tief religiös, ist Sonntagsschullehrerin für die Kleinen und liest in Altersheimen aus der Bibel vor. Als ich mit Tim Todd ausging (sie nannte ihn meinen Gefährten: »Da kommt dein Gefährte«), habe ich ihr immer erzählt, welchen Film wir am Samstag gesehen hatten oder wie es um seine tropischen Fische bestellt war, aber dass er meinen Busen berührt hat, hätte ich ihr ebenso wenig erzählt wie meinem Vater. Das Wort »Busen« allein wäre schon zu viel gewesen.

Sie wohnt nur zwei Blocks von uns entfernt in einem neueren Teil des Vororts, aber trotzdem begegnen wir uns fast nie am Wochenende oder an Feiertagen. Letztes Jahr habe ich sie den ganzen Sommer nur ein einziges Mal gesehen. Ich wartete auf den Bus, um zur Arbeit zu fahren, als der Kombi ihres Vaters an der roten Ampel hielt. Sie saß auf dem Beifahrersitz, das Baby auf ihrem Schoß, ihre drei kleinen Schwestern auf der Mittelbank und hinten drin ihre kleinen Brüder. Alice hielt das Baby an den Handgelenken fest und ließ es in die Hände klatschen. Sie schien ihm etwas vorzusingen. Nach dem, was sie mir erzählt hat, ist sie die rechte Hand ihrer Mutter, sie ist diejenige, die die ganzen Kinder ins Bett bringt und sie zur Kirche anzieht. »Schöne Plackerei«, dachte ich, als der Wagen weiterfuhr. Zu der Zeit hatte ich schon Sex mit Abel gehabt und konnte mir kaum noch vorstellen, je mit einer so puritanischen Person zu tun gehabt zu haben.

Aber als der erste Schultag kam und ich sie aus dem Wohnzimmerfenster unten an der Straße auf mich warten sah, habe ich mich nicht durch die Hintertür rausgeschlichen, teils weil ich mir vorgenommen hatte, ein netterer Mensch zu werden, teils weil ich glaubte, mein neuer Look würde uns sowieso voneinander entfremden. Mir war der Gedanke gekommen, dass sie vermutlich gedacht hat, wir hätten in Modefragen die gleiche Einstellung, denn bis vor ein paar Monaten hatte alles, was ich trug, einst meiner Mutter gehört und war deshalb seit mindestens zehn Jahren aus der Mode. Aber es entsprach keineswegs meinem Geschmack. Ich trug die Sachen einfach aus Faulheit, weil es praktisch war und meinem Vater sagte: »Sie kommt nicht zurück«, und schließlich wohl auch als widerstrebende Würdigung der hochwertigen Stoffe und Schnitte. Alices Sachen dagegen waren neu und *absichtlich* altmodisch, außerdem billig, selbstgeschneidert und altjüngferlich: sackartige Kleider, hochgeschlossene Baumwollblusen und weite, wadenlange Röcke; alles einfarbig, in blassen Tönen, oder wenn es ein Muster gab, dann waren es Tapetenmotive wie Pferde oder Windmühlen. Ihr einziges Zugeständnis in Sachen Stil war ihr toupiertes Haar, und selbst das wirkte altmodisch. Make-up trugen wir beide nicht.

Und jetzt schlenderte ich im Trägerhemd mit Batikmuster und einem Rock, der kaum meinen Po bedeckte, auf sie zu. Nackte Beine, kein BH, und dazu Ledersandalen und eine bauchlange Holzperlenkette, die ich in der Stadt bei einem Straßenverkäufer erworben hatte. Ich hatte hellrosa, fast weißen Lippenstift aufgelegt, und so schweren schwarzen Lidstrich, dass mein Vater, der mich sonst nur ungern provoziert, sich beim Frühstück ein Herz fasste und fragte: »Meinst du nicht, du solltest das zur Schule etwas weniger dick auftragen?«

»Ich habe für die Schule extra dick aufgetragen«, sagte ich mit weniger Ärger in der Stimme, als ich empfand, denn ich stellte mir vor, dass Abel mitbekam, wie tolerant ich war. Aber mein Vater warf mir weiterhin alarmierte Blicke zu und strich sich dauernd das geölte, schüttere Haar zurück, sodass ich mir nicht verkneifen konnte zu murmeln: »Manche Leute sind ganz schön verklemmt.«

»Apropos verklemmt«, dachte ich jetzt, als ich sah, wie Alice ihre Handtasche an die Brust drückte. »Hi!«, rief ich. Sie hob eine Hand.

Als ich sie erreicht hatte, sagte sie: »Ich hätte dich fast nicht erkannt.«

»Bei mir hat sich einiges verändert. Zum Beispiel bin ich nicht mehr mit Tim zusammen.«

»Oh. Das wusste ich nicht.«

»Das war nie etwas Ernstes mit uns.«

»Was ist passiert? Falls ich das fragen darf.«

Eigentlich hatte ich keine Einzelheiten erzählen wollen, aber ihr Anblick machte mich wütend, ihr matronenhaftes Kleid mit dem Kaffeetassenmuster, ihre aufgebauschte Frisur (*sie* hatte sich nicht verändert), und plötzlich hatte ich das Bedürfnis, sie zu schockieren. »Ach«, sagte ich, »ich habe auf einer Party zufällig meinen alten Freund wieder getroffen, und wir haben Hasch geraucht und es auf dem Nachbarrasen getrieben, und dann kam Tim vorbei, ich war so stoned, dass ich ihn ganz vergessen hatte, und er hat uns erwischt, als wir gerade halbnackt herumtollten.«

Ich ging weg, überzeugt, dass sie bleiben würde, wo sie war. Aber nein, da kam sie schon angelaufen und trottete wie immer neben mir her. »Mit herumtollen«, sagte sie, ohne mich anzusehen, mit knallroten Wangen, »meinst du damit das, was ich glaube?«

»Wir haben es getan.«

Sie atmete hörbar ein.

»Es war kein One-Night-Stand oder so«, sagte ich etwas versöhnlicher. »Abel und ich – so heißt er, Abel, das ist deutsch –, wir sind ineinander verliebt. Wir sind schon verliebt, seit ich elf war.« Meine Stimme klang ganz belegt beim Aussprechen dieser simplen Wahrheit. »Sieben Jahre.«

Alices Miene entspannte sich. »Das ist eine lange Zeit.«

Den Rest des Wegs bis zur Schule sprachen wir nicht mehr. »Tschüs dann, bis später«, sagte ich, nachdem wir die Eingangstür durchschritten hatten, das »bis später« nur aus reiner Höflichkeit hinzufügend, denn ich hatte keinen Zweifel, dass unsere Freundschaft ein für alle Mal beendet war. Ich spürte, wie mir ihre großen Augen mit unsicherem Blick folgten, während ich den Gang entlang in meine Klasse ging. Ich spürte auch andere Blicke. »Ist das etwa Louise Kirk?« Alle dachten das so laut, dass ich es hören konnte.

Aber niemand sprach mich an, außer um hallo zu sagen, zu fragen, wie es geht; die automatischen Gesten, die ich gewohnt war. Aber das Mitleid und die Herablassung, die waren verschwunden. Maureen Hellier ging vorbei, drehte sich staunend um und starrte mir nach. Das Gleiche taten ein paar Jungs, sie ließen ihre Blicke an mir rauf und runter wandern. Zum ersten Mal erlebte ich das Gefühl, wenigstens ein bisschen Macht zu haben. Meine Mutter sagte immer: »Du bist, was du anhast.« Sie hatte Recht.

Und ich hatte Unrecht. Was Alice anging, meine ich. Nach der Schule rief sie »Warte doch!«, als ich über den Parkplatz ging, und sobald sie mich eingeholt hatte, spulte sie einen Bericht darüber ab, wer sonst noch wie ein Hippie angezogen gewesen war: »Beverly Bowman hat eine Art psychedelischen Rock angehabt, so würde man es wohl nennen, hast du gesehen? Bodenlang, in allen möglichen Schockfarben. Total auffällig. Und Steve Plath, der hat längere Haare als du, darauf wette ich. Die müssen im Sommer superschnell gewachsen sein. Er trug so ein Indianerarmband, du weißt schon, diese gewebten Bänder mit den bunten Perlen. Und dann dieser Typ, der Schlagzeug spielt … oje, wie heißt er noch mal? Brent Soundso. Brent Coren. Der hatte so eine Beatles-Jacke an, mit hochstehendem Kragen.«

»Eine Nehru-Jacke?«, sagte ich verblüfft. Wer hätte gedacht, dass sie nicht nur den Schock über mein Aussehen und das, was ich ihr erzählt hatte, verdauen, sondern ein paar Stunden später auch noch eine Reportage von Beobachtungen abliefern würde, die mich anspornen sollten.

»Sah wirklich toll aus«, sagte sie. »Mit Goldknöpfen und rotem Brokatbesatz.«

Wir gingen los.

»Ich wette, ihr werdet alle dicke Freunde«, sagte sie.

»Ich wette, das werden wir nicht.«

Komisch, dass sie damit kam. Seit dem Partyabend hatte ich mir gelegentlich vorgestellt, zu einer Gruppe Gleichgesinnter zu gehören, aber ich hatte mich damit abgefunden, dass ich irgendetwas Abturnendes an mir hatte und letztendlich doch alle Leute vor den Kopf stieß, egal, wie sehr ich mich bemühte, umgänglich zu sein. Jedenfalls sollten mein Outfit und das Make-up keine Köder darstellen. Ich wollte damit nur sagen: »Ich habe Abel. Wozu brauche ich *euch*?«

»Ich dachte nur…«, sagte Alice. »Gleich und gleich…«

Mir dämmerte, dass sie beruhigt werden wollte. »Ich will keine Freunde«, sagte ich. »Ich meine, ich will keine *neuen* Freunde.«

Ich wollte Abel. Obwohl wir zusammen waren, betrachtete ich meine Liebe zu ihm und meine Einsamkeit immer noch als untrennbar. Er hatte immer den wahren Unterschied zwischen mir und dem Rest der Welt ausgemacht, den echten, tragischen Verlust in meinem Leben, neben dem der vermeintlich tragische Verlust, der mir das ganze Mitleid einbrachte, rein gar nichts bedeutete.

»Ich für mein Teil bin auch nicht gerade eine Betriebsnudel«, sagte Alice. Sie fummelte nach ihrer Hautcreme, schob die Hand in die Tasche, schraubte den Deckel ab, nahm einen Klacks heraus und schraubte den Deckel wieder zu, alles ohne ihre Schritte zu verlangsamen. Sie räusperte sich. »Darf ich dir eine persönliche Frage stellen?«

»Was denn?«

»Na ja…« Sie rieb sich energisch die Hände. »Es geht um dich und deinen Gefährten Abel, um euch beide, weißt du.« Schwupps, da waren die roten Flecken.

»Wie, um uns beide?« Ich konnte mir denken, worauf sie hinaus wollte, aber ich wollte sehen, ob sie es aussprechen würde.

»Ich bin neugierig, und ich nehme es dir nicht übel, wenn du mir sagst, ich solle mich um meine eigenen Angelegenheiten kümmern. Es ist bloß, weil meine Mutter sieben Kinder hat und ich weiß, wie verdammt leicht man…«

Sie wandte mir ein so verzweifeltes Gesicht zu, dass ich beschloss, ihr zu Hilfe zu kommen. »Schon gut, Alice. Er wohnt in Vancouver. Wir hatten nur die eine Nacht zusammen, und irgendwie habe ich das Gefühl, durchs Telefon werde ich nicht schwanger.«

»Vancouver? Das wusste ich nicht…«

»Jedenfalls habe ich nicht die Absicht, plötzlich mit einem Baby dazusitzen.«

Ihr entfuhr ein unsicheres Lachen. »Oh, ich liebe Babys. Aber sie machen tonnenweise Arbeit, das kannst du mir glauben. Meine Güte!«

# 15

**Ein paar Monate vor seinem Tod** erzählte mir Abel, dass er nie an Gott oder den Himmel oder irgendeine Art von metaphysischer Erlösung geglaubt habe, aber ich dachte daran, was für ein fanatischer Optimist er immer gewesen war, und es fiel mir schwer, das zu glauben. »Keine Angst«, pflegte er in Situationen, in denen Panik die einzig vernünftige Reaktion war, zu sagen. »Mach dich nicht fertig«, wenn man gerade dabei war, seine Seele vom Pflaster zu kratzen. Noch in den letzten Tagen seines Lebens wollte er mich davon überzeugen, dass mit uns beiden alles in Ordnung kommen würde.

»Mit *dir* wohl kaum«, erwiderte ich. »Mit einem Toten ist nicht alles in Ordnung.«

Da verbrachte er schon die meisten Tage und Nächte damit, sich mit Canadian Club Whisky volllaufen zu lassen und Blut in ein rotes Handtuch zu spucken (auf Rot wirkt das Blut harmloser), sagte aber immer noch in mitfühlendem Ton, so als sei ich diejenige mit dem Hang zur Selbstzerstörung: »Alles ist gut.«

Ein Teil von mir, *Teile* von mir – der versteinerte Kern, das stumme Herz, die empfindlichen Glieder, wo die Erregung noch leise flackerte – ließen mich das glauben. Er war so klug, er musste einfach einen Plan haben. Seine Eltern und sogar seine Ärzte gaben sich der gleichen Täuschung hin. Wir kamen überein, dass wir versuchen wollten, ihn nicht zu bevormunden. »Er muss zuerst ganz tief fallen«, sagten wir alle, so als wäre ganz tief ein Stockwerk höher als der Tod.

Ich habe einen Essay, den er an der Uni geschrieben hat. Er trägt den Titel »Vergessen« – ironischerweise, denn es ist der einzige seiner Aufsätze, den er nicht auf dem Grill seiner Nachbarn verbrannt hat. (»So machen es Spione«, sagte ich, als er die Blätter in Brand setzte. Ich bat ihn, wenigstens die Federzeichnungen behalten zu dürfen, aber er lehnte ab. »Du hast ja nur Angst, beurteilt zu werden«, sagte ich darauf. Ein schwacher Vorwurf. Beurteilt von wem? Seinen Eltern und mir? Aber weil ich wusste, dass er die Armen und Demütigen verehrte, setzte ich noch eins drauf und fügte hinzu: »Das ist pure Eitelkeit.« Er nahm einen Stapel Gedichte in die Hand. »*Dies* hier«, sagte er, »ist Eitelkeit.«)

Der Essay tauchte zwischen den Impfbescheinigungen der Katze auf. Eine Weile behielt ihn seine Mutter, dann gab sie ihn mir in einem Schuhkarton mit ein paar Sachen von ihm: seinem Kalligraphie-Füller, seinen Manschettenknöpfen mit den Trilobiten-Fossilien, von denen sie meinte, ich könne sie zu Ohrringen umarbeiten lassen, seiner Jointklammer, die sie für ein Gerät zum Sammeln von Musterexemplaren hielt.

Sie gab zu, den Essay nicht bis zum Ende gelesen zu haben. »Die Sätze sind sehr schwer«, sagte sie, und ich hatte das Gefühl – das bestätigt wurde, nachdem ich mir selbst diese Sätze einverleibt hatte –, dass sie damit nicht nur schwierig meinte, sondern auch entmutigend.

»Das Leben«, so lautet der Anfang, »ist Vergessen, das für einen kurzen Augenblick ins Nicht-Vergessen ausbricht, damit das Vergessen sagen kann: ›Ich bin‹. Natürlich vorausgesetzt, dass lebendige Wesen über genug Bewusstsein verfügen, um eine solche Aussage zu treffen. Nehmen wir an, das tun sie. Nehmen wir an, sie sind sich bis zu einem gewissen Grad ihrer selbst bewusst. Das schafft die Möglichkeit, dass das Leben sich selber erkennt, allerdings nicht als Vergessen, nur als Leben. Damit das Leben sich als schwachen Pulsschlag des Vergessens erkennen kann, muss das Selbst-Bewusstsein zum reinen Bewusstsein verfeinert werden, und das besteht in der nicht durch das Ego oder durch Vorurteile beeinträchtigten Betrachtung.«

Immerhin gab er zu, dass das Leben ein Ereignis ist, insoweit es ein Heraustreten aus dem Nichts bedeutet. Nur war er der Meinung, es sei bloß eine andere Form des Nichts, das Nichts, das einen Blick auf sich selber wirft. Hielt er sich etwa bloß für irgendein Teilchen des Vergessens, das ausschließlich zum Zwecke des Betrachtens auf die Erde geschickt wurde? Aber wenn das so war, warum trank er dann? Es sei denn, er wollte seine Sinne *absichtlich* abstumpfen … um einen Punkt zu erreichen, an dem er alles aus einem Zustand heraus betrachten konnte, der dem Vergessen so ähnlich war, dass keine Gefahr der Korruption *durch das Ego oder durch Vorurteile* bestand.

Nun, das ist die eine Möglichkeit, ihn zu sehen – als jemanden, der in verhängnisvollem Maße erleuchtet war.

Der anderen Möglichkeit – ihn einfach als einen begabten, aber beschädigten Menschen zu sehen –, versuche ich immer noch auszuweichen, obwohl vermutlich viel dafür spricht, wenn man bedenkt, womit er zurechtkommen musste. Das Waisenhaus. Seine echten Eltern, wer auch immer sie waren. Mich. Was ich getan habe.

# 16

**Zwei Tage,** seit ich ihn angerufen habe.

Es kommt mir unsinnig vor, Make-up aufzulegen oder ein Minikleid anzuziehen. Ich bin unehrenhaft entlassen worden, die Uniform hat keine Bedeutung mehr. Und sexy fühle ich mich schon gar nicht.

Was soll ich also tun? Wieder die Röcke und Kleider meiner Mutter tragen, die ich mit Tesafilm gekürzt habe, weil mein Vater, der immer noch glaubt, sie würde eines Tages zur Haustür hereinspaziert kommen, mich ihre Sachen nicht mit Nadel und Faden »schänden« lässt? Wieder meinen Jungfrauenlook annehmen? Alice würde sich bestimmt freuen. Trotz ihres freudigen Interesses an meiner Verwandlung kann ich mir kaum vorstellen, dass sie nicht betet, ich möge zur Vernunft kommen: »Bitte lieber Gott, führe Louise zurück auf den Pfad der Tugend und Bescheidenheit.«

Mit dem Fingernagel kratze ich die angetrocknete Kotze aus meinen Mundwinkeln, hole meinen Lippenstift hervor und versuche mich daran zu erinnern, dass ich schon vor meinem Wiedersehen mit Abel beschlossen hatte, eine andere zu werden (zwar nur ein paar Stunden vorher, aber immerhin *vorher*). Allerdings hätte ich den Entschluss nicht umgesetzt. Erst der Glaube, dass er mich liebt, hat mir den nötigen Mut gegeben, und bei allem, was ich seitdem getan habe, habe ich mir vorgestellt, dass er es sieht.

Bis jetzt. Dass er das hier sieht, das Kotzen und Heulen, das kann ich mir nicht vorstellen. Aber ich kann mir auch nicht vorstellen, dass er mich ruhig oder schlafend sieht, wenn er mich nicht mehr liebt. Wenn er mich aus seinen Gedanken verscheucht hat, dann habe ich nicht mal mehr seinen Geist. Ich habe niemanden, für den es sich lohnt, interessant zu sein. Ich bin ein Nichts.

Ich entscheide mich für das schwarz-grün gestreifte Minikleid im Empirestil, hauptsächlich wegen des lockeren Schnitts. Seit ich aus der Dusche gestiegen bin, habe ich das Gefühl, der kleinste Druck könnte meinen Oberkörper zerquetschen. Ich fühle mich hohl, wie die sprichwörtliche leere Hülle. Unterwäsche, Kleid und Schuhe anzuziehen ist eine brutale Aufgabe. Was das Frühstück angeht, das kann ich vergessen. Zwei Schluck Orangensaft sind alles, was ich zu mir nehme. Mein Vater schaut mich über den Rand seiner Kaffeetasse forschend an. »Solltest du nicht lieber zu Hause bleiben?«

»Ich bin angezogen«, sage ich. Die ganze Anstrengung!

»Deine Augen sind rot.« Weil ich fast nie in seiner Gegenwart weine, kommt er nicht darauf, dass Kummer der Grund sein könnte. »Womöglich hast du eine Bindehautentzündung. Das ist sehr ansteckend, weißt du. Du könntest es von deiner Wimperntusche gekriegt haben, besonders wenn du sie mit deinen Freundinnen gemeinsam benutzt.«

Ich sage, er solle mich in Ruhe lassen, ich gehe zur Schule. Ich weiß nicht mehr, warum ich so wild entschlossen bin. Es hat wohl damit zu tun, dass ich nicht den ganzen Tag heulend im Bett liegen oder mir in der Badewanne die Pulsadern aufschneiden will. Er bietet an, mich hinzufahren, aber ich habe das Gefühl, ich brauche den Spaziergang, um mich zu wappnen.

Alice wartet natürlich an der Ecke. Ich entschuldige mich, weil ich gestern nicht gekommen bin. »Ich hatte Grippe«, sage ich.

»Du bist immer noch ein bisschen blass um die Nase«, sagt sie.

»Wirklich?« Ich lege eine Hand auf meinen Bauch. Er fühlt sich gummiartig und dick an, doppelt so dick wie vor einer Stunde. Eine Übelkeit erregende Angst steigt in mir auf.

»Hoppla, hoppla.« Sie greift nach meiner Hand. Sie ist so stark wie eine Ringerin. »Am besten bringe ich dich gleich wieder nach Hause.«

»Nein, nicht.« Ich mache mich los. »Ich will nicht nach Hause. Mir wird gleich wieder besser.«

Sie sortiert ihre Bücher, um sie unter einem Arm tragen zu können. »Na komm«, sagt sie und hakt sich mit dem freien Arm bei mir unter.«Dann lass uns wenigstens versuchen, dich auf den Beinen zu halten.«

Es ist eine Strecke von knapp zwei Kilometern, nicht weit, verglichen mit den Entfernungen, die andere Kinder zurücklegen müssen. Der Weg führt durch den Vorort zu einem kleinen Einkaufszentrum (mit Friseur, Tabakladen, Bank, Milchgeschäft und Schönheitssalon), um das Zentrum herum in den Matas-Park mit den Holzbänken und der Granitstatue von Dr. Adolph T. Matas, 1812–1882, Arzt, Chirurg, Linguist und Menschenfreund (was die Leute nicht davon abhält, Doktor Fettarsch und Fettarschpark zu sagen), und dann einen Fußweg entlang, der neben einer Hauptstraße verläuft.

Als wir den Park betreten, wird mir wieder schlecht. »Ich muss mich hinsetzen«, sage ich, reiße mich los und stolpere auf eine Bank zu.

Alice kommt eilig hinterher. »Steck den Kopf zwischen die Knie.«

Ich gehorche.

Sie setzt sich und macht ihre Handtasche auf. Aus meiner gebückten Position betrachte ich ihre Waden in den dicken Nylonstrümpfen, unter denen ihre blonden Beinhaare zu einer Matte geplättet werden. Ich höre, wie sie den Deckel ihrer Handcremedose abschraubt. »Keiner sieht dich«, sagt sie. »Vielleicht würdest du dich besser fühlen, wenn es raus ist.«

Ich weiß, was sie meint, aber ich beschließe, es anders zu verstehen, also sage ich: »Kann man schwanger sein und trotzdem seine Periode kriegen?«

Schweigen, abgesehen von dem leisen, reibenden Geräusch ihrer Hände. »Ich bin mir nicht sicher«, sagt sie schließlich.

»Und die morgendliche Übelkeit? Weißt du, ob die nach zwei Monaten plötzlich anfangen kann?«

Sie räuspert sich. »Ich weiß noch, als meine Mutter Teddy unter dem Herzen trug, da war die schlimmst Zeit in der Mitte, im vierten und fünften Monat. Davor und danach ging es ihr gut.« Sie schraubt den Deckel wieder drauf und lässt die Handtasche zuschnappen. »Wie fühlen wir uns?«

»Besser.« Ich setze mich auf. Ob Dr. Matas, der Menschenfreund, mir wohl eine Abtreibung gemacht hätte? »Das waren nämlich«, sage ich, »nicht so heftige Blutungen wie sonst.«

Alice nimmt ihre Bücher und ihre Handtasche von der Bank. »Wir sollten weitergehen.«

Ich überlasse ihr wieder meinen Arm. »Oh Gott«, sage ich beim Gedanken an den Rest meines Lebens.

»Hast du das Schild im Fenster von Parker's Drugstore gesehen?«, fragt sie.

»Welches Schild?«

»Schwangerschaftstests.« Ihre Wangen fangen an zu glühen. »Schnell und vertraulich.«

Warum sollte ausgerechnet ihr dieses Schild aufgefallen sein? »Nein.«

»Ich wette jede Summe, dass du bloß eine kleine Grippe hast, aber wenn du ganz beruhigt sein willst…«

»Da muss man in eine Flasche pinkeln, oder?«

»Ja, sie brauchen eine Probe. Am besten gleich morgens, ehe man etwas gegessen hat.«

»Alice –« Ich zwinge uns, stehen zu bleiben. Sie schaut mich an. Ihr kleines Gesicht steht in Flammen. »Du wirst es niemandem erzählen.«

»Erzählen? Um Himmels Willen, nein! Wem sollte ich es denn erzählen?« Sie macht eine Geste, als verschließe sie ihre Lippen mit einem Reißverschluss. »So. Alles hinter Schloss und Riegel.«

# 17

**Ich sitze auf dem Klavierhocker.** Es gab auch einmal einen Sessel, einen guten sogar, aus Mahagoni mit grünem Lederpolster (Mr. und Mrs. Richter hatten ihn aus Deutschland mitgebracht), aber den hat Abel der Maniküre von gegenüber geschenkt, nachdem deren einziger Sessel unter einem übergewichtigen Kunden zusammengebrochen war. Das Zweiersofa mit dem goldfarbenen Samtbezug, das er ein paar Wochen später bei einem Trödler kaufte, stand nur einen Tag bei ihm; dann bemerkte der Hauswart ganz beiläufig, wie gut es sich in der Eingangshalle machen würde. Also wurde es dorthin gebracht.

Warum Abel in dieser winzigen, heruntergekommenen Kellerwohnung bleibt, ist den Richters ein Rätsel, besonders weil sie ihm dauernd anbieten, ihm einen Mietzuschuss für etwas Größeres in einer besseren Gegend zu geben. Sie verstehen nicht, dass er in dieser Wohnung bleibt, gerade *weil* sie winzig und heruntergekommen ist. Aber eine Bruchbude ist die Wohnung nicht – das kann man wirklich nicht sagen, so viel, wie er putzt –, und sie ist auch nicht leer. Seine Bücher sind hier, drei deckenhohe Regale voll. Außerdem sein Klavier, sein Schreibtisch, sein altes Himmelbett und der Teewagen und der Orientteppich aus dem Esszimmer seiner Eltern. Mir persönlich gefällt diese Mischung. Die Andeutung vornehmer Armut, einer gebildeten Gleichgültigkeit gegenüber Besitz.

Es ist Samstag, am späten Vormittag, und ich bin auf dem Weg zum Mittagessen mit einer Freundin vorbeigekommen. Abel sitzt mir gegenüber, auf dem Bett, eine Schulter an die Wand gelehnt, über deren dichtes Netz aus Rissen er gerne spekuliert, es wäre eine Darstellung der Wasserläufe auf einem entfernten Planeten. Auf seinem knochigen Schoß machen sich seine beiden zugelaufenen Katzen den Platz streitig: die dreibeinige Peg und die sabbernde Flo.

Das Bett ist gemacht, die Flaschen sind irgendwo versteckt. Mir fällt auf, dass die Ablagen des Teewagens, wo er seine Tabletten und Vitamine aufbewahrt und auch die medizinischen Geräte, die sein Vater ihm gekauft hat (Thermometer, Stethoskop, Blutdruckmesser), seit meinem letzten Besuch mit weißem Papier ausgelegt worden sind. Normalerweise hätte er um diese Tageszeit Jeans und ein sauberes T-Shirt an, aber ich habe ihn aus der Dusche geholt, deshalb trägt er seinen Bademantel. Seine Nägel sind frisch geschnitten, vermutlich von der Maniküre, wie heißt sie noch gleich, irgendein hilflos klingender Name, Nell oder Cindy. Absurderweise bin ich auf sie eifersüchtig. Wenn Abel noch in der Lage wäre, einen bevorzugten Typ zu haben, dann wäre es bestimmt die leicht verblichene Schöne mit einem schlecht gehenden Nagelstudio.

Ich halte meine Eifersucht im Zaum, indem ich ihren Namen nicht erwähne. Auch über mein Gefühl, dass in dieser Wohnung sexy Engel um die Fenster fliegen, spreche ich nie, ich weiß auch nicht, warum. Bestimmt nicht, weil ich Angst habe, er könnte mich für verrückt halten. Für ihn ist niemand verrückt, und er wäre froh, über etwas anderes zu reden als das getrocknete Blut in den Falten seiner Lippen oder die abblätternde Haut an seinem Hals. Er ist mal wieder ausgetrocknet, er muss es sein. Ich frage nicht, aber als er sich mit zitternder Hand an den Hals fasst, kann ich mir eine Andeutung nicht verkneifen: »Wer hätte gedacht, dass man als Alkoholiker verdursten kann?«

Die Hand gleitet hinab zu seiner Brust. Pellt sich die Haut dort auch? Ich habe ihn seit mehr als einem halben Jahr nicht mehr nackt gesehen; er gestattet es mir nicht. Wir legen uns noch zusammen hin und er berührt mich überall, gibt mir aber durch leichtes Zucken zu verstehen, dass ich mich auf seinen Kopf zu beschränken habe. Da oben, über dem Hals, funktioniert alles noch perfekt. Seine Zähne sind weiß und gerade, und trotz eines gelblichen Schleiers auf dem Weißen seiner Augen kann er noch in der hintersten Ecke des Zimmers eine Ameise erkennen. Solche Kraft macht mich traurig, denn ich muss immer an die Verschwendung denken. Wenn er sich sterben lässt, dann stirbt alles, sein ganzer Körper.

Er schaut immer wieder in Richtung Badezimmer. Wahrscheinlich hat er dort eine Flasche versteckt und kann es kaum erwarten, an sie ranzukommen. Seit er sich selber aus der Marwood-Klinik entlassen hat, trinkt er nicht mehr, wenn ich oder seine Eltern dabei sind. Natürlich fallen wir nicht darauf herein, ich jedenfalls nicht. Wenn seine Mutter ihn zu Hause in aufgeräumter Stimmung antrifft, sagt sie, er sei trockengelegt, womit sie meint, er ist trocken. Sie sagt zu ihm, was sie selber hören will. »Es geht dir von Tag zu Tag besser!«, verkündet sie und nimmt sein Schweigen als Bestätigung. (Ich mache es genauso, wenn auch nicht, was sein Trinken betrifft. Bei mir sind es seine Gefühle, insbesondere seine Gefühle für mich, über die ich entscheide.)

»Brauchst du Geld?«, frage ich, zum Thema, warum sein Telefon abgestellt ist und ich so eilig hergekommen bin, zurückkehrend. Als ich die Ansage »Kein Anschluss unter dieser Nummer« hörte, geriet ich in Panik.

»Es liegt nicht am Geld. Das Klingeln…«

»Was ist mit dem Klingeln?«

»Es ist laut.«

Ich beschließe, das nicht weiter zu verfolgen.

»Es geht mir gut«, sagt er. Er zieht ein sauberes, gefaltetes Taschentuch aus seiner Bademanteltasche und tupft damit den Sabberfleck auf, den Flo auf seinem Bein gemacht hat. »Alles ist bestens.«

»Wenn du meinst.«

»Louise.«

»Ja?«

»Du solltest jetzt gehen.«


Zwei Tage später. Ich habe Lebensmittel mitgebracht: Grießbrei, Apfelmus, Babynahrung, Ginger Ale. Wie der Arzt empfohlen hat. Er stellt alles in den Kühlschrank statt in den Schrank, woraus ich schließe, dass Mr. und Mrs. Richter gestern Abend da waren und so ungefähr das Gleiche mitgebracht haben, was ich aber nicht sehen soll, damit ich nicht das Gefühl habe, ich hätte meine Zeit verschwendet. Das habe ich aber sowieso, und die beiden auch. Wir wissen alle drei, dass das meiste von dem, was wir ihm bringen, im Müll landet.

Er bietet mir ein Glas Ginger Ale an. »Das ist für dich«, sage ich ärgerlich. Ich setze mich wie beim letzten Mal auf den Klavierhocker, er sitzt mir gegenüber auf der Bettkannte, die Katzen auf dem Schoß. Er ist nicht aufgeregt, er muss etwas getrunken haben, ehe ich gekommen bin. Er denkt über meine Frage nach: Betet er je? Durch die Decke hören wir die Mieterin über ihm schreien: »Gott im Himmel! Jesus!« Als ich das zum ersten Mal gehört habe, dachte ich, sie hätte gerade Sex. Ich sage: »Ich glaube nicht an Gott, aber manchmal erwische ich mich dabei, wie ich bettele: ›Bitte, lieber Gott, bitte bitte‹, und in der Kirche bin ich nur das eine Mal gewesen.«

Abel schlägt einen Rhythmus am Bettpfosten, dann hält er inne und betrachtet seine Hand, so als sei er erstaunt über ihre Geschicklichkeit. Er hat mir erzählt, er spiele noch manchmal »zum Spaß« Klavier, aber immer, wenn ich da bin, ist der Deckel geschlossen, und es liegen Bücher und ein Aschenbecher darauf. »Ja«, sagt er. »Ab und zu bete ich.«

»Zu Gott?«

»Nein. Nein, nicht zu Gott.«

»Zu wem dann?«

»Zum Äther vermutlich.«

»Was sagst du?«

»Schenk mir Glauben.«

»Was noch?«

»Das ist alles. Schenk mir Glauben.«

»An was?«

»Glauben an das, was geschieht.«

»Warum bittest du nicht um Kraft?« In der einen oder anderen Form fechten wir diesen Streit schon seit Jahren aus. Ich bin auf der Seite des Kämpfens, er auf der Seite des Aufgebens.

»Gott wüsste, dass man Kraft braucht«, sagt er, »wenn vorgesehen ist, dass man überleben soll. Wenn *Er* das nicht vorgesehen hat, dann braucht man Glauben. Den braucht man sowieso.«

»Außer dass du gar nicht an Gott glaubst.«

»Nein, tue ich nicht.«

Von oben kommt ein Schrei.

Abel schaut zur Decke. »Na schön«, sagt er. »Tu ich doch.« Er lächelt.

Ich weigere mich zurückzulächeln. »An was glaubst du dann? Außer ans Aufgeben?«

»Ans sich *Hin*geben.«

»An die Schwäche«, sage ich traurig. Mir ist nicht mal die Befriedigung vergönnt, ihn beleidigen zu können. Mit persönlichen Beleidigungen kann man ihn nicht treffen, höchstens auf allgemeine Art, indem man ihm zu verstehen gibt, dass man traurig ist. »Du gibst dich einfach dem hin, was am leichtesten ist.«

»Dem, was Tatsache ist.«

»Ach Quatsch. Tatsache ist das, was du dazu machst.«

»Hast du dich entschlossen, geboren zu werden? Ein Mädchen zu sein?«

»Das meine ich nicht.«

»Aber das sind die Tatsachen deines Lebens. Hast du beschlossen, eine Mutter zu haben, die dich sitzen lässt? Hast du beschlossen, dass du und ich in derselben Straße wohnen? Hast du …?« Er gerät ins Stocken.

Habe ich beschlossen, schwanger zu werden? War das die nächste Frage?

Vielleicht nicht, aber eine Liste der großen Ereignisse in meinem Leben wird zwangsläufig auch die beschwören, über die wir bewusst nicht reden. Das ist ihm wohl eben klar geworden. »Ich habe beschlossen, dich zu *bestrafen*«, sage ich. »Ich habe beschlossen, mich so schlecht zu benehmen, wie ich mich fühle.«

Er runzelt die Stirn. Ich kann ihn nicht beleidigen, aber ich kann ihm weh tun.

Er beugt sich vor zum Schreibtisch, vorsichtig, um die Katzen nicht zu stören, und holt die Zigarrenkiste heraus, in der er seinen Tabakbeutel und ein paar Joints für Notfälle aufbewahrt. Auf dem Bett, mit der Kiste als Unterlage, rollt er sich eine Zigarette. Er hat den krummen Rücken eines alten Mannes. Durch das Zittern seiner Hände, das sein Vorhaben zu vereiteln scheint, wird sein Tun zu einer Performance.

»Hast du beschlossen, Alkoholiker zu werden?«, frage ich.

Er lächelt. »Wurde ich als Alkoholiker geboren, habe ich mir die Alkoholsucht angeeignet, oder wurde die Alkoholsucht mir auferlegt?«

»Wieso machst du Witze darüber?«

»Ich weiß nicht, ob ich mich bewusst dazu entschlossen habe. Ich glaube nicht.«

»Aber du hast beschlossen, dich umzubringen.«

»Nein.«

»Na schön, du hast beschlossen zu sterben.« Als er nicht antwortet, sage ich: »Du hast beschlossen, nicht zu leben. Indem du dich nicht rettest, beschließt du, nicht zu leben.«

Es gelingt ihm, die Zigarette anzuzünden. »Ich habe gar nichts beschlossen«, sagt er und schaut zur Decke. Die Frau stöhnt jetzt, oder sie singt.

»Eine Sache hast du beschlossen«, sage ich. »Nämlich die Menschen, die dich lieben, leiden zu lassen.«

Er schaut nach unten und streicht Flo über den Kopf.

»Das ist wahr«, sage ich.

»Ich will es nicht.«

»Bist du glücklich?«

»Es geht nicht um Glück oder Unglück.«

»Sondern?«

Er zuckt die Achseln.

»Ach ja«, sage ich. »Klar. Ums sich Hingeben. Womit wir wieder am Anfang wären. Weißt du, was ich glaube? Ich glaube, es geht darum, dass du unter allen Umständen trinken willst. Du willst nicht aufhören, und deshalb tust du es auch nicht. Egal, was ich sage, was deine Eltern sagen, was die Ärzte sagen. Wir bedeuten dir nichts. Wir *können* dir nichts bedeuten. Du bist süchtig.«

»Vielleicht.« Er seufzt. »Vielleicht ist es das.«

»Na also«, sage ich. »Gut. Endlich kommen wir ein Stück weiter.«

Nein, kommen wir nicht. Wenn er mir so leicht zustimmt, dann kann ich mir selber nicht mehr zustimmen. Vermutlich streckt er nur an einer weiteren Front die Waffen: Er gibt die Erklärungsversuche auf. Er gibt zumindest vorübergehend seine eigenen komplexen Vorstellungen von sich selber auf.

# 18

**»Ich mache es«,** sage ich zu Alice, als wir bei meinem Spind angekommen sind.

Sie nickt mit zusammengepressten Lippen. »Wann?«

»Am besten gleich heute Morgen. Jetzt. Warum nicht? Ich habe noch nichts gegessen.«

»Bist du sicher, dass du dich der Sache gewachsen fühlst?«

»Alles okay. Ich brauche eine Flasche.« Ich schaue mich um, als könnte irgendwo auf dem Flur eine liegen.

Sie öffnet ihre Essenstüte und holt ein Marmeladenglas mit Kartoffelpüree heraus. »Hier«, sagt sie leise. »Leer das auf dem Klo aus. Mach es mit Seife ganz sauber, spül es mit heißem Wasser aus, bis keine Seifenreste mehr da sind, und trockne es dann mit einem Papiertuch ab. Es muss so steril wie möglich sein. An deiner Stelle würde ich warten, bis es geklingelt hat. Schließlich soll es keiner mitkriegen.«

Ich nehme das Glas. Schon wieder hat sie mich überrascht. Ich fühle mich wie ein Spionagelehrling, der von der Chefin der Agentur eingewiesen wird.

»Oh Gott«, sage ich. »Und wenn ich schwanger bin?«

»Nicht so laut!«

»Dann brauche ich eine Abtreibung. Ich muss zu diesem Dr. Jekyll in Buffalo fahren.« Laut Nola MacDougall, einem Mädchen aus meiner Klasse, deren Cousine schon mindestens zweimal schwanger war, gibt es in Buffalo einen verrückten Arzt und Wissenschaftler, der Abtreibungen fast umsonst macht, weil er Embryonen für seine Experimente braucht.

»Das musst du keineswegs«, sagt Alice fast wütend. »Denk nicht so. Denk jetzt nur daran, dieses Glas zu spülen, hineinzumachen und es zur Drogerie zu bringen. Also, wieviel Geld hast du?«

Ich krame in meiner Tasche nach dem Portemonnaie. Fünf Dollar fünfundfünfzig.

»Das reicht vielleicht nicht.« Sie öffnet ihre Handtasche, holt ihr Portemonnaie hervor, zieht den Reißverschluss des Fachs hinter den leeren Kreditkartentaschen auf und nimmt einen gefalteten Zehndollarschein heraus. »Nimm den. Nein, nimm schon. Nur für alle Fälle. Du kannst es mir später zurückzahlen. Ich gehe ins Büro und sage, dass du dich nicht wohl gefühlt hast und nach Hause gegangen bist.«

Erst jetzt, beim Gedanken an die Lüge, röten sich ihre Wangen.

»Ich sage selber Bescheid«, biete ich an.

»Nein, nein, nein. Dann rufen sie bei euch an und bitten Mrs. Carver, dich abzuholen. Oh je, hoffentlich glauben sie mir und rufen nicht sowieso an. Aber es stimmt ja, oder? Du fühlst dich wirklich nicht wohl.« Sie drückt die Schultern durch. »Nun, ich muss eben dafür sorgen, dass sie mir glauben, das ist alles.«

Parker's Drugstore liegt in einem Einkaufszentrum knapp einen Kilometer nördlich der Schule, hinter einer Hochhaussiedlung. Auf dem Weg dorthin mache ich mir Sorgen, dass das Marmeladenglas in meiner Tasche umkippt und ausläuft. Ich hole es heraus, wickele es in Papiertaschentücher und trage es in der Hand. Wenn ich schwanger bin, was finden sie dann in dem Urin? Ich stelle mir eine Art ozeanisches Leben vor, kein Sperma, sondern eine Abart davon. Zu meinem siebten Geburtstag hat mir meine Mutter einen Goldfisch gekauft, den ich Judy Garland nannte und in einer durchsichtigen Plastiktüte vom Laden nach Hause trug. Daran muss ich jetzt denken. Wir hatten Judy Garland nur zwei Wochen, dann verschwand sie durch den Abfluss, als meine Mutter das Glas sauber machte. »In der Wasserleitung wird sie sich sowieso wohler fühlen«, sagte meine Mutter. »Wer will schon in einem Goldfischglas leben?«

»Ein Goldfisch«, schluchzte ich.

»Judy Garland war kurz davor, verrückt zu werden«, sagte meine Mutter.

Dem Apotheker nenne ich den Namen meiner Mutter – Grace Hahn.

»Telefonnummer?«, fragt er.

»Ich werde warten.«

Der Apotheker (Mr. Parker?) sieht aus wie Liberace. Ich finde es nicht sehr beruhigend, das Urteil einem mit Leberflecken übersäten alten Mann zu überlassen, der ein rostbraunes Toupée und Lippenstift trägt. Oder leide ich unter Wahnvorstellungen? Er klebt ein Etikett auf das Marmeladenglas. »Zwei Stunden.«

»Ich hätte gern den Schnellservice, bitte.«

»Zwei Stunden *ist* der Schnellservice.«

Ich warte in einem Donutladen gegenüber dem Einkaufszentrum. Ich bestelle ein Cola-Shake, kann es aber nicht trinken, weil mir immer noch flau im Magen ist. »Bitte, lieber Gott«, bete ich, obwohl ich nicht mehr genau weiß, was ich will. Schwanger sein wäre ein Ereignis, eine Krise. Es würde entweder eine Fahrt nach Buffalo bedeuten, oder dass Abel und ich zusammenziehen. Nicht schwanger sein bedeutet die Rückkehr zu dem leeren Leben, das ich vor den Sommerferien geführt habe und das jetzt noch leerer wäre, weil es keine Hoffnung und keinen Jungen darin gibt, nicht mal Tim Todd.

Die Kellnerin hat eine nette, mütterliche Art. Sie nennt mich Süße. Vielleicht weiß sie, warum ich hier bin, vielleicht warten alle Mädchen, die den Schwangerschaftstest machen lassen, hier die zwei Stunden ab. Auf der Theke liegt ein Miss Chatelaine-Magazin, und ich blättere es durch, betrachte ein schönes, glückliches, unschwangeres Model nach dem anderen. Ich versuche, einen Artikel mit dem Titel »Toll gestylt trotz knapper Kasse« zu lesen, werde aber immer wieder durch die Typografie der Buchstaben abgelenkt, die überflüssigen Punkte auf den Is und Js, die gesperrten Cs und Us, die fremdartigen, überheblichen Zs und die betont vielen Wörter, die mit Z anfangen. Als die zwei Stunden um sind, gehe ich zum Drugstore und habe das sichere Gefühl, dass das Allerschlimmste passieren wird. Nur dass ich immer noch nicht weiß, was das Allerschlimmste ist.

Der Apotheker sagt nichts, sondern reicht mir nur eine Quittung, auf der quer das Wort POSITIV steht.

Ich atme erleichtert aus. Also wünsche ich mir wohl doch kein Baby. »Vielen Dank«, sage ich.

»Positiv«, sagt er, »bedeutet, dass Sie schwanger sind.«

»Wie bitte?«

»Sie sind schwanger.«

Einen Augenblick lang, vielleicht wegen seines Toupées und der unnatürlich roten Lippen, denke ich, er will mich auf den Arm nehmen. »Aber positiv...«

»Bedeutet, dass Sie schwanger sind.«

»Sind Sie ... kann das Ergebnis auch falsch sein?«

Mit seinen Jagdhundaugen mustert er mich von oben bis unten. »Nicht, wenn es positiv ist.«

Kurz darauf, als meine Knie beim Anblick eines Jungen an der Kasse, der zumindest von hinten Abel sein könnte, weich werden, beschließe ich, nach Vancouver zu fliegen und es ihm zu erzählen. Es ihm direkt ins Gesicht zu sagen. Wenn ich ihn irgendwie vertrieben habe, dann sollte mein Bauch – ich strecke ihn heraus, und er kommt mir jetzt schon riesig vor –, dann dürfte ihn *das hier* wohl wieder zurücktreiben.

Beim Verlassen des Einkaufszentrums bin ich fast glücklich. Ich werde Abel sehen. Meine früheren Bedenken (er wird mich nur aus Pflichtgefühl heiraten, ich werde in seiner Kellerwohnung versauern) lasse ich nicht wieder aufleben. Ich stelle mir vor, wie Mrs. Richter mit einem Bündel auf ihrem Arm schäkert. Ich stelle mir vor, wie Abel das Wiegenlied von Brahms auf dem Klavier spielt. Ich stelle mir sogar in gewisser Weise vor, wie ich gebäre; jedenfalls sehe ich mich den Kopf in einem weißem Kissen vergraben, während Abel vor der Tür auf und ab geht. Natürlich werde ich von der Schule gehen müssen. Der Gedanke heitert mich auf. Tschüs Maureen Hellier und Konsorten. Adios Chemie und Geographie.

Da es noch zu früh ist, um nach Hause zu gehen, steuere ich auf den Matas-Park zu. Die Lehne der Bank, auf die ich mich setze, ist so zerfurcht von Initialen und Herzen, dass es wie Zierschnitzerei wirkt. Als Abel und ich Kinder waren, habe ich mir gewünscht, dass er unsere Initialen in den Stamm der Magnolie hinter seinem

Haus ritzt, aber er weigerte sich, einen Baum mit einem Messer zu bearbeiten. Die Erinnerung daran gibt mir Mut. Lichtkegel ziehen über den Rasen, und überall hüpfen schwarze Eichhörnchen – die, die Glück bringen – herum. Auch das gibt mir Hoffnung.

Ich plane meine Reise.

Das Geld dürfte kein Problem sein. Auf meinem Sparkonto sind über zweitausend Dollar. Über die Hälfte davon hat mein Vater eingezahlt, für mein Studium. Falls ich einen Platz in der Maschine am Samstagmorgen bekomme, die Abel mir empfohlen hatte, als wir über meinen möglichen Besuch an Weihnachten sprachen, dann treffe ich ungefähr um neun Uhr morgens Ortszeit in Vancouver ein, wenn er noch zu Hause ist. Ich rufe ihn vom Flughafen aus an, damit er mich abholen kann. Oder nein, ich nehme lieber ein Taxi – Mr. Richter könnte schon mit dem Auto unterwegs sein. Dann verbringen wir den ganzen Samstag und einen Teil des Sonntags zusammen. Was erzähle ich meinem Vater? Irgendwas. Zum Beispiel, dass ich mit meiner Klasse das Parlamentsgebäude in Ottawa besichtige. Ein solcher Ausflug ist tatsächlich für das Frühjahr geplant. Er wird nichts dagegen haben. Ich werde sagen, ich könnte das Geld für den Charterbus zum Flughafen sparen, wenn er mich hinbringt.

Im Milchgeschäft des Matas-Einkaufszentrums wechsele ich eine Fünfundzwanzig-Cent-Münze in zwei Zehn- und ein Fünf-Cent-Stück und benutze dann das öffentliche Telefon vor dem Restaurant. Ein paar kurze Gespräche, und mein Flug ist reserviert. Danach gehe ich zwei Türen weiter zu meiner Bank, und die Kassiererin gibt mir – mir, einem drogensüchtig aussehenden Hippiemädchen –, ohne mit der Wimper zu zucken, siebenhundertfünfzig Dollar in Zehnern und Zwanzigern. Mrs. Carver würde sagen, ich soll mich bei den schwarzen Eichhörnchen bedanken. Aber dass alles so glatt geht erscheint mir auch wie ein Zeichen, dass ich das Richtige tue. In weniger als vier Tagen werde ich bei Abel sein. Er wird seine Hand auf meinen Bauch legen.

»Da ist eine kleine Ausgabe von dir drin«, werde ich sagen. Ich bin bereits sicher, dass es ein Junge wird.

# 19

**Heute weiß ich,** dass die meisten Menschen mindestens zwei Jahrzehnte lang sehr viel trinken müssen, ehe sie wirklich Gefahr laufen, sich umzubringen. Natürlich kann man jederzeit sterben, weil man am Steuer seines Wagens einen Blackout hat. Man kann auch am Rand einer Schlucht herumtorkeln, bis man den Abhang hinunterstürzt und sich den Hals bricht.

Abel trank erst seit neun Jahren, als ein Magengeschwür platzte und er innere Blutungen hatte. Er hat versucht, das Trinken aufzugeben. Es war seine Entscheidung – niemand hat ihn dazu gedrängt –, in die Klinik zu gehen, und er blieb dort zwei Monate. Aber kaum hatte er sich selbst entlassen, ging er in ein Spirituosengeschäft, und sechs Monate später erlitt er am Steuer seines Taxis erneut innere Blutungen.

Er wäre in einen Schockzustand gefallen, wenn sein Fahrgast nicht das Steuer übernommen hätte und über mehrere rote Ampeln zum Krankenhaus gerast wäre. Die Richters und ich erfuhren davon erst, als er schon wieder zu Hause war, und auch dann nur, weil der Fahrgast, ein achtzigjähriger ehemaliger Polizeichef, dem *Toronto Star* die Geschichte im Rahmen einer Reportage über die Heldentaten älterer Mitbürger erzählte. Wir hatten angenommen, Abel sei verreist, um einen frankokanadischen Freund aus der Klinik zu besuchen. Ich sage nicht, er hat uns angelogen. Direkte Lügen hat er immer vermieden.

Sogar sich selbst gegenüber. Er kannte seine Symptome und seine Aussichten besser als wir. In der Klinik hat er alle Broschüren gelesen und alle Vorträge besucht, und als er noch Kraft genug hatte, um Taxi zu fahren, verbrachte er jeden Nachmittag ein paar Stunden in der Bibliothek der medizinischen Fakultät der University of Toronto, wo er sich Notizen machte. Er weigerte sich, über diese

Notizen zu sprechen, aber eines Nachmittags sah ich mir einige Seiten davon an (er war im Bad, und ich zog die Blätter unter einem Stapel Noten hervor) und las »lebensbedrohliche Komplikation durch Pfortader-Hypertonie«, »schwarzer Teerstuhl«, »Krampfanfälle«, »schlechte Prognose«. Auf dem zweiten Blatt stand eine Liste: »Bestürzung, Verleugnung, Angst, Zorn, Kummer, Misstrauen, Abneigung, Gleichgültigkeit, Entfremdung«. Als er wieder ins Zimmer kam, hielt ich die Liste hoch und fragte: »Die Bandbreite deiner Gefühle?«

Er überspielte seine Überraschung. »Die Gefühle der anderen. Der Verwandten und Freunde.«

»Der Verwandten und Freunde von *Alkoholikern*.«

Er zog an seinem Ohrläppchen. Und nickte.

»*Meine* Gefühle,« sagte ich, seine Verlegenheit nicht beachtend. Er schaute mich interessiert an. »Ja?«

Ich las die Liste erneut durch. »Die letzten drei nicht.«

Ich legte die Blätter auf das Klavier, und er kam herüber, um sie neu zu sortieren. Mit gesenktem Kopf wirkte er bloß vertieft und ein bisschen penibel, aber als er kurz hochschaute, lag ein lustvoller Ausdruck auf seinem Gesicht, der auf beinahe obszöne Weise intim war. Er blinzelte erschrocken. Hatte er vergessen, dass ich da war?

»Man schränkt seinen Horizont ein«, sagte er, »und all die Kleinigkeiten, die Winzigkeiten, die werden auf einmal...« Er schüttelte den Kopf.

»Wichtig«, beendete ich den Satz.

»Größer«, sagte er. »Sie dehnen sich aus.«

»Das scheint nur so, weil man die großen und wichtigen Dinge nicht mehr beachtet.«

»Das ist der Sinn der Sache. Man muss ganz nah rangehen und sich auf jedes Detail, jede Regung konzentrieren, dann wird einem klar, dass alles miteinander zusammenhängt. Aber ganz ... ganz flüchtig. Ganz flüchtig und ewig. Wie die Obertöne in der Musik, die sind auch immer da, wir können sie bloß nicht hören. Man bringt einen Stapel Papiere in Ordnung, und das Prinzip der Ordnung an sich wird gefestigt. Man rückt ein Bild an der Wand zurecht, und ein Vogelschwarm korrigiert seine Flugbahn.«

Ich sagte hölzern: »Du hast keine Bilder an den Wänden.«

Er lächelte wie ein Mann, der völlig verzückt ist.

»Wenn du mich liebst«, sagte ich, »warum versuchst du dann nicht, *dich selber* in Ordnung zu bringen?«

Und dann weinte ich.

»Oh Gott.« Ich wischte mir die Tränen ab. »Sieh mich bloß an. Vermutlich ist irgendein Ventil aufgegangen, und alles, was sich angestaut hat, fließt jetzt ab.«

»Ein Samenkorn fängt an zu keimen.« Er streckte eine Hand aus und strich mir über den Kopf. »Ein Baby wird geboren.«

Ich zuckte unter seiner Hand zurück. »Warum sagst du das? Warum sagst du so etwas?«

# 20

**Wie geplant** fährt mich mein Vater zum Flughafen. »Aber klar, mache ich doch gern!«, sagte er voller Freude über die Aussicht, dass ich Pierre Trudeau sehen würde. Er fragte, ob noch welche von meinen Klassenkameradinnen zum Flughafen mitgenommen werden wollten, aber ich sagte nein. Ich log ihm direkt ins eifrige, ehrliche Gesicht: »Die meisten haben schon für den Bus bezahlt.«

Jetzt sitze ich neben ihm im Auto und denke daran, wie ich einmal Tante Verna zu jemandem am Telefon sagen hörte, dass der eigentliche Schaden, den Lügner anrichten, darin besteht, dass sie die Menschen veranlassen, den eigenen Instinkten zu misstrauen. Ich denke auch daran, dass Alice schon beim Gedanken an eine Lüge rot wird. Die Nachricht von meiner Schwangerschaft und meinem Entschluss, Abel persönlich damit zu konfrontieren, nahm Alice mit erstaunlicher Gelassenheit auf, so als würde sie im Geiste eine Liste von Wahrscheinlichkeiten abhaken. Erst als ich sagte, ich würde so tun, als führe ich auf einen durch den Erlös vom Schulbasar finanzierten Ausflug nach Ottawa, röteten sich ihre Wangen, obwohl sie von dem impliziten Vorwurf ablenkte, indem sie ausrief: »Schulbasar! Darauf wäre ich nie gekommen!«

»Es ist ja für einen guten Zweck«, erinnerte ich sie … zum ersten Mal mit leisem Zweifel.

So früh am Samstagmorgen herrscht kaum Verkehr. Mein Vater stellt im Radio klassische Musik ein und dirigiert dazu mit der rechten Hand. Ich drücke mich gegen die Tür, außer Reichweite. Ein grauer Morgen. Nebel hängt in den Rinnen und über den tiefliegenden Feldern. Ich halte nach glückbringenden Vögeln Ausschau: gelbe Finken oder Grasmücken. Ich sehe Stare. Ein Schwarm, der die Form eines Daumenabdrucks hat, fliegt diagonal in den Himmel. Bringen Stare Glück? Ich weiß es nicht. Der Anblick der hölzernen Telefonmasten ernüchtert mich. Sie kommen mir vor wie eine Prozession von Kruzifixen, für jedes abgetriebene Baby eines.

Am Flughafen bietet mein Vater an, mir beim Einchecken zu helfen. »Das macht Mr. Kline«, sage ich und meine damit die angebliche Begleitperson. Ich steige schnell aus, ehe mein Vater sagen kann, dass er Mr. Kline gerne kennenlernen würde. Ich trage die weiße Lederjacke von meiner Mutter. Ich habe ihr weißes Overnight Case dabei. Als ich meinem Vater zum Abschied zuwinke und dabei spüre, wie sich mein kurzer Rock hochschiebt, überkommt mich das unangenehme Gefühl, meine Mutter zu *sein*: todschick und im Begriff davonzulaufen. Mein Vater beugt sich herüber, kurbelt das Beifahrerfenster herunter und sagt, ich solle Trudeau von ihm grüßen. Ich täusche ein Lachen vor. »Bis Sonntag«, sage ich, schon wieder eine Lüge. In den letzten paar Stunden hat sich mein Plan dahingehend konkretisiert, dass ich für immer bei den Richters bleiben und wie die Leute in Romanen »nach meinen Sachen schicken« will.

Ich bin noch nie geflogen. Ich bin verblüfft, wie unspektakulär es ist – das weiche Abheben, der kurze Blick, und dann nur noch Wolken. Keine UFOs, keine Engel. Ich schlafe bald ein. Der Platz neben mir ist frei, und als ich aufwache, weil das Frühstück serviert wird, stelle ich fest, dass ich meine neuen, vorne offenen und zu kleinen Pumps (in der richtigen Größe sahen meine Füße wie Kanus aus) abgestreift und die Beine über die Armlehne gelegt habe. Ich setze mich wieder ordentlich hin und ziehe meinen Rock zurecht, während die Stewardess, deren blasiertes Mienenspiel beim Vorführen der Sicherheitsvorkehrungen ich bewundert hatte, über meine Beine greift, den kleinen Tisch in der Rückenlehne des Sitzes öffnet, ihn herunterklappt und mir, immer noch ohne ein Wort, das Frühstückstablett reicht, so als würde sie irgendeinen abstoßenden Gegenstand zurückgeben, den ich verloren habe.

Ich nehme es, obwohl ich keinen Appetit habe. Ich esse sogar den Obstsalat und eine Scheibe Toast, denn meine Angst, mich übergeben zu müssen, ist nicht so groß wie die Angst, die Stewardess zu verärgern, wenn ich nicht wenigstens ein paar Bissen esse. Gestern, als ich aus der Schule kam, habe ich ein halbes Dutzend Schokoladenkekse gegessen und sie eine Minute später ins Küchenwaschbecken erbrochen. Mrs. Carver führte mich zu einem Stuhl und braute mal wieder einen von ihren scheußlichen Magenberuhigungstees. Über die Schulter warf sie mir den bekannten forschenden Blick zu.

»Was ist?«, fragte ich herausfordernd.

Sie wandte sich wieder dem Herd zu.

»Die Grippe ist noch nicht weg«, sagte ich. Ich konnte mir durchaus vorstellen, dass sie durch irgendein Voodoo-Zeichen auf die Wahrheit gekommen war.

Die Stewardess kommt zurück und nimmt mir das Tablett weg, ohne mir Kaffee anzubieten. Um mich zu trösten, denke ich daran, dass ich in ein paar Stunden Abel sehen werde. Aber jetzt, da es fast sicher ist, macht mich diese Aussicht nervös. »Nimmst du die Pille?«, hatte er gefragt. Seit dem Schwangerschaftstest habe ich mir nicht erlaubt, mich daran zu erinnern, wie ernst er dabei klang. Mehr als ernst, angstvoll. »Ich kann nicht schwanger sein«, sagte ich, »das ist unmöglich.« Unvorstellbar meinte ich wohl.

Von den Präriestaaten bis nach Vancouver ist der Himmel bedeckt. Wir landen bei Regen. Weil ich kein Gepäck aufgegeben habe, gehe ich an den Laufbändern vorbei direkt zum Ausgang. Ich sehe ein Telefon, gehe hinüber, fische ein Zehn-Cent-Stück aus meinem Portemonnaie und stecke es in den Schlitz.

Hänge auf.

Besser ich erscheine persönlich. Wie ursprünglich geplant.

Ein Telefonbuch liegt aufgeschlagen auf der Ablage unter dem Apparat. Halb unbewusst blättere ich die K-Seiten durch. Es gibt eine halbe Spalte Kirks, aber keinen mit dem Initial G. Auch nicht H (meine Mutter könnte sich inzwischen Helen nennen). Oder S (vielleicht ist sie unter dem Vornamen meines Vaters eingetragen).

Ich blättere zurück zu den Hs. Haggerty. Hague. Hahn, ihr Mädchenname. Kein H und kein S. Hahn, aber – wer hätte das gedacht – ein G.

Ich schaue auf meine Armbanduhr. Viertel nach neun. Ich stecke die Münze wieder in den Schlitz und wähle die Nummer. Es klingelt einmal, zweimal. Das Blut dröhnt in meinem Kopf.

»Hallo?«, sagt eine Frauenstimme. Sie klingt ungeduldig, als fühle sie sich gestört. »Hallo? Wer ist dort?«

Geräuschlos, als hätte ich am Zweitapparat gelauscht, lege ich den Hörer auf.

Ich gehe in Richtung Taxistand. Auf halbem Weg holt mich der verspätete Schreck ein, und ich bleibe stehen. Ich atme tief ein und gehe weiter. War sie es? Ich weiß nicht, ich *weiß* es nicht! Könnte sein. Die Stimme klang älter, rauer, als ich sie in Erinnerung habe, aber schließlich *ist* sie jetzt auch älter. Aber warum sollte sie in Vancouver wohnen? Und wenn, warum sollte sie ihren richtigen Namen benutzen?

Warum habe ich angerufen? Das ist die eigentliche Frage. Was hatte ich erwartet? Wenn sie Kontakt zu mir wollte, hätte sie sich längst gemeldet. Ich hätte wenigstens etwas sagen sollen. Ich male mir folgendes Gespräch aus:

Ich: »Ist dort Helen Grace Kirk? Ehemals Hahn?«

Sie (nach kurzem Schweigen): »Wer spricht dort?«

Ich: »Deine Tochter Louise. Ich dachte, es würde dich vielleicht interessieren, dass du Großmutter wirst.«

Sie (mit sarkastischem Schnauben): »Na toll.«

Ich: »Wenn es ein Mädchen wird, nenne ich sie Millicent.« (Nach meiner Großmutter, ihrer Mutter und Erzfeindin.) »Aber wenn sie nur ein paar Stunden lebt, mit anderen Worten, wenn sie sich *verpisst*, dann nenne ich sie Helen Grace.«

Gut, dass ich aufgelegt habe.

Ich: »Was sagt die Mutterkuh zur Tochterkuh?«

Sie: »Was?«

Ich: »Jede Kuh kann schwanger werden.«

Sie: »Das ist nicht witzig.«

Während der Fahrt in die Stadt hört der Regen auf. Ein paar Minuten später wird der Nebel dünner, und ich erkenne Berge und Wasser. Ich bin also tatsächlich in Vancouver. Ich habe es geschafft.

Ich frage mich, ob meine Mutter wohl bei ihrer Ankunft an dem Ort, an den sie verschwunden ist, auch dieses dumpfe Staunen gefühlt hat, diese seltsame Enttäuschung.

Ich frage mich, ob sie schwanger war.

Der Gedanke wühlt mich kaum auf. Es ist, als sei ich auf den treffenden Ausdruck für etwas gestoßen, ein seltsames Verhalten oder einen Umstand, dessen ich mir seit Jahren dunkel bewusst war. Meine Mutter schwanger von einem anderen Mann. Vom Schleimer. Das Erstaunliche daran ist, dass niemand es je vermutet hat. Oder vielleicht haben es alle vermutet, nur hat es keiner in meiner Gegenwart ausgesprochen.

Das würde bedeuten, dass ich irgendwo eine Halbschwester oder einen Halbbruder habe. Möglicherweise sogar hier in Vancouver. Wenn es ein Mädchen ist, heißt sie vermutlich Louise, denn wir wissen ja, wie meine Mutter über die Verschwendung eines perfekten Vornamens denkt. »Ich hoffe für sie, dass sie atemberaubend schön ist«, denke ich mit einem Anflug von Groll, der die ganze Fantasievorstellung zum Einsturz bringt. Wenn es wirklich eine zweite Louise (oder einen Louis) gibt, dann geht mich das nichts an. Meine Mutter hat gemacht, was sie wollte. Sie hat sich um ihre eigenen Angelegenheiten gekümmert und sich für die der anderen nicht besonders interessiert, außer wenn sie ihre Ansichten zu bestätigen schienen. Ich kann mich nicht erinnern, dass sie mich je nach meiner Meinung oder meinen Gefühlen gefragt oder mich überhaupt besonders beachtet hätte, außer dass sie über meine Witze lachte und viel Aufhebens um mein Aussehen gemacht hat. »Louise weiß, wie man Waschmaschine bedient«, hatte sie auf den Abschiedszettel geschrieben. Nein, wusste ich nicht.

Wir haben den Highway verlassen und fahren jetzt durch eine Straße mit schäbigen Möbel- und Haushaltswarenläden und einem Chinarestaurant namens O.K. Happy Food. Ein paar Ecken weiter wirkt und klingt alles schon etwas respektabler: Evertons Blumenladen, Cedrics Antiquitäten. Elegant Fashions – der gleiche Name wie der des Ladens, in dem ich arbeite, vielmehr gearbeitet *habe* (ich musste kündigen, um dieses Wochenende frei zu bekommen). Hinter den Läden stehen Holzhäuser auf weitläufigen Grundstücken, viele davon umgeben von dichten, hohen Hecken. Wir biegen in eine der Wohnstraßen ein und halten fast sofort vor einem Bungalow im Ranch-Stil, dessen Vorgarten ein wahrer Blumendschungel ist.

»Sind wir da?«, frage ich mit dem Gefühl, gerade erst aufgewacht zu sein.

»Saint Clarens Street vierundzwanzig«, sagt der Fahrer.

Ich bezahle und steige aus. Warum hält er mich nicht zurück? Warum ruft niemand »Warte!«

Ein deutscher Schäferhund sitzt am Wohnzimmerfenster und schaut hinaus. Das muss Sirius sein, Canes Nachfolger. Er sitzt in der Lücke zwischen den Gardinenbahnen und legt seinen großen, aristokratischen Kopf schief. Oh, und da ist der Kombi! Ich hatte ihn unter dem Garagendach nicht gleich gesehen. Derselbe alte Kombi mit den holzgetäfelten Innenwänden. »Der passt zu dem Haus«, denke ich und bin einen Augenblick lang verwirrt.

Das Geräusch eines herannahenden Autos schreckt mich auf. Ich trete auf den Bürgersteig und schaue auf die Uhr. Zwanzig vor zehn.

Vielleicht schläft Abel noch. In all meinen Plänen (die mir jetzt sträflich behelfsmäßig erscheinen) hatte ich mir nie vorgestellt, dass jemand anders als er die Tür aufmachen könnte. Wenn mich schon der Kombi aus der Fassung bringt, werde ich beim Anblick von Mrs. Richter komplett zusammenbrechen. Sie braucht bloß meinen Namen zu sagen, schon werde ich anfangen zu weinen und alles gestehen. Das darf nicht sein. Ich muss es Abel sagen, bevor es jemand anders erfährt.

Ich schaue mich um. Auf der anderen Straßenseite stehen keine Häuser, denn dort fällt das Land steil ab in eine Schlucht. Zwischen dem Abhang und der Straße liegt eine schmale öffentliche Rasenfläche mit Zedern und Büschen, ein paar Granitblöcken und einem Trinkbrunnen. Ich überquere die Straße und gehe hinter die Zedern. Einige der Granitblöcke sind zu Stühlen angeordnet, jeweils ein hoher hinter einem liegenden. Ich suche mir die zwei mit der besten Sicht aus, stelle meinen Koffer auf den Rasen, ziehe die Lederjacke meiner Mutter aus (ein bisher verbotener Schatz – tailliert und so weich wie rohes Fleisch –, den mein Vater mir ausnahmsweise zu tragen erlaubt hat, »zu diesem besonderen und wichtigen Anlass«), falte sie und lege sie auf den unteren Stein, der vom Regen noch feucht ist. Ich setze mich hin. Jetzt wird mir kühl. Ich öffne den Koffer und hole meine Blue Jeans heraus. Mehr habe ich nicht eingepackt, abgesehen von Unterwäsche zum Wechseln und einem himmelblauen Baby Doll, den ich mir ein paar Minuten vor meiner Kündigung mit meinem Angestelltendiscount bei Elegant Fashions gekauft habe. Ich hätte lieber die Jeans auf den Stein legen sollen. Aber jetzt dürfte die Jacke bereits feucht sein, da kann ich sie auch liegen lassen. Ich lege mir die Jeans um Kopf und Schultern. Wie ich aussehe, spielt keine Rolle, ich bin von der Straße aus nicht zu sehen. Aber ich kann hinüberschauen. Wenn ich ein paar Äste beiseite schiebe, sehe ich den Garten der Richters, die Haustür und die Einfahrt. Ich werde niemanden, der aus dem Haus geht, verpassen. Ich werde einfach warten. Die Sonne scheint, und es wird langsam wärmer. Wenn Abel nicht krank ist, wird er früher oder später herauskommen.

Im Warten bin ich gut.

Und ich habe das hier schon öfter gemacht. Vor siebeneinhalb Jahren habe ich mich Tag für Tag im Gebüsch versteckt und darauf gewartet, dass Mrs. Richter an einem der Fenster vorbeigeht. Und ich habe (die Kirchenepisode) mit einer seltsamen Kopfbedeckung bekleidet auf einer kalten Oberfläche gesessen und mich innerlich darauf vorbereitet, mich auf meine Geliebte zu stürzen. Diese Übereinstimmungen erscheinen mir wunderbar ... und unheilvoll, weil mein Leben sich auf so ausgefallene, riskante Weise wiederholt.

»Er liebt mich zu sehr, er liebt mich zu sehr«, sage ich, um die Angst zu vertreiben. Ich betrachte die Lilien im Vorgarten: weiße, weit offene Blumen mit Blütenblättern, die wie ausgebreitete Glieder wirken. Ich betrachte das Haus und stelle mir einen Fisch vor, wegen der langen, schmalen Form, den Schindeln an den Seiten und einem Badezimmerfenster, dessen halb geöffnete Jalousie an Kiemen erinnert.

Abels Zimmer liegt nach hinten raus, das hat er mir einmal erzählt. Abel schläft. Die ganze Nachbarschaft schläft, wie im Zauberbann gefangen, bis er aufwacht. Sollte man glauben.

Eine Stunde vergeht, ehe der erste Mensch – ein glatzköpfiger Mann mit einer zusammengerollten Zeitung unter dem Arm – vorbeischlendert. Sein silbergrauer Jagdhund läuft schnuppernd in den Park, hält inne, krümmt den Rücken, zittert am ganzen Körper, wirft mir einen traurigen, jämmerlichen Blick zu und entleert dann seinen Darm. Etwa fünfzehn Minuten später saust ein Junge auf einem Rennrad die Straße hinunter, dessen Fahrgeräusche ich, ehe ich ihn sehen konnte, für zirpende Grillen gehalten hatte.

Bei dieser Assoziation muss ich an die fünf nordamerikanischen Grillenarten denken: Hausgrille, Feldgrille und die drei Arten von Baumgrillen, *california tree, snowy tree* und *black-horned tree*. Ich versuche mich daran zu erinnern, zu welcher Insektengattung die Grillen gehören. Vergeblich. Dann versuche ich stattdessen, mich an Witze aus »Tausendundeinmal totgelacht« zu erinnern (»Wie sagt die Kuhmutter zur Kuhtochter?...«) Ich schweife weiter zu Songtexten. »*Baby, Baby where did our love go.*« Nein. »*Be my, be my little Baby.*« Nein, an Babys will ich nicht denken, meins wächst da unten, Knochen formen sich, Fingernägel entstehen, eine fetale Gestalt. Siehst du es? In der Zellwolke da, siehst du den großen Bohnenkopf? Nein, ich sehe eine Bombe. Vielmehr eine Handgranate.

Ich denke an den Vietnamkrieg und frage mich, falls Kanada je beteiligt sein wird, wohin sich Abel wohl vor der Einberufung absetzen würde. Nach Deutschland? Ab und zu verfalle ich für eine ganze Weile dem Zauberbann der Straße. In einer dieser Phasen öffnet sich die Haustür der Richters.

Ich springe auf.

Mr. Richter kommt heraus. Er ist dünner, als ich ihn in Erinnerung habe, aber nicht gebrechlich oder krumm, wie ich befürchtet hatte. Er klimpert mit dem Schlüsselbund in der Hand und geht die Treppe hinunter zum Auto. Ehe er es erreicht, öffnet sich noch einmal die Haustür.

»Karl!«

Mrs. Richter! Mit weißem Haar! Das hat mir Abel gar nicht erzählt. Und sie ist dick; sie ist dick geworden! Sie trägt einen roten Bademantel, sicher nicht denselben wie früher, da würde sie kaum noch hinein passen. Sie ruft etwas auf Deutsch. Mr. Richter hält einen Finger hoch und nickt kurz: Ja, danke schön fürs Erinnern, er wird es nicht vergessen. Er steigt in den Wagen und fährt weg. Sie geht die Verandastufen hinunter. Die Hände in die Hüften gestemmt, betrachtet sie ihren Vorgarten. Sie blinzelt in meine Richtung, und einen Schwindel erregenden Moment lang bin ich überzeugt, dass sie mich gesehen hat. Dann bückt sie sich. Als sie sich wieder aufrichtet, hält sie ein paar Karotten in der Hand. Sie dreht sich um und geht zurück ins Haus.

Ich muss mich schwer zusammenreißen, um nicht hinzulaufen und an die Tür zu pochen. Ich muss mich schwer zusammenreißen.

Der Vormittag vergeht. Halb zwölf. Zwölf. Mr. Richter kommt nicht wieder. Niemand betritt den Park. Ich bin die Zeugin der Straße, und ihre Gefangene. Ich trinke aus dem Brunnen, pinkele ins Gebüsch und steige ab und zu auf meinen Sitzstein, um einen besseren Blick auf die Berge zu haben, die aus ihren Lorbeerkränzen von Wolken in die Höhe ragen. Ansonsten harre ich aus, sitze jetzt auf den Jeans *und* der Jacke und benutze mein Overnight Case als Fußstütze, während ich versuche, das mitgebrachte Buch zu lesen, die Biographie von J. S. Bach. Ich frage mich, ob Abel weiß, dass Bach auch ein Waisenkind war. Das habe ich im Flugzeug erfahren. Hier im Park habe ich ein paar Kapitel überschlagen und lese über Bachs Ehe mit Anna Magdalena. Sie wird in dem Buch als »eine Blume oder ein Stern« beschrieben, »so treu war sie, so unermüdlich, so unbedingt nützlich und tapfer, erfüllt von dem Mut, den nur Frauen haben oder per Naturgesetz haben müssen«.

Gegenüber ist nicht viel passiert, seit Mrs. Richter wieder ins Haus gegangen ist. Am späten Vormittag hat sie die Vorhänge zurückgezogen, dann das Fenster des Zimmers neben der Garage geöffnet. Etwas später zog sie mit Schwung die Wohnzimmergardinen auf, sie stellte sich in die Mitte und warf sie förmlich zur Seite, so als wolle sie gleich ein Lied schmettern.

Sirius hatte zu dem Zeitpunkt schon das Feld geräumt. Ich nehme an, sie haben ihn hinten in den Garten gelassen, der an einen anderen Garten grenzt. Die beiden Grundstücke sind durch einen Maschendrahtzaun getrennt, von dem ich hinter dem Haus der Richters ein Stück sehen kann. Jeder, der zur Hintertür hinausgeht, müsste also ums Haus herum nach vorne kommen. Nehme ich an. Vielleicht sollte ich mich vergewissern und mir bei der Gelegenheit auch etwas zu essen besorgen. Ob ich hinüberrennen, die Sache auskundschaften, ein paar Karotten herausziehen und wieder zurückrennen soll?

Ich klappe das Buch zu und lege es neben mich auf den Stein. Wenn ich erwischt werde … wenn ich erwischt werde, werde ich erwischt. Es ist fast zwei Uhr, und ich bin am Verhungern. Ich habe Jetlag. Ich bin schwanger, verdammt nochmal!

Beim Aufstehen sehe ich auf der anderen Straßenseite einen dünnen Typen den Bürgersteig entlanghasten, ungefähr fünfzig Meter links von mir. Er hält den Kopf unnatürlich schief. Sein Haar, orangefarbene Afrolocken, sieht aus wie ein brennender Busch. Er trägt weite, beige Hosen, nicht ausgestellt, einfach nur zu groß, hoch über der Hüfte mit einem Gürtel zusammengehalten, und ein kurzärmeliges, himmelblaues Hemd mit dunkelblauem Kragen. Obwohl er sehr schnell läuft, schlenkert er nicht mit den Armen.

»Ein Spinner« denke ich. Ich ahne, wo er hin will. Und richtig, da biegt er auch schon in die Einfahrt der Richters ein.

Hinten auf seinem Hemd prangt in großen, dunkelblauen Buchstaben über einer umgekehrten Pyramide aus Kegeln das Wort GARY. Hat Abel je einen Gary erwähnt? Ich bin mir sicher, dass er nie von einem Typen gesprochen hat, der eine imaginäre Zwangsjacke trägt und trotzdem im Bowlingclub ist.

Gary streckt die Hand aus (er kann die Arme also bewegen), um den Türklopfer zu betätigen. Die Tür geht auf.

Und heraus kommt Abel.

Er schließt die Tür und folgt Gary die Verandatreppe hinunter. Mein Herz pocht wild gegen meine Rippen. Nein, es ist nicht mein Herz, sondern das Baby, das hüpft, weil es die Nähe seiner zweiten genetischen Hälfte spürt. Ich trete hinter dem Baum hervor.

Dann wieder zurück.

Ich habe den Mut verloren. Ich hatte vergessen, wie gut er aussieht. Oder ist er noch attraktiver geworden? Sein Haar ist länger. Sein Arme auch, sie wirken ebenfalls länger, und muskulöser. Ich trete wieder auf den Bürgersteig und schaue zu, wie er und Gary um die Ecke verschwinden. Ich jage zum Stein, stopfe Jacke, Jeans und Buch in den Koffer, schnappe ihn und meine Handtasche und renne los. Als ich an der Ecke ankomme, sind die beiden erst einen halben Block vor mir. Sie sind an einem Obstladen stehen geblieben und werden gerade angebrüllt.

Ich verstecke mich hinter einem Telefonmast und streife mir halb die Schuhe von den Füßen, denn ich habe bereits Blasen. Die brüllende Frau trägt ein schwarzes Kopftuch; sie fuchtelt mit den Armen. Gary steht bloß da, die Hände steif an den Seiten, den Kopf noch immer schief gelegt. Auch Abel hat den Kopf schief gelegt, wenn auch weniger drastisch. Das kenne ich gut, dieses langsame Nicken, das volle, ungeteilte Aufmerksamkeit bedeutet. Die Frau hat keine Ahnung, wie leidenschaftlich und mitfühlend ihr zugehört wird. Ich wünschte, ich wäre sie. In dem Moment würde ich mit Freuden mein Drückeberger-Ich in eine tobende ausländische Frau verwandeln, die, bloß *weil* sie fremd und wütend ist, Abels Herz gewonnen hat (daran habe ich keinen Zweifel).

Sie schwenkt die Arme und schlägt sich auf die Brust. Ich kann nicht hören, worüber sie sich beschwert – vermutlich hält sie eine Schmährede auf langhaarige Jungs. Aber dann sagt Abel etwas, und sie stößt ein Lachen aus, nimmt einen Apfel aus einem Korb und drückt ihn ihm in die Hand. Er nimmt ihn, beugt sich zu ihr hinunter, und sie streicht ihm mit beiden Händen das Haar aus dem Gesicht, wie es eine Geliebte tun würde, um ihn auf die Stirn zu küssen. Ich staune, aber nur ganz kurz. Natürlich! Sie liebt ihn! Sie gehört zu seinen tausend besten Freunden. Sie gibt ihm noch einen Apfel. Er reicht ihn Gary, der ihn sich mit steifem Arm schnappt.

Dann gehen sie weiter.

Ich steige wieder in meine sadistischen Schuhe und folge ihnen, husche von Briefkasten zu Zeitungskasten zu Telefonzelle. Als ich an der alten Frau vorbeikomme, funkelt sie mich an. Ich lächle ihr zu. Jeder, der Abel mag, hat bei mir einen Stein im Brett. Ich erwärme mich sogar allmählich für Gary, weil er fast seitwärts geht, um seinen schiefen Kopf auf Abels Gesicht richten zu können, und weil sein gesamter Oberkörper immer wieder in anfallsartigem Nicken zuckt, so als würde er allem, was Abel sagt, heftigst beipflichten.

Ich habe keinen Plan. Wenn sie auf dem Weg zu Gary sind und hineingehen sollten, werde ich wohl irgendwo ein Gebüsch finden, hinter dem ich warten kann. Irgendwie habe ich ein Gefühl, als mache ich mir langsam wieder Mut, indem ich mich erneut mit Abels Aussehen vertraut mache: sein Haar, wie er angezogen ist – Blue Jeans mit Schlag, ein Gürtel aus silbernen Sternen, die wie Sheriffsterne aussehen, ein lila-blaues Batikshirt, unter dem sich seine Schultern so locker bewegen wie die Schultern eines Menschen, der von Liebeskummer oder Reue weit entfernt ist.

Ach Abel!

Hat er aufgehört, mich zu lieben? Wie ist das möglich? Wie kann man jemanden heute lieben und morgen nicht? Ich *kenne* ihn. Indem er mir gestattete, ihn zu lieben, hat er einen Weg zu sich geebnet, und was ich auf diesem Weg aufgelesen habe, gehört mir. Auch wenn er mich nicht liebt – wie kann es sein, dass er die vollkommene Version seiner selbst *in* mir nicht liebt?

Diese Gedanken bringen mich zum Weinen. Ich biete ein echtes Schauspiel, ich bin tollpatschig, haste humpelnd herum und ducke mich dauernd hinter irgendwelche Objekte. Ich winsele den Samstagseinkäufern »Pardon ... tut mir Leid« zu, wenn ich an ihnen vorbeisause und sie mit meinem Koffer stoße, bis wir schließlich durch eine verlassene Gegend voller Autowerkstätten und Secondhandläden laufen. Da hier weniger Leute unterwegs sind, bin ich allerdings auch sichtbarer. Ich wechsele die Straßenseite, gerade noch rechtzeitig. Ein paar Sekunden später wirft Abel einen Blick über seine Schulter, und dann huschen er und Gary mit gesenkten Köpfen in eine Seitengasse, wo Abel etwas aus der Tasche zieht. Eine Zigarette. Nein, einen Joint, das sehe ich an der Art, wie er den Rauch inhaliert. Er reicht ihn Gary. Kaum hat Gary daran gezogen, kriegt er einen Hustenanfall, hüpft im Kreis herum und schlägt sich dabei auf die Schenkel. Abel klopft ihm auf den Rücken. Als der Husten nachlässt, gehen die beiden zurück zur Straße und überqueren sie, allerdings diagonal von mir weg, in Richtung des Gebäudes rechts von mir. Sie gehen hinein.

Es ist ein altes Theater, das zu einer Kneipe oder einem Café umgebaut worden ist. »EAR PIT« sagt der malvenfarbene Neonschriftzug. Die Ziegel sind in verwaschenem Pink gestrichen, die Tür in Rotbraun. Ich vermute, man soll an den Gehörgang denken, an den Weg ins Unbewusste. Dann sehe ich das nicht erleuchtete B. Ach so, es ist das BEAR PIT, wo Abel an dem Samstag war, als er nicht angerufen hat.

An der Vorderseite liegen vier Bogenfenster, die innen mit Topfpflanzen zugestellt sind. Ich drücke mein Gesicht gegen die Scheibe, die am weitesten von der Tür entfernt ist, und spähe durch das Blattwerk. (Mal wieder spähe ich durch Blattwerk.) Ich erkenne einen großen Raum, beleuchtete Säulen, kleine runde Tische, auf jedem Tisch eine Kerze. Eine Menge Hippies scheinen herumzusitzen und aus Pappbechern zu trinken. Mir gegenüber an dem Tisch am Fenster steckt sich gerade ein Mädchen, auf deren Stirn das Wort *Love* steht und die Gänseblümchen im Haar trägt, eine Zigarette zwischen die Lippen und beugt sich vor, um sie an der Kerze anzuzünden. Als sie aufblickt, gehe ich ein Fenster weiter und erkenne hinten an der Rückwand einen Orchestergraben, dem Namen der Kneipe nach vermutlich die Bärengrube. Darin stehen ein Keyboard, zwei Mikrophone und an einen Barhocker gelehnt eine E-Gitarre. Rotes Bodenlicht verleiht dem ganzen eine intime, nach innen gerichtete Stimmung. Eine Gehörgang-Stimmung.

Von diesem Fenster aus kann ich auch Sitznischen entlang der

Wand zu meiner Linken erkennen. Dort ist es heller, denn über jedem der Tische hängt eine erleuchtete, rote Papierlaterne. Ich entdecke Gary, seinen orange gefärbten Afrokopf. Er lässt sich in eine der Nischen gleiten.

Und jetzt sehe ich auch Abel, ein Stück weiter weg. Ein blondes Mädchen in einem langen, roten Cape will ihm seinen Apfel wegnehmen, und er wirft ihn in die Luft, damit sie ihn auffängt. Sie verpasst ihn. Ihr Lachen dringt durch die Fensterscheibe. Eine zierliche Brünette lehnt sich theatralisch an ihn, und obwohl ich an der höflichen Art, wie er sie wieder aufrichtet, sehen kann, dass zwischen ihnen nichts läuft, durchzuckt mich doch die Eifersucht und erinnert mich an meinen Anspruch auf ihn.

Ich beschließe hineinzugehen. »Ich habe nichts zu verlieren«, denke ich. Keine Ahnung, was ich damit meine, denn letztendlich habe ich alles zu verlieren. Ohne mich vom Fenster abzuwenden, lege ich Lippenstift auf. Ein älterer Schwarzer in weißen Hosen, einem weißen Frackhemd und einem weißen Homburg auf dem Kopf schlendert zu Abel hinüber. Mr. Earl, schätze ich, der alte Saxophonist, über den Abel ein paarmal gesprochen hat. Er hält Abel einen Flachmann hin. Abel nimmt ihn, trinkt einen großen Schluck, öffnet dann den Mund und schüttelt sich, als hätte er Benzin getrunken. Mr. Earl nickt wie ein Arzt, der die gewünschte Wirkung einer Arznei eintreten sieht. Weiß er, dass Abel erst siebzehn ist? Seine Hand lässt sich wie ein Rabe auf Abels Schulter nieder, und die beiden gehen zu Garys Nische hinüber. Mr. Earl schiebt sich zuerst hinein, dann setzt Abel sich neben ihn.

Abel sitzt jetzt mit dem Gesicht von der Tür abgewandt, und das beruhigt mich ein bisschen, denn so kann ich den Showdown noch etwas hinauszögern.

Der Eintritt kostet zwei Dollar. Ich zahle und stehle mich hinüber zu dem einzigen freien Tisch in Sichtweite. Er steht hinter einer Säule, die den größten Teil des Orchestergrabens verdeckt, aber wenn ich um sie herumschaue, sehe ich Abel, der, als ich mich hinsetze, gerade einen weiteren Schluck aus dem Flachmann nimmt. Ich blase meine Kerze aus. Kurz darauf kommt eine Kellnerin vorbei. »Ach herrje«, sagt sie und zieht ein Feuerzeug aus der Tasche ihrer Jeans.

»Nicht nötig«, sage ich und halte eine Hand über den Docht.

Zu trinken gibt es entweder Cidre oder Grapefruitsaft, zu essen nur Sandwiches mit Erdnussbutter und Banane. Ich bestelle zwei Sandwiches und ein großes Glas Cidre. Inzwischen stimmt jemand die Gitarre und spricht in eines der Mikrophone, daher rücke ich meinen Stuhl so, dass ich den Orchestergraben sehen kann, ohne voll in Abels Blickfeld zu geraten. Der Gitarrist ist ein feingliedriger Art-Garfunkel-Typ mit krausem, blondem Haar, das im Rampenlicht wie ein rosiger Dunstkreis wirkt. Er fängt mit schlichtem Blues an und steigert sich dann in einen wilderen Jimi-Hendrix-Sound hinein. Es gibt keinen Text, falls man nicht sein unmelodisches Grunzen als solchen bezeichnen will. Bei jedem Übergang zu einem hohen Ton wimmert er, und ich stelle beunruhigt fest, dass sich auf sein Gesicht eine Art spastischer Ausdruck meiner eigenen Furcht zu legen scheint, ohne dass er es bemerkt.

Mitten in einer hochdramatischen Passage voller wiederholter Heultöne kommt meine Bestellung. Ich stürze mich auf die Sandwiches. Es fühlt sich nicht an wie essen, nicht mal wie das Füllen eines leeren Magens, sondern es kommt mir so vor, als würde ich eine Blutung stillen, indem ich eine Mullschicht nach der anderen auflege. Ich starre Abel an, der am Ende des Musikstücks applaudiert, indem er mit einer Hand auf den Tisch schlägt, während die andere damit beschäftigt ist, den Flachmann an seine Lippen zu halten. Wieso trinkt er so viel? Keiner sonst scheint so viel zu trinken, nicht mal Mr. Earl.

»Beim nächsten Stück«, sagt der Gitarrist, »wird mich ein Typ begleiten, der hier im Pit kein Unbekannter mehr ist. Abel Richter, zuletzt zu hören…«

Der Rest geht unter im allgemeinen Pfeifen und Grölen. Ich kann es kaum fassen. Als Kind war Abel vor Lampenfieber wie gelähmt, wenn er vor ein Publikum treten musste. Kein Wunder, dass er sich mit Schnaps Mut antrinkt.

Er steht auf und kommt auf meinen Tisch zu. Ich senke den

Kopf, denn jetzt ist nicht der Augenblick, in dem er mich sehen soll. Als ich wieder hochschaue, steigt er die Treppe zur Bühne hinunter, und ich erkenne an seinem gesenkten Kopf und, nachdem er am Keyboard Platz genommen hat, auch an seinem beflissen gekrümmten Rücken die alte Schüchternheit. Sofort schlägt er ein paar sanfte Akkorde an, so als würde er es sich beim leisesten Zögern anders überlegen.

Es folgt ein weiteres textloses Bluesrock-Stück. Abel bleibt im Hintergrund, liefert ruhige Antworten auf die schrillen Laute der Gitarre. Er fängt jeden Ton, den die Gitarre in den Raum schleudert, auf einem Tonkissen auf, und ich muss daran denken, wie wir damals verwirrte Motten eingefangen und in der Schlucht freigelassen haben; sein Spiel hat eine ähnliche Qualität, auch hier scheint er eine heikle Unternehmung intelligent und liebevoll auszuführen. Ich schaue zu Mr. Earl hinüber. Er nickt im Takt. Ihm gegenüber nickt Gary, allerdings schneller und nicht so offensichtlich im Zusammenhang mit der Musik.

Ich richte meinen Blick wieder auf Abel. Sein Gesicht ist hinter seinem Haar verborgen. In dem roten Unterlicht wirken seine Arme sonnenverbrannt und merkwürdig rund, fast kindlich. Ich scheine mich zu lösen und mit schützend ausgebreiteten Gliedern auf ihn zuzufallen, der ganze Raum scheint sich in seine Richtung zu neigen. Dann ist das Stück zu Ende, und er steht auf. Ich stehe ebenfalls auf. Die Leute rufen »Zugabe!« Der Gitarrist sagt: »Er kommt zum nächsten Set wieder!« Abel verlässt den Orchestergraben, und ich gehe durch raketengleiches Gepfeife und Applaus, so laut wie Kanonendonner, um die Tische herum. Ich komme mir unerhört auffällig vor und wundere mich, dass er mich nicht bemerkt.

Er scheint auf die Toilette zu wollen. Ich folge ihm. Im Flur läuft er jedoch an den Toilettentüren und auch an der Küche vorbei und geht durch eine angelehnte Hintertür nach draußen.

Grelles Licht fällt durch den Spalt. Durch den Verkehrslärm und das Rauschen der Lüftung höre ich ihn reden, glaube ich. Ich versuche, etwas zu verstehen, aber die Stimme verstummt. Auf Zehenspitzen schleiche ich zu der Tür und spähe hinaus.

Er steht etwa drei Meter entfernt auf der anderen Seite einer schmalen Gasse. Er hat mir den Rücken zugekehrt und umarmt ein Mädchen. Das Mädchen lässt die Arme schlenkern. Sie hält einen halb gegessenen Apfel in der Hand. Neben ihrem Kopf (den ich nicht sehen kann, bloß eine Matte aschblonder Haare auf Abels linker Schulter) hängt an irgendetwas, das aus der angrenzenden Wand hervorsteht, ein rotes Cape. In der Nähe heult eine Sirene, und ich denke, sie muss ohnmächtig oder verletzt sein und Abel hält sie fest, bis Hilfe kommt.

Ich wundere mich, wie sie es schafft, den Apfel festzuhalten. Nein, jetzt lässt sie ihn fallen. Lässt beide Hände unter Abels Hemd gleiten. Er beugt den Kopf nach unten. »Er küsst sie«, denke ich, immer noch verständnislos. Er streicht ihr übers Haar, und meine eigene Kopfhaut fängt zu kribbeln an, und wie durch diese Empfindung, wie durch übersinnliche Signale, begreife ich endlich, was ich sehe.

Er *küsst* sie.

Ich trete nach draußen, auf den Absatz vor der Tür. Seine Hand gleitet hinab zu ihrer Taille. Wie kann es sein, dass er nicht spürt, wie nah ich bin? Ich könnte sonstwer sein: ein Axtmörder, ein Himmelsbote. Ich sterbe hinter seinem Rücken, und er hat keine Ahnung.

Dann folgt ein todesähnlicher Moment, ein atmosphärischer Knall, und ich habe das Gefühl, dass er mich, selbst wenn er sich umschaute, nicht sehen würde. Ich gehe wieder hinein, den Flur hinunter, zurück in das Babylon, in den Zigarettenqualm, zu den angestrengt flackernden Kerzen. Ich lege einen Zehndollarschein, mehr als fünfmal so viel, wie ich schuldig bin, auf meinen Tisch. »Gehört der dir?«, fragt ein Mädchen, als ich weggehe. Sie zeigt auf meinen Koffer. Ich nehme ihn und verlasse das Gebäude. Wo soll ich hin? Egal. Nach Hause. Ich laufe los Richtung Osten.

# 21

**Für mich waren sie immer Engel,** weil sie schön, jung und zerbrechlich sind. Ich sage das, obwohl ich sie nie von Angesicht zu Angesicht gesehen habe, sondern nur aus den Augenwinkeln, am Rande meines Gesichtsfelds. Mehr noch, ich sage es, obwohl ich seit Jahren vermute, dass es sich um Auren handelt, die von meiner Migräne erzeugt werden.

Wenn sie kommen – sie schweben herab wie Tücher –, spüre ich eine Reinheit und eine gewisse Gleichgültigkeit, eine seltsame Leere, als wären es Motten, die gar nicht von mir selber, sondern von der Luft um mich herum angezogen werden. Nur der, den ich den Engel der Liebe nenne, scheint sich für meine Angelegenheiten zu interessieren.

Er ist sowohl heller als auch schmächtiger als die anderen. Zum ersten Mal erschien er ungefähr einen Monat, bevor die Richters nach Greenwoods zogen, und damals sah ich schon seit Jahren immer wieder Engel und ging fast davon aus, dass sie ein schwer vorstellbares Phänomen waren, so ähnlich wie Bakterien oder der Ton von Hundepfeifen. Ich hatte das Gefühl, nicht der einzige Mensch zu sein, dem sie sich zeigten, und so sehr ich auch hoffte, Mrs. Richter durch meine negativen Reize – ich war mager, mutterlos, ungekämmt, ohne Freundinnen – zu becircen, war mir doch klar, dass Mitleid mit Verzauberung nicht konkurrieren kann und ich, wenn *sie* den Engel der Liebe auch sehen könnte, von Kopf bis Fuß in einem unwiderstehlichen Glanz erstrahlen würde. Das wäre auch gut für den Engel, denn er brauchte Mrs. Richters Liebe zu mir, um ganz lebendig zu werden. Solange er nur von meiner Liebe zehren konnte, war er unstet und zerbrechlich.

Nicht dass ich je ganz direkt an ihn gedacht hätte. Ich sprach nie von ihm. Er war unsäglich, ein unbestimmbares Thema, der zarte Kern der Liebe. Aber er war *da*, ob nun strahlend, verblasst oder gerade neu aufgefrischt. In dem Moment, als meine Leidenschaft von Mrs. Richter auf Abel übersprang, verschwand er (faltete die Flügel zusammen und löste sich auf), um augenblicklich durch einen anderen ersetzt zu werden, eine neuere Version von größerer Empfindsamkeit, der gegen Hauswände prallte oder auf Luftströmungen segelte, je nachdem, wie Abel und ich uns gegenseitig behandelten.

Dieser prekäre Fetzen Anmut, der zwischen uns hin und her flatterte. Ich möchte mir gern vorstellen, dass er nicht imstande ist, Schmerz zu empfinden, aber es gelingt mir nicht.

## 22

**Ich bin nicht so konfus,** dass ich glaube, ich könnte den ganzen Weg nach Toronto zu Fuß gehen, obgleich dieser drastische Gedanke einen gewissen epischen Reiz besitzt. Ich stelle mir vor, wie ich über die Rocky Mountains stapfe, in Höhlen schlafe und mich dann über die Prärie schleppe, durch mannshohe Weizenfelder. In einem Maisfeld verirre ich mich. Ich komme nieder in einem Schuppen, im Heu, während die Kühe muhen und ihre großen, breiten Köpfe über das Gatter meiner Stallbox hängen lassen.

Um hier in Vancouver den Kurs zu halten, verlasse ich mich auf die Sonne und auf gelegentliche Straßenschilder, in denen *East* vorkommt. Ich habe das Gefühl, mich von Radiofrequenz zu Radiofrequenz zu bewegen, während die Stimmung einer Straße in die der nächsten übergeht und in bestimmten Geschäften und Häusern ein Leben herrscht, das meines hätte sein können. Immer noch meines werden könnte. Ich könnte in dem schindelgedeckten Bungalow wohnen, mich mit den kanariengelben Zierleisten und dem roten Briefkasten abfinden, auf dem in schiefen Buchstaben »THE BINGLES« steht, könnte die Frau des strammen Mr. Bingle mit dem Bürstenschnitt und der Heckenschere da drüben sein. Das Mädchen im Lebensmittelgeschäft, die Kassiererin, die sich verträumt auf ihrem Hocker hin und her dreht, das könnte ich sein.

Schließlich bleibe ich stehen, aber nicht, weil ich müde bin, sondern weil mir schon seit einer Weile auffällt, dass aus meinen offenen Schuhen vorne Blut tropft, und der Gedanke, dass mich das beunruhigen sollte, ist inzwischen aufdringlich geworden.

Ich schaue mich um. Ich befinde mich in einem Block mit vielen Geschäften, die gerade Ladenschluss haben. Hinter mir dreht eine Frau an einer Kurbel, um eine grüne Markise einzuholen. Ein

Mann kommt aus dem Zigarrenladen nebenan, kippt den hölzernen Indianer nach hinten an seine Brust, hebt ihn von seinem Sockel und zieht ihn in den Laden wie eine Geisel. Ich spiele mit dem Gedanken, mich auf das verlassene Podest zu setzen, entdecke dann aber die Bank vor Dory's Gemischtwarenladen auf der anderen Straßenseite und gehe hinüber. Als ich meine Schuhe ausziehe, fließt mehr Blut, als mir gut erscheint. Meine Füße sind völlig zerschunden: an jedem mindestens fünf offene Blasen und tiefe Schnitte an den großen Zehen. Ich tupfe das Blut mit Kleenex ab, und als die Kleenex alle sind, schaue ich mich um, ob Dory's noch geöffnet hat. Das Licht ist aus, aber eine Frau mit Lockenwicklern auf dem Kopf ist hinter der Theke beschäftigt. Ich humple zur Tür und klopfe. Die Frau kneift die Augen zusammen und schaut in meine Richtung.

»Haben Sie Pflaster?«, rufe ich.

»Wir haben geschlossen!«

»Ich brauche bloss ein paar Pflaster, ich blute!«

Sie schiebt energisch die Kasse zu und geht eilig in den hinteren Teil des Ladens.

Ich gehe zurück zu meiner Bank, jetzt von pulsierenden Schmerzen geplagt. Überall ist Blut, eine Schmierspur bis zur Tür und wieder zurück. Was würde Abel davon halten? Das frage ich mich ganz nebenbei, aus einer alten, verzweifelten Gewohnheit heraus. Ich stelle mir vor, wie er in einer Woche hier vorbeikommt, und obwohl die Blutspuren schon dunkel geworden und fast verschwunden sind und jeder andere achtlos weiterläuft, bleibt Abel, weil er eben Abel ist, interessiert stehen. »Menschliches Blut«, sagt er zu der Person, die gerade bei ihm ist, die Blonde vielleicht. Die beiden überlegen, was passiert sein könnte: Jemand wurde erstochen oder angeschossen. Ein Betrunkener ist gefallen und hat sich den Kopf angeschlagen.

Ich fange an zu weinen. Ich weine geräuschlos, obwohl ich mir keine Mühe gebe, still zu sein. Es ist, als wäre ich ausgeweidet worden, der Atem fließt direkt durch mich durch, weil keine inneren Organe ihn behindern. Keine Knochen, nichts.

»Was haben Sie gemacht? Sind Sie in Scherben getreten?«

Ich blicke auf. Es ist die Frau aus dem Laden. Dory. Oder vielleicht ist sie ja *Mrs.* Dory. Eine große Frau mit vorstehendem Busen und kastanienbraunem Haar in einem dunkelblauen Hemdblusenkleid, das vor fünfzehn Jahren modern gewesen wäre. Bezüglich der Lockenwickler habe ich mich geirrt – ihr Haar ist nur so frisiert, in Shirley-Temple-Spirallocken gelegt. Sie sieht wie etwa fünfzig aus, vielleicht älter.

»Sind das Ihre Schuhe?«, fragt sie.

Ich wische mir mit dem Handrücken die Nase. »Sie passen nicht. Sie haben mir die Haut durchgescheuert.«

Sie nimmt ihre Papiertüte in die andere Hand, in der sie schon die Handtasche trägt, und zieht ein Taschentuch aus ihrem Ärmel. »Hier. Putzen Sie sich die Nase.« Der Rand ist aus Spitze. Es sieht eher wie ein Zierdeckchen aus, nicht wie ein Taschentuch. »Nehmen Sie schon«, sagt sie. »Ich habe eine ganze Schublade voll zu Hause.«

Ihre Stimme ist durchdringend, aber nicht laut, die ernste, leicht erschöpft klingende Stimme, die ich mit Bauersfrauen in Verbindung bringe. Sie holt ein paar Sachen aus ihrer Tüte. »Ich habe Pflaster für Sie«, sagt sie. »Und etwas Jod und Watte zum Saubermachen.«

Ich lege alles in meinen Schoß und greife nach meiner Handtasche. »Wie viel schulde ich Ihnen?«

»Oh, schon gut. Sind alles Probepackungen.«

»Vielen Dank.«

»An Ihrer Stelle würde ich die Schuhe gleich in den Müll werfen.«

Ich betrachte meine Schuhe, die klaffenden roten Zehlöcher. Ich fummele am falschen Ende der Pflasterverpackung herum.

»Warten Sie –« Sie stellt mein Overnight Case auf den Bürgersteig und setzt sich. »Ich werde Sie verarzten. Wenn Sie es nicht richtig machen und sich eine Infektion einfangen, können Sie Wundbrand kriegen. Geben Sie den mal her.« Sie zeigt auf den Fuß, der ihr am nächsten ist.

Widerstand ist zwecklos. Ich drehe mich zur Seite und stelle beide Beine auf die Bank. Sie nimmt meine Tasche, reicht sie mir und sagt: »Stellen Sie die davor«, und mir wird klar, dass sie in dieser Position meine Unterhose sehen kann. Ich schiebe mir die Tasche in den Schritt. Sie reißt ein Stück Watte ab und öffnet das Jodfläschchen. Sie hat lange rote Fingernägel, die aussehen, als würden sie beim Bedienen der Kassentasten sehr stören. Kein Ehering. »Achtung«, sagt sie, ehe sie den Wattebausch auf meinen großen Zeh presst. »Wie ist das?«

»Okay.«

»Brennt es nicht?«

»Ein bisschen.«

Nur ein bisschen. Ich bin abgestumpft und demütig geworden, und diese Empfindungen verstärken sich, während ich ihr zusehe. Sie scheint zu wissen, wie man so etwas macht, wie man die Pflasterpackung öffnet, dass man beide Schutzfolien gleichzeitig abziehen muss. Vielleicht war sie früher Krankenschwester, eine von diesen statuenhaften, unerschütterlichen Armeekrankenschwestern. »Rede mit mir, Dory«, bettelten die Soldaten, aber sie ist nicht der gesprächige Typ. Außer der Frage »Wie um Himmels Willen konnten Sie auf diesen Füßen laufen?« – eine Frage, die ich nicht beantworten kann – sagt sie erst wieder etwas, als sie fertig ist: »Ich nehme an, Sie haben kein zweites Paar Schuhe in Ihrem Köfferchen da, oder?«

Ich schüttele den Kopf.

»Dann ziehen Sie besser meine an.«

Ich schaue auf ihre Füße, und erstaunlicherweise trägt sie ein Paar der schwarzen, ledernen Ballerinaschuhe, die gerade in Mode kommen und die ich mir anstelle der Pumps eigentlich kaufen wollte, nur dachte ich, sie wären nicht für draußen geeignet. Ich sage, ich kann ihre Schuhe nicht annehmen, und sie sagt, klar kann ich das, sie hat noch ein zweites Paar von der Sorte zu Hause, und nein – sie sieht, wie ich nach meiner Tasche greife –, sie will kein Geld von mir. Sie fragt, wo ich hin will.

»Zum Flughafen.« Letztendlich will ich das vermutlich.

»Ich nehme Sie mit. Das ist nicht weit von dort, wo ich wohne.« Dann streift sie sich die Schuhe ab und zieht sie mir an, und da meine Füße völlig mit Pflaster umwickelt sind, passen Sie mir fast.

»Die sind hübsch«, sage ich.

»Meine neueste Entdeckung.« Sie bindet die Schnürsenkel zu. »Drücken nicht auf die geplagten Ballen, und meine Knöchel brauchen zum Glück keinen besonderen Halt. Im Gegensatz zu bestimmten anderen Körperteilen.« Sie lacht – ein kurzes Kreischen, das mich zusammenfahren lässt wie ein Pistolenschuss.

Wir gehen in eine Seitenstraße hinter dem Laden. Sie trägt mein Köfferchen und spaziert munter auf ihren Nylonstrümpfen über den Kies. Ich humple mit meinen blutigen Schuhen und meiner Handtasche in Händen hinter ihr her. Als wir bei ihrem Auto sind, sagt sie, ich soll die Schuhe auf den Boden stellen, um mir nicht den Rock schmutzig zu machen. Während der Fahrt sagt sie kaum etwas, was mir nur recht ist. Ich halte mich nur mühsam aufrecht. Aber auch sonst würde ich mich nicht zum Plaudern verpflichtet fühlen. Sie hat etwas Vertrautes an sich: Sie ist eine Mischung aus Tante Verna, Alice und sogar (das Lachen und die Fingernägel) meiner Mutter. Ab und zu kündigt sie an, wie sie als nächstes fahren wird – »Ich glaube, ich nehme den Marine Drive« –, als würde ich mich in der Stadt auskennen, aber sie fragt nicht nach meinem Namen. Auch nicht, wo ich hinfliege, bis wir am Flughafen sind, und auch dann nur, damit sie mich am richtigen Flugsteig absetzen kann.

»Soll ich die Schuhe wirklich behalten?«, sage ich, während ich meine Tür öffne.

»Aber ja, lass gut sein.«

»Also, dann vielen Dank. Sie waren wirklich sehr nett zu mir. Ich weiß nicht, was ich ohne…« Ich schlucke einen Schluchzer hinunter.

Sie tätschelt mir das Bein. »Was auch los ist«, sagt sie, »was immer es ist, es wird wieder besser.«

»Nicht unbedingt«, denke ich, als ich ins Flughafengebäude hinke. »Es gibt keine Garantie.« Es ist, als würde sie eine Nachricht von Abel überbringen, dessen Vertrauen in meine Belastbarkeit wohl alle eventuellen Schuldgefühle, weil er mich nicht angerufen hat, ausradiert haben muss.

Woher kommt ein solches Vertrauen? Wie schaffen es manche Leute, ein Leben lang zu glauben, dass sich alles zum Guten wenden wird? »Die dunkelste Stunde ist immer die vor der Morgendämmerung«, sagen sie gern. Selbst wenn das stimmt, na und? Die Natur ist nicht wie die menschliche Natur. Sie sagen: »Was einen nicht umbringt, macht einen stark.« Wirklich? Sag das mal einem verhungernden Kind.

Oder mach es wenigstens deutlicher, sag: »Was dich nicht umbringt, *könnte* dich stark machen, *wenn* es dich nicht umbringt.«

Und trotzdem.

Und trotzdem, auf der Damentoilette schließe ich mich ein, setze mich aufs Klo und heule, spüle wiederholt, um das Geräusch zu übertönen, und sage mir: »Es wird wieder besser, es wird wieder besser«, und schließlich senkt sich eine dünne Wolke der Zuversicht auf mich nieder. Ich verlasse die Damentoilette und setze mich auf eine Bank, von der aus ich die Menschen mit einer Zärtlichkeit betrachte, die ich noch nie zuvor gespürt habe. »Sie alle waren einmal Babys«, denke ich. Als die Trostlosigkeit wieder zuschlägt (nachdem ich zu vielen verliebten Paaren beim Abschiedskuss zugesehen habe), gehe ich zurück aufs Klo und weine erneut, bis sich die nächste Wolke der Zuversicht senkt, dann setze ich mich wieder auf dieselbe Bank und beobachte erneut liebevoll die Menschen. Irgendwann suche ich das Restaurant und kaufe mir einen überbackenen Käsetoast und eine Limonade. Das scheckige Haar eines älteren Mannes, der ein paar Tische weiter sitzt, erinnert mich an den verrückten Arzt in Buffalo. Ich vergesse immer wieder, dass es ihn gibt und die Möglichkeit einer Abtreibung besteht. Das ist eine Art Rettungsleine, aber eine blutige, so als würden einem jemandes Eingeweide zugeworfen.

Gegen zehn Uhr, nachdem sich der Flughafen fast geleert hat, lege ich mich auf eine Bank und versuche zu schlafen. Es gelingt mir nicht, es mir halbwegs bequem zu machen. Ich gehe nach draußen zum Taxistand und bitte einen Fahrer, mich zu einem Hotel in der Nähe zu bringen. Er fährt mich quer durch die Stadt zu einem mit rosa Stuck verputzten Hotel namens Water's Edge. »In der Nähe ist alles ausgebucht«, sagt er.

Ich frage nicht, woher er das wissen will. Ich sage: »Sind wir hier am Meer?«

Er wedelt mit seiner Zigarette in Richtung Beifahrerfenster. »Das Meer ist da hinten.«

Das Water's Edge ist ebenfalls ausgebucht. »Abgesehen von der lächerlich überteuerten und potthässlichen Hochzeitssuite«, sagt der tuntige Portier. »Ich nehme nicht an, dass Sie die möchten.«

»Zufällig doch«, sage ich.

Er dreht das Gästebuch zu mir um und reicht mir einen Stift. »Sagen Sie nicht, ich hätte Sie nicht gewarnt.«

Ich schreibe den Namen meiner Mutter hin. »Hat es Meerblick?«

»Oh nein, nicht schon wieder!«

Ich sage nichts.

»Oh, Sie können nichts dafür. Der Besitzer ist Schuld. Er heißt Waters, James Waters, und gestört wie er ist, hielt er es für sein gutes Recht, dieser Absteige ihren irreführenden Namen zu geben. Der hat Nerven! Leute von außerhalb flippen manchmal komplett aus. Ich muss es natürlich ausbaden. ›Was soll das heißen, wir sind zehn Kilometer vom Meer entfernt?‹ Ich würde ihm am liebsten eine Kugel in den Kopf jagen. Und dann noch eine.« Er reicht mir den Schlüssel. »Ganz oben. Zimmer Zehnvierzehn. Sie können es nicht verfehlen – die Tür ist mit kleinen roten Herzen übersät. Ich empfehle ihnen *nicht* unseren Frühstücksservice.«

Auf einem riesigen Bett wälze ich mich weinend unter einer klumpigen roten Satindecke hin und her, aber diesmal stellt sich keine Wolke der Zuversicht ein. Stattdessen stellt sich etwas ein, das dem Silberstreif am Horizont ähnelt, ein hartes, metallisches Gefühl. Ich setze mich auf und ziehe die Ballettschuhe aus. An einigen Stellen ist das Blut durch das Pflaster gesickert. »Arschloch«, murmele ich, so als sei Abel auch daran Schuld.

Ich betrachte mich in dem Spiegel über dem Schreibtisch. Ich weiß nicht mal, wer die Person dort ist: die matschigen Augen, der geschwollene Mund.

»Ich würde ihm am liebsten eine Kugel in den Kopf jagen«, sage ich zu ihr. »Und dann noch eine, und noch eine.«

# 23

**Ich bleibe dauernd stehen.** Ein paar hundert Meter weit ist alles in Ordnung, dann mache ich mir plötzlich Sorgen, dass mein Pony zu kurz geschnitten ist oder ich heute Morgen vergessen habe, mir die Zähne zu putzen, und kann nicht weiter gehen.

Abel muss glauben, mir wäre noch schwindlig von dem Landstreicher. Wenn ich stehen bleibe, fragt er nicht warum, sondern nutzt die Gelegenheit, mit seiner Lupe Baumrinde zu untersuchen oder Steine umzudrehen, und obwohl sein taktvolles Verhalten auf das falsche Ereignis zurückzuführen ist, bringt es mich doch wieder in Bewegung. Dies ist es, wovon ich geträumt, worauf ich hingearbeitet habe, die Einladung zu ihm nach Hause, aber jetzt habe ich das Gefühl, von unsichtbaren Kräften angezogen zu werden. Ich schaue mich nach Zeichen um, die Glück oder auch Unglück bringen. Er glaubt, ich schaue mich nach dem Landstreicher um. »Er ist weg«, sagt er. »Inzwischen ist er meilenweit weg.«

Wir verlassen das kühle, olivgrüne Licht der Schlucht und treten hinaus in die blendend weiße Helligkeit der Vorstadt. Die Straßen sind menschenleer. Dennoch ist es riskant für ihn, mit einem Mädchen gesehen zu werden. »Geh schon mal vor«, sage ich. »Wir treffen uns bei dir.«

Er blickt sich um. »Okay.« Er weiß, was ich meine.

Sobald er ungefähr einen halben Block weit weg ist, gehe ich hinterher. Als er unsere Straße erreicht, nimmt er die Abkürzung über den Rasen der Fosters. Ich bleibe auf dem Bürgersteig, ganz so, wie er es vermutlich erwartet. Ich gehe an meinem Haus vorbei. Wie in Trance, in nostalgischem Gedenken an sichere Zeiten, werfe ich einen langen Blick darauf. Inzwischen ist er beim Autoeinstellplatz angekommen und winkt mir zu. Ich soll mich beeilen.

Wir gehen seitlich um sein Haus herum. Jemand – sie? – hämmert einen Militärmarsch auf dem Klavier, als sollten wir damit über das Grundstück geleitet werden. Wir betreten den Garten. Eine Hälfte, die Hälfte, in der wir gerade sind, ist ein Gemüsegarten. Die andere Hälfte ähnelt einer Mondlandschaft, überall getrocknete Erdklumpen und Löcher wegen des Hundes, der bei unserem Anblick in eine Ecke stürmt und ein weiteres Loch zu scharren beginnt. Eine Mauer aus rosa Rosenbüschen trennt die beiden Hälften voneinander. Bei den Kohlköpfen bleibe ich atemlos stehen.

Abel hat die Fliegengittertür aufgemacht. »Du kannst reinkommen«, sagt er.

»Wer spielt da Klavier?«

»Meine Mutter.«

*Mutter*, nicht *Mama*. Dadurch erscheint sie mir unnahbar. Die Musik bricht ab.

»Wenn du willst«, sagt er unsicher. Zu spät. Sie taucht hinter ihm auf wie eine Feuersäule, in einem langen, lodernd orangefarbenen Rock und einer orange-rot gestreiften Bluse. Ihr Haar wird von einem roten Kopftuch bedeckt, das vorne zusammengebunden ist, wie im Putzfrauenstil.

»Besuch!«, ruft sie und macht die Tür weiter auf. »Abel, wie heißt denn deine kleine Freundin?«

»Louise«, murmelt er. Er schiebt sich die Riemen des Rucksacks von den Schultern, und am Rand meiner eigenen Aufregung nehme ich seine wahr. Sie hat ihn verlegen gemacht, als sie »kleine Freundin« sagte, oder vielleicht auch einfach durch ihre schrille Stimme und Kleidung und ihren schweren Akzent, die ihm in meiner Anwesenheit noch viel schriller und auffälliger vorkommen müssen (genau wie mir die Schönheit meiner Mutter immer erst auffiel, wenn jemand anders sie anstarrte).

»Louise und wie weiter?« Sie lächelt, kneift die Augen zusammen und verrät mit keinem Zucken, ob sie mich schon einmal gesehen hat.

»Louise Kirk«, sagt Abel. »Aus unserer Straße. Sie wohnt in dem Haus mit der Blautanne davor.«

»Ach ja! Natürlich! Louise Kirk aus dem Blautannenhaus! Das

ist ja wunderbar! Louise! Komm herein, komm doch herein! Ehe die ganzen Stechmücken reinkommen!«

Ich gehe an den Tomaten und Salatköpfen vorbei. Ich steige die Holzstufen hinauf, immer auf die Stufenmitte tretend, wo die graue Farbe schon abgeschabt ist. Mein Arm berührt ihren Rock.

»Nein!«, schreit sie, und meine Knie werden weich.

Was dann passiert? Ich weiß es nicht genau. Meine Erinnerung an die nächste halbe Stunde erscheint mir unzuverlässig und lückenhaft, von späterem Wissen verfälscht. Ich weiß, dass ich nicht zu ihren Füßen zusammenbreche oder mich anderweitig blamiere. (Selbst während ich auf der Türschwelle ins Schwanken gerate, ist mir klar, dass es der Hund ist, den sie anbrüllt.) Ich sehe mich im Haus, Abel und ich sitzen auf der einen Seite des Küchentisches, sie auf der anderen, und ein kleiner elektrischer Ventilator bewegt die Haarsträhnen, die aus ihrem Kopftuch entwischt sind. Es gibt Milch aus einem Kristallkrug und bestimmt auch etwas Süßes auf einem Porzellanteller: selbst gemachter Kirschstrudel oder ihre Apfeltörtchen; sie hatte nie Angst, dass wir uns den Appetit aufs Abendessen verderben. Ich weiß auch noch, wie ich über den reich verzierten Holztisch und die Stühle staunte, die in jedem anderen Haus im Esszimmer stehen würden, und über den Orientteppich darunter, außer dass ich damals nicht »Orient« gedacht haben dürfte, sondern »altmodisch«. Der Zustand dieser Küche, das ungewaschene Geschirr, das halbfertige Backwerk, die von sandigem Gemüse überquellenden Körbe, die Tapete mit den blauen Glockenblumen, die Stapel von vergilbten Zeitungen, die gerahmten Stickbilder von Bauernhoftieren (Schaf, Kuh, Pferd, Ziege), die in einer krummen Reihe übereinander zwischen Anrichte und Kühlschrank hingen … all das wird mir angenehm aufgefallen sein, denn ich war – und bin es, was Küchen angeht, immer noch – äußerst angetan von Wirrwarr und Durcheinander.

Was die Unterhaltung betrifft, so weiß ich noch, dass sie anfangs ausschließlich zwischen ihr und Abel stattfindet und dass sie ihm die ganze Zeit über den Kopf streicht, ihm mit offensichtlichem Vergnügen, das ich nur zu gut verstehen kann, durchs Haar fährt.

Ihn scheint das nicht zu stören, er scheint es kaum zu bemerken. Er ist sehr interessiert an dem, was sie ihm erzählt, irgendetwas über ein Musikstück, das sie am Morgen im Radio gehört hat. Ich schaue zu, wie sie mit seinem Haar spielt, und schweife mit meinen Gedanken ab. Ich schrecke auf, als sie sich plötzlich aufrecht hinsetzt und erklärt: »Abel ist nämlich ein begabter Pianist, musst du wissen!« Er wird rot. Aber sie schaut jetzt mich an, mit voller Aufmerksamkeit.

Was sagt sie? Aus irgendeinem Grund habe ich es aus meinem Gedächtnis ausradiert. Vermutlich fragt sie, ob ich gern zur Schule gehe, welches mein Lieblingsfach ist (»Lektion« dürfte sie gesagt haben, so wie in späteren Gesprächen, und ich habe wahrscheinlich gestutzt, nicht genau gewusst, was gemeint ist, bis Abel das richtige Wort sagte). Ich weiß auch noch, worüber wir *nicht* sprechen. Wir sprechen nicht über den Mann vor meiner Hütte, wie ich erwartet und gehofft hatte, und wir sprechen nicht über meine Mutter, obwohl Mrs. Richter meine Lage bekannt ist, denn als ich gehe, habe ich einen Korb voll Möhren für meine »Hausdame« im Arm. Jetzt könnte ich endlich eine von meinen Einsames-Waisenkind-Reden von mir geben, aber etwas hält mich zurück, denn mich überkommt ein Gedanke, den ich noch nie hatte, nämlich dass andere Mütter glauben könnten, meine Mutter sei nicht *weggelaufen*, keine Mutter würde so etwas tun, sondern aus dem Haus *getrieben* worden. Von mir!

Ich höre schon Mrs. Dingwall: »Louise hat aber auch *ständig* Trübsal geblasen. Louise war eine große Enttäuschung für Grace.«

Wäre meine Mutter doch von einem räudigen Hund gebissen oder von dem Schleimer ermordet worden. Daran erinnere ich mich noch genau, an diesen sehnsüchtigen Wunsch, meine Mutter möge tot sein, auf Aufsehen erregende Weise gestorben.

Wie gesagt gehe ich mit einem Korb Möhren. Und mit Abels Anweisung, ihn morgen früh um neun im Färberbaumwäldchen zu treffen. Neun Uhr im Färberbaumwäldchen. Jeden Morgen für den Rest des Sommers treffen wir uns um diese Zeit an diesem Ort.

Nichts hält uns davon ab, nicht Unwetter, nicht meine Migräne, nicht die Lebensmitteleinkäufe seiner Mutter, die ich jetzt, wo ich zu ihr nach Hause gehen kann, nicht mehr unbedingt überwachen will. Wir sind Verbündete, Abel und ich, Geheimagenten. Wir achten darauf, nie zusammen gesehen zu werden, wir entwickeln Taktiken, die der Intelligenz und dem Widerstand seiner Feinde weit überlegen sind, aber die List ist uns beiden längst zur Gewohnheit geworden, und außerdem ist die Gefahr, dass er verdroschen wird, durchaus real, wenn auch mehr in meiner Vorstellung als für ihn.

Ich überlasse ihm die Führung. Ich hätte nie gedacht, dass wir Freunde werden könnten, aber da wir es ganz offensichtlich sind, bin ich entschlossen, ihn ganz für mich zu gewinnen. Er soll mich mehr als nur mögen, er soll nach mir schmachten, soll sich wünschen, ich wäre seine Schwester. Seine Mutter behandelt mich schon so, als gehörte ich zur Familie. Wenn wir vor dem Abendessen noch zu ihm gehen, um etwas zu essen, sagt sie: »Louise, setz dich auf deinen Platz.« Ihr gegenüber bin ich immer noch zu schüchtern, um viel zu reden, aber ich finde es toll, auf *meinem* Platz an diesem Tisch zu sitzen, das ist meine Belohnung dafür, dass ich in Abels Gegenwart den ganzen Tag furchtlos und nett bin. Sie stickt an einem Bild von einem Schwein und erzählt uns, womit sie sich beschäftigt hat, seit Abel am Morgen aus dem Haus gegangen ist: Sie hat Mr. Richters Hemden gebügelt, hat die Rosenbüsche zusammengebunden und so weiter. Sie kann lange erzählen, ohne eine Reaktion oder auch nur unsere Aufmerksamkeit zu verlangen, und da ich wegen ihres Akzents einiges von dem, was sie sagt, nicht mitbekomme und Abel sowieso meistens in ein Buch oder einen *National Geographic* vertieft ist, schaue ich mich ungeniert in der Küche um: betrachte die über dem Herd hängenden Töpfe und Pfannen, die Bierkrugsammlung auf dem Regal, und natürlich sie, ihre freundlichen Augen und ihre faszinierende Nase, ihren breiten, natürlich roten Mund und ihre große, flinke Hand, die die Nadel führt.

Ab und zu hält sie inne, blickt hoch, lächelt ein frisches, freudiges Lächeln, und da Abel weiterliest, heftet sie den Blick auf mich und sagt: »Louise!«

»Ja«, sage ich mit klopfendem Herzen.

»Was gab es bei dir zum Mittagessen?« oder »Sind die Rotschulterstärlinge noch im Schilf?«, irgendeine freundliche, leicht zu beantwortende Frage, die sich auf die Ereignisse des Tages beschränkt.

Ich halte meine Antworten kurz, aus echter Schüchternheit, aber auch um schüchtern zu *wirken*. Ich ordne mich Abel unter. Lasse sie sehen, dass ich sie nicht ganz und gar in Beschlag nehmen würde, wenn sie mich adoptiert.

Auch abgesehen von meinen versteckten Motiven, meinen großen Plänen, ist es nur sinnvoll, sich Abel unterzuordnen, besonders in der Schlucht. Er kennt sich dort bestens aus, weiß, wie alles dort funktioniert. Es ist, als sei die Schlucht ein altes Herrenhaus, das ich für leer gehalten und in dem ich mich mit den fehlenden Möbeln und dem nackten Fußboden abgefunden hatte, während er hinter den Holzvertäfelungen Räume entdeckt, die mit Schätzen vollgestopft sind, Dachböden, die von Gespenstern bewohnt werden ... oder von Fledermäusen. Ich muss an die Höhle denken. Dorthin nimmt er mich am ersten Morgen mit. Wir gelangen zur Höhle, indem wir einen mit Brennnesseln bedeckten Abhang hochklettern, in den er sich selber einen schmalen Pfad geschlagen hat. Drinnen hängt ein schwerer, modriger Geruch, nicht unangenehm. Man sieht kaum etwas, aber ich spüre Schwindel erregend hohe Wände.

»Die ist ja riesig«, sage ich.

»Sie ist nicht sehr lang«, sagt er. »Es ist eigentlich keine richtige Höhle. In Südontario gibt es keine echten Höhlen. Aber ich nenne sie Höhle.«

»Ich finde, es ist eine Höhle«, sage ich, um Loyalität zu zeigen.

»Hör mal.«

»Was denn?«

»Fledermäuse.«

Flugs halte ich mir schützend die Hände aufs Haar.

»Eine kleine Kolonie.« Er wendet sich ab. »Ich habe hier eine Taschenlampe.«

»Nein!« Einige von ihnen quieken jetzt. »Schon gut«, flüstere ich. »Ich kann genug sehen.« Was ich meine ist, ich möchte auf keinen Fall, dass sie *mich* sehen.

Er bemerkt, wo meine Hände sind. »Das ist bloß ein Ammenmärchen«, sagt er. »Sie sind ausgezeichnete Flieger. Sie orientieren sich durch Ultraschall-Ortung, das heißt, sie senden Töne aus und lauschen auf das Echo. Das funktioniert besser als Augen. Und sie trinken auch nicht unser Blut, wie alle glauben. Das machen nur Vampirfledermäuse. Die hier sind braune Kleinfledermäuse. Die ernähren sich von Insekten.«

»Stört es sie, dass wir hier sind?«

»Wir machen sie vermutlich ein bisschen nervös.«

»Wir sollten vielleicht lieber gehen.« Ich bewege mich langsam rückwärts, Richtung Ausgang. Unter meinen Füßen knirscht etwas, das sich wie Kornhülsen anfühlt. »Wenn sie nervös sind.«

»Okay. Aber ist es nicht toll hier?«

Ist er verrückt? Dachte er wirklich, ich würde mich hier häuslich einrichten wollen? »Ja«, sage ich, »echt super.«

Er ist kein Verrückter, das weiß ich. Er ist ein Junge. Ein schlauer Junge, schlauer als alle, die ich kenne, meinen Vater, den meine Mutter immer Eierkopf nannte, eingeschlossen, und schlauer als Mrs. Richter, die (wie ich in meinen seltenen nüchternen Momenten zugeben muss) in manchen Dingen etwas begriffsstutzig ist, zum Beispiel, was das Ziel von Abels nächtlichen Ausflügen angeht, oder wenn sie versucht, sich und ihren Einkaufsbuggy durch das Drehkreuz im Supermarkt zu fädeln. Abel hat keine solchen Intelligenzlücken, jedenfalls kann ich keine entdecken, es sei denn, seine Überschätzung *meiner* Intelligenz ist eine Lücke, aber das finde ich nicht, ich glaube, er weiß nur nicht sehr viel über Mädchen.

Er ist sehr höflich zu mir, sehr ernst. Ein paarmal am Tag hält er mir einen Vortrag über etwas, das mir aufgefallen ist, oder, was öfter vorkommt, etwas, das mir *nicht* aufgefallen ist. Das macht mir nichts aus. Erstens redet er sonst so gut wie gar nicht. Zweitens ist das meiste, was er mir erzählt, nützlich und beruhigend, zum Beispiel, dass der Saft eines Goldlackstengels bei Hautausschlägen den

Juckreiz lindert oder dass man aus Zichorienwurzeln eine Kaffee-art machen kann, die seine Mutter lieber mag als normalen Kaffee (natürlich klaue ich daraufhin die Wurzel jeder Zichorienpflanze, auf die wir unterwegs stoßen). Er versichert mir, dass es in unserer Gegend keine Klapperschlangen gibt. Er sagt, falls wir mal keine Lebensmittel mehr haben, weil eine Katastrophe ausgebrochen ist – zum Beispiel der dritte Weltkrieg, in dem er eine viel ernstere Bedrohung zu sehen scheint als in einem Angriff der Schlägergang aus unserer Schule –, dann könnten wir uns von Löwenzahn, Himbeeren, Pilzen, gekochten Rohrkolbenwurzeln, Fiddlehead-Farn und kleinen Waldtieren ernähren.

Dennoch nimmt er die Bedrohung durch die Gang ernst. Allerdings nennt er sie nicht Schläger, er weigert sich, Leute auch nur andeutungsweise zu beleidigen. Er sagt »fünf Jungs bei vier Uhr gesichtet« oder so ähnlich, irgendeine neutrale, militärische Berichterstattung. Für ihn ist der Widersacher nicht die angreifende Person, sondern der Angriff. Wenn ich also meine Begriffe anpasse (einen einsamen Wanderer »Vorhut« nenne statt »Wahnsinniger mit Bart«), dann kann ich ihn dazu bringen, auf meine Fantasie, wir seien auf allen Seiten von feindlichen Mächten umgeben, einzusteigen.

Sogar von den Arbeitern des Klärwerks halten wir uns fern. Weil einige von ihnen ihre Zigaretten zwischen Daumen und Zeigefinger halten und sie alle oft draußen am Picknicktisch sitzen und sich umschauen oder zum Himmel hinauf blicken, habe ich sie zum Spionagering erklärt. Abel hat gewisse Zweifel, spielt aber mit. (Er hat auch Zweifel, dass sein Vater ein Spion ist, obwohl er über die Möglichkeit nachgedacht hat, als ich ihn unumwunden fragte, ob die Gerüchte wahr sind. »Ich glaube nicht«, sagt er nach längerem Überlegen. »Niemand ruft ihn je an, und er muss nie nach dem Abendessen plötzlich noch mal weg.«)

Wir beobachten die Männer durch das große, alte Fernglas, das Abel mit einem Stück Wachstuch umwickelt in einem hohlen Baumstamm am anderen Flussufer, gegenüber dem Klärwerk, aufbewahrt. Er hat ungefähr ein halbes Dutzend solcher Verstecke in der Schlucht, in Baumstämmen oder verwaisten Fuchsbauten. Dort bewahrt er die Sachen auf, die er nicht den ganzen Tag mit sich herumschleppen will: Essen, Wasser, Steine, einen Spatel, Gartenhandschuhe (zum Zurückschneiden von Nesseln) und ein Buch mit dem Titel »Ratgeber für Globetrotter«. Also mache ich es jetzt genauso, ich verstecke meinen Rucksack, meine Thermosflasche und meine Brotdose bis zum Mittagessen am anderen Ende seines Baumstamms. Hinten in der Fledermaushöhle bewahrt er zusammen mit der Taschenlampe eine Sammlung von Ahornruten-Speeren mit perfekt zurechtgeschnitzten Spitzen auf. Bei unserem zweiten Besuch in der Höhle bringt er den längsten nach draußen vor den Eingang, und ich darf ihn in die Hand nehmen.

»Boah«, sage ich. »Damit könntest du jemanden *umbringen*!« Ich mache eine Stechbewegung. »Da, da, da *hast* du's!«

»Sie sind eher zum Jagen«, murmelt er.

»Zum Feinde jagen«, sage ich.

Aber da er der Anführer ist, bleibt unsere Strategie rein defensiv. Wir sind ständig auf Erkundung, durchstreifen zehn Meter voneinander entfernt die Abhänge und verständigen uns dabei durch Pfiffe und Krächzlaute. Um den Fluss zu überqueren, nehmen wir nicht die Fußgängerbrücke, sondern schwingen uns an einer wilden Weinrebe hinüber. Unter der Rebe graben wir im matschigen Sand des Flussufers Fallen, keine sehr tiefen (wir haben ja bloß den Spatel), aber ein Verfolger könnte hineintreten und stolpern und so für ein paar Sekunden aufgehalten werden. Weil es fast jeden Nachmittag regnet, ein kurzer, heftiger Guss, erneuern wir die Fallen jeden Morgen. Wir suchen das Ufer nach Fußspuren ab. Wir suchen überall nach Tierdung oder Exkrementen, wie Abel es nennt – von Menschen, Füchsen, Waschbären, Eichhörnchen, Stinktieren, Kaninchen –, und vergleichen unsere Funde dann mit den Zeichnungen von Scheißhaufen im Globetrotter-Ratgeber. Ich finde diese Zeichnungen schockierend, aber das behalte ich für mich. Ich zeige auch nicht meinen Ekel, wenn er mit einem Stock in Waschbärenscheiße herumstochert, um festzustellen, ob Kotkäfer drin sind. Oft genug ist das der Fall. Ich sage, was er hören will: dass die

Käfer schön sind. Im August, nachdem ich genügend davon betrachten musste und gesehen habe, wie sie manchmal blau, manchmal lila schimmern, kann ich das beinahe ehrlich sagen.

Unsere eigenen Spuren verwischen wir. Wenn wir uns erleichtern wollen (beziehungsweise »müssen«, wie wir es nennen; »ich muss mal«, sagt der eine, und der andere wendet sich ab und entfernt sich taktvoll ein Stück), benutzen wir einen Stock oder einen Stein, um eine Klomulde zu graben, die wir hinterher zudecken. Fußspuren, die wir in weichem Boden hinterlassen, verstecken wir, indem wir unsere Schritte zurückverfolgen oder von Anfang an rückwärts laufen. Wir bewegen uns wie Indianer, er jedenfalls. Mir will es nicht gelingen, geräuschlos über Tannennadeln und Zweige zu gehen.

Er meint, ich soll mir vorstellen, ich hinge an Schnüren: »Wie eine Marionette. Deine Füße berühren kaum den Boden.«

Das klappt nicht.

»Okay«, sagt er daraufhin, »stell dir vor, eine Schicht Antischwerkraft umgibt den gesamten Planeten, und es ist unmöglich für deine Füße, den Boden zu berühren, wenn du nicht spezielle Schwerkraftstiefel trägst.«

Das klappt auch nicht.

Am späten Nachmittag gehen wir zu ihm nach Hause, auf getrennten Wegen. Am Küchentisch essen wir Strudel oder Törtchen und trinken Milch, manchmal auch Eistee. Abel liest. Ich verderbe mir den Appetit aufs Abendessen und höre dem Klang von Mrs. Richters Stimme zu, obwohl ich inzwischen kühn genug bin, ab und zu eine Bemerkung einzuwerfen, so dass man wohl sagen kann, wir führen beinahe ein Gespräch. Ich lobe ihre Backkünste und ihre Stickereien. Eines Tage fasse ich mir ein Herz und sage, ich wünschte, jemand würde mir das Backen beibringen: »Aber nicht Mrs. Carver. Bei der schmeckt der Kuchen pappig. Ihrer dagegen ist immer so schön leicht und locker.«

Sie kapiert nicht. »Wie schmeichelhaft!«, ruft sie. »Es wird mir zu Kopf steigen! Meine Brust wird stolzgeschwollen sein!«

»Geschwellt«, sagt Abel, ohne von seinem Buch aufzublicken.

»Meine Brust wird stolzgeschwellt sein!«, ruft sie.

Ich lächle. Ich lächle ununterbrochen, ein Lächeln, von dem ich hoffe, es wirkt tapfer und süß. Ich sitze krumm, um zerbrechlich und mutterlos zu wirken. Ich habe mir angewöhnt, von meiner Mutter zu sprechen. Es erregt Aufmerksamkeit, habe ich festgestellt. Abel hört auf zu lesen, und Mrs. Richter lässt ihre Handarbeit ruhen. Mir liegt daran zu erklären, *warum* meine Mutter weggegangen ist, um die Verleumdungen zu widerlegen, die Mrs. Dingwall meiner Ansicht nach über mich verbreitet. Allerdings mag ich das Thema nicht anschneiden. Ich brauche eine Einladung, ein Stichwort.

Das kommt eines Nachmittags, als Mrs. Richter sagt, der Vertreter von Fuller-Bürsten sei da gewesen und sie habe zwei Bürsten gekauft, die sie gar nicht brauchte, weil er ein solcher »gerissener Schleimer« war.

»Schleimer«, sage ich und setze mich aufrechter hin. »Mit Schleimern kenne ich mich aus.«

»Tatsächlich?«

»Meine Mutter ist nämlich mit einem abgehauen, deshalb.«

Mrs. Richter blinzelt. »Aha!«

»Er hat sie fortgelockt.«

Mrs. Richter schnalzt mit der Zunge.

»Sie hat eine Abschiedsnachricht hinterlassen, in der sie geschrieben hat, dass sie uns eigentlich nicht verlassen wollte.«

Es gibt keinen Gegenbeweis. Soviel ich weiß, ist ihre Nachricht längst verschwunden, vermutlich hat Tante Verna sie mitgenommen. Wie auch immer, ich kann mir nicht vorstellen, dass mein Vater den Nachbarn den Wortlaut verraten würde.

Ich sage: »Sie hat geschrieben, dass sie mich sehr lieb hatte.«

»Aber natürlich hatte sie dich sehr lieb!«, ruft Mrs. Richter aus. »Welche Mutter hat ihr Kind wohl nicht sehr lieb?«


Es ist ein schwüler, stürmischer August. Schwarze Wolken ziehen fast jeden Tag von Südwesten herauf, ungefähr um die Zeit, wenn wir mit dem Mittagessen fertig sind. Beim ersten Grollen machen wir uns auf zur Höhle, wo einige der Fledermäuse schon hin und her fliegen. Nachdem ich wochenlang nicht von einem einzigen Flügel gestreift worden bin, habe ich keine Angst mehr. Aber sie rauschen zentimeternah an uns vorbei; man spürt einen winzigen Luftzug, als hätte jemand ein Streichholz ausgeblasen. Ihr Quieken durchdringt die Dunkelheit und vermittelt den Eindruck, als würde die ganze Höhle unter der Macht des Donners ächzen und quietschen.

Noch bläst kein Wind. Der kommt erst kurz bevor die ersten Regentropfen auf den Vorsprung fallen. Der Guss, der Sekunden später einsetzt, klingt wie lautes Radiogeknister, und manchmal tut Abel so, als wäre er das auch, er sagt: »Sendeturm ausgefallen« oder »Zentrale versucht immer noch durchzukommen«. Manchmal spritzt ein Regenschwall herein, dann geraten die Fledermäuse, die noch an der Decke hängen, in Aufruhr. Bei besonders lauten Donnerschlägen lassen sich einige fallen und gesellen sich zu den Fliegenden. »Das war knapp!«, sagt Abel, der sich vorstellt, es sei Artilleriefeuer gewesen. »Volltreffer!«, ruft er, wenn Blitz und Donner gleichzeitig kommen. Wir ducken uns.

Er sieht dramatisch aus im Lichtschein der Blitze, die mitten im Flug erstarrten Fledermäuse über seinem Kopf, der nur wenige Zentimeter von meinem entfernt ist. Weil das nur in der Höhle vorkommt, diese Nähe, bin ich mir auch nur hier der Tatsache bewusst, dass er ein Junge ist. Was, wenn er mich küsst? Was, wenn ich ihn küsse? Es erschreckt mich, dass ich mir so etwas von jemandem vorstelle, der praktisch mein Bruder ist. Andererseits erschreckt es mich kein bisschen, wenn ich mir zu Hause, wenn ich allein bin, vorstelle, wie er von einem Auto überfahren oder von einem Einbrecher erschossen wird und Mrs. Richter sich Trost suchend an mich klammert. Ich bin liebeskrank, wenn ich allein bin, voller Sehnsucht. Wenn ich mit ihm zusammen bin, erlebe ich immer wieder erhebende Zustände der Erwartung. Etwas wird geschehen, etwas muss geschehen. Der wiederkehrende Aufruhr der Gewitter ist ein Schrei nach diesem Ereignis. Das da wäre? Ich weiß es nicht, ich weiß nicht, was es sein wird, aber hier, dicht neben ihm in der

Höhle, bin ich dafür bereit. Ich frage mich, ob er auch so empfindet. Ich sehe, was ich nie wieder sehen werde: eine fast abstoßende Zerbrechlichkeit in seinem gekrümmten Rücken, oder vielleicht auch in seinem lockigen Haar oder den vollen Lippen, es gelingt mir nicht, den Eindruck an etwas Bestimmtem festzumachen. Ansonsten ist er in meinen Augen allen anderen Jungs überlegen. Ich denke voller Gleichgültigkeit, dass die meisten Mädchen in der Schule heimlich in ihn verliebt sein müssen.

So sind die Tage. Die Nächte sind warm und windig und schwer vom Zirpen der Grillen. Wenn die Straßenlaternen angehen und die Kinder weniger nachsichtiger Eltern ins Haus gerufen werden, dann retten Abel und ich Motten. Wie die Geister der Fledermäuse flattern die bleichen Motten in einer magischen Zone herum, wo ein Zusammenstoß zwischen ihnen und uns unvermeidlich scheint, wir aber dennoch keine einzige berühren könnten, selbst wenn wir es versuchten. Daher das Netz, das eine gewisse Geschicklichkeit verlangt, um Verletzungen zu vermeiden.

Den Teil überlasse ich Abel, ebenso wie den Transfer einer Motte aus dem Netz in eines der Gläser. Ich stehe nur da, schaue nach oben und bete: »Tu's nicht! Nein!« Nichts ist so frustrierend, wie einer Motte zuzusehen, die sich erschöpft immer wieder ruckartig zum Licht aufschwingt.

»Wir wollen dir doch nur helfen«, sage ich. »Wir wollen dir das Leben retten.«

# 24

**Aus Abels Essay »Vergessen«, Seite 10:** »Woher wollen wir wissen, dass nicht jedes lebende Wesen ein Bewusstsein hat? Vielleicht ist die Ordnung und Symmetrie, die wir in der Natur wahrnehmen, weniger auf einen genetischen Determinismus zurückzuführen als auf das Bewusstsein gleichartiger Wesen dafür, dass und in welchem Ausmaß sie sich tatsächlich ähnlich sind. Die Äste eines Baumes werden so lang, dass das Blattwerk insgesamt schließlich die Form einer Blüte erhält, aus der kein einzelner Zweig auffallend heraussticht, weil jeder Ast sich seines Nachbarn bewusst genug ist, um sich ihm anzupassen. Haare, Fell, Gras, Blütenblätter, alles wächst nur bis zu einer ganz bestimmten Länge. Ebenso bleiben Intelligenz und Strebsamkeit bei allen Wesen innerhalb von gemeinsam festgelegten Grenzen. Wenn es einem Haar, einem Ast oder irgendeinem Wesen möglich wäre, sein gesamtes Dasein von der Empfängnis an in völliger und unbewusster Isolation zu verbringen, wer weiß, wie weit es dann gehen könnte?«

Dieser Absatz setzt mich matt. Einerseits scheint er Achtsamkeit und Konformität zu preisen. Je mehr Aufmerksamkeit man allem und jedem um sich herum widmet, desto kleiner ist das Risiko, »auffallend herauszustechen« und das natürliche Gleichgewicht zu stören.

Andererseits nennt er diese Art von allgemeiner Wertschätzung eine Einschränkung. Allerdings keine Einschränkung tieferer Wertschätzung, keine Einschränkung der Möglichkeit – zum Beispiel –, einen einzelnen Menschen so bemerkenswert zu finden, dass man die Augen kaum von ihm lassen kann. Es ist die Beschneidung individueller Möglichkeiten, die er bedauert. »Völlige Isolation« – diese Worte kann ich nicht lesen, ohne zu seufzen. Was will er damit sagen, wenn nicht, dass Bindung der Erfüllung im Wege steht?

Ich denke an die Leere des Alls, und an die Männer, die in ihren kleinen Kapseln alleine nach dort oben fliegen, Frauen und Freundinnen zurücklassen. Ich denke an Abel und mich, wie wir im Gras liegen und zum Himmel hinaufschauen, und wie wunderbar das war. Aber dennoch habe ich die ganze Zeit gehofft, er würde seinen Kopf zur Seite drehen. Um *mich* anzusehen.

# 25

**Das harte, metallische Gefühl bleibt.** Ich lege mich auf das schiffsförmige Bett, Gesicht zur Decke, Arme seitlich am Körper. Meine Lider sind so schwer wie Münzen, und ich schlafe sofort ein. In meinen Träumen kommen gläserne Hochhäuser vor und heimtückisch saubere Badezimmer. Neun Stunden später habe ich mich noch immer nicht gerührt, nur die geballten Fäuste entspannt. Jetzt sehe ich, dass die Decke mit angeklebten goldenen Sternen übersät ist, einige hängen nur noch an einem einzigen Punkt, andere sind schon heruntergefallen, ihr Andenken wird aber durch den Klebstoffabdruck bewahrt. Der Anblick verwirrt mich nicht. Ich weiß beim Wachwerden ganz genau, wo ich bin (im Water's Edge Hotel, Zimmer 1014, Hochzeitssuite) und warum (Abel, der Mistkerl).

Ich dusche. Während ich mein Haar mit Shampoo einschäume, spüre ich einen schwachen Lichtschimmer hinter meiner linken Schulter. »Der Engel der Liebe«, denke ich matt und gestatte mir, bei der Vorstellung zu verweilen, ich hätte eine Augenkrankheit, bei der man am Rand des Gesichtsfelds nicht existierendes Licht sieht. Entweder das, oder ich leide an Wahnvorstellungen. Schließlich habe ich geglaubt, dass Abel mich liebt, oder? Ich betrachte meinen Bauch und denke daran, wie ich sagen wollte: »Da drin ist ein kleiner Abel.« Tja, der verrückte Abtreibungsdoktor in Buffalo kann ihn haben, den kleinen Abel. Soll er ihm doch das kleine schwarze Herz herausreißen.

Ich schlüpfe in Jeans und T-Shirt, ziehe die Ballettschuhe über die blutigen Pflaster, die trotz der Dusche noch fest sitzen, und humpele hinunter in den Frühstücksraum, wo ich ein verblüffend schlechtes Frühstück aus ranzigem Orangensaft, halbrohem Speck, zähem Rührei und pampigem Toastbrot zu mir nehme. Alle anderen Gäste beschweren sich und spucken einzelne Happen wieder aus. Als sich eine Frau vom Nebentisch zu mir umdreht und sagt: »Sie müssen einen eisernen Magen haben«, antworte ich: »Ich schmecke kaum etwas«, obwohl das nicht stimmt. Es ist nur so, dass mir zum ersten Mal seit Tagen überhaupt nicht schlecht ist, deshalb ist der Geschmack zweitrangig gegenüber der Erleichterung, ohne Anstrengung schlucken zu können. »Außerdem«, sage ich und lege eine Hand auf meinen Bauch, »*muss* ich essen. Ich esse jetzt für zwei.«

Warum erzähle ich ihr das? Vermutlich, um sie zu schockieren (und da ist auch schon die erwartete Reaktion – die ausdruckslose Miene, die Augen, die mich von oben bis unten mustern und dann an meinem nackten Ringfinger hängen bleiben, ehe sie sagt: »Oh, herzlichen Glückwunsch«). Aber ich sage es auch, weil ich tatsächlich für zwei esse, sei es auch widerstrebend und nur für kurze Zeit, und ich bin in der Stimmung, den Dingen ins Auge zu sehen. Eine Stunde später, im Taxi auf dem Weg zum Flughafen, bewundere ich die Landschaft, aber ich betrachte die Berge nicht mehr als Metaphern für edle Gefühle und fürchte auch nicht mehr, ich könnte vergessen, aus welcher geologischen Epoche sie stammen. Ich denke: »So fühlt es sich an, wenn Abel nicht mehr zu meinem Leben gehört.« Alles ist wahrer, indem es mehr meiner eigenen Erfahrung entspricht. In seinen Briefen sprach er immer von Wahrheit – »Die Wahrheit wird dich befreien«, »Schönheit ist Wahrheit, Wahrheit Schönheit« –, als wären Betrug und Pfützen von Erbrochenem Fälschungen. Oder, was noch lächerlicher ist, als müssten diese Dinge, gerade weil sie keine Fälschungen sind, zum Schönen gezählt werden.

Ich lese die J. S. Bach-Biografie. Auf dem Herflug wollte ich mir interessante Details herauspicken, um schlaue Gesprächsbeiträge liefern zu können. Jetzt, auf dem Rückweg, bin ich gefesselt von einer Geschichte, die davor zu warnen scheint, sich mit genialen Künstlern einzulassen. Bei Sätzen wie »nie benutzte er Worte, um irgendetwas, das er auf der persönlichen Ebene getan hatte, zu erklären oder zu rechtfertigen«, nicke ich schnaubend, obwohl meine Verachtung genauso der frommen, dümmlichen Anna Magdalena und ihren serienmäßigen Geburten (dreizehn Kinder!) galt, die *nach* Bachs Tod schluchzend und staunend feststellte, dass er kein Testament gemacht hatte. Bach hatte sich anscheinend »keine Gedanken über die finanzielle Situation seiner Frau« gemacht. Hätte er das getan, dann wäre ihr »vermutlich das Leben im Armenhaus und ein Armenbegräbnis erspart geblieben«.

So aber kriegte sie, wenn ihr mich fragt, was sie verdiente.

Wir landen bei Sonnenuntergang. Da meine Brieftasche noch prall gefüllt ist und meine Füße sich wie verbrannte Stumpen anfühlen, gönne ich mir ein Taxi. Mein Vater glaubt, dass ein gecharterter Bus uns alle am Greenwood Shopping Center absetzt, aber selbst wenn er zufällig aus dem Fenster schaut, wenn das Taxi vorfährt, wird er annehmen, der Bus hätte eine Panne gehabt. Dass ich ihn angelogen haben könnte, käme ihm nie in den Sinn.

Er ist in der Küche. Kaum habe ich die Haustür aufgemacht, kommt er mit strahlender Miene herbei. »Wie war's?«, fragt er. »Wie geht es unserer Hauptstadt?«

»Sie steht noch.« Ich streife die Ballettschuhe ab. »Was ich von mir nicht behaupten kann.«

»Großer Gott, was ist passiert?«

»Meine neuen Schuhe haben die Haut bis zum Knochen durchgescheuert.«

»Komm, wir gehen in die Küche.« Er nimmt meinen Arm. »Ich schaue mir das mal an.«

Wir setzen uns an den Tisch, und ich lege meine Füße in seinen Schoß. »Hast *du* die angelegt?«, fragt er und zeigt auf die Verbände.

»Eine Frau, die sehr nett war. Sie hat mir auch die Ballettschuhe geschenkt.«

Er pult vorsichtig ein Pflaster von meinem linken großen Zeh ab. »Ganz schön geschwollen«, sagte er. »Aber es heilt schon. Sie hat Jod drauf getan, wie ich sehe.«

»Ja.«

»Wer war sie denn? Eine Krankenschwester?«

»Nein, sie kam zufällig vorbei, als ich sah, dass es blutete. Sie hat mich zu einer Erste-Hilfe-Station gebracht, aber die Schwester ist samstags nicht da, deshalb hat sie es selber gemacht. Wir haben ihren Namen gar nicht erfahren, aber mein Lehrer meinte, sie könnte Judy LaMarsh gewesen sein.«

Judy LaMarsh ist die einzige Politikerin, die mir einfällt, wahrscheinlich weil ich mal eine Lehrerin hatte, die Miss LaMarsh hieß. Mein Vater blickt auf. »Du machst Witze.«

»Sie kommandierte alle herum, sie muss ein hohes Tier gewesen sein.«

»Dunkle Haare? Mit Brille?«

»Genau.«

»Na, was sagt man dazu.« Er lächelt. »Ich dachte, sie hätte Parliament Hill verlassen, aber vielleicht ist sie aus irgendeinem Grund zurückgekommen, um jemanden zu besuchen oder so etwas.«

Eigentlich hatte ich nicht vorgehabt, weiter zu lügen. Im Flugzeug, und auch noch, als ich die Einfahrt hochging, war ich fest entschlossen gewesen, ihm die Wahrheit zu sagen und auch klarzustellen, dass ich eine Abtreibung wollte. Aber dann habe ich meine Füße in seinen Schoß gelegt.

Nein, ich bin schon vorher eingeknickt: als ich in die Küche kam und sein Sonntagsessen sah, den aufgewärmten Hackbraten, und nichts weiter auf dem Tisch außer dem Kreuzworträtsel aus dem *Globe and Mail*, einem abgekauten Bleistift und seiner Lesebrille, deren fehlende Bügel er durch aufgebogene Büroklammern ersetzt hat. Dieses erbärmliche Bild. Noch dazu trägt er den hässlichen Pullunder mit dem lila-grünen Rautenmuster, von dem er glaubt, er würde meiner Mutter gefallen, weil er ihn aus dem Eaton's Katalog bestellt hat.

Wie könnte ich einen Ziegelstein auf dieses Kartenhaus werfen? Oh, er würde sich schier umbringen vor Fürsorglichkeit, würde sich die größte Mühe geben, verständnisvoll und hilfreich zu sein; es würde keine Standpauken oder Forderungen geben. Wahrscheinlich würde er mich sogar persönlich nach Buffalo fahren, wenn ich ihm erklären würde, ich sei fest dazu entschlossen. Hinterher würde er eine Weile grübeln, aber nicht lange. Trotz allem würde er sich noch glücklich schätzen.

Er geht ins Bad und kommt mit dem Erste-Hilfe-Set zurück. Während ich zusehe, wie er meine Blasen mit einem in Jod getauchten Wattebausch betupft, ergreift mich eine fast schmerzhafte Welle der Liebe. Er redet von Ottawa, einer Stadt, in der ich nie gewesen bin und die ich mir kaum vorstellen kann. Er macht es mir jedoch leicht, indem er seine Sätze so formuliert, dass ich bloß zuzustimmen brauche: »Manche Leute finden die Stadt zu gesetzt, selbst für eine Hauptstadt, zu amtsmässig und grau.«

»Da ist was dran.«

»Schade, dass ihr keine Parlamentssitzung erleben konntet. Ich nehme an, sie haben euch wenigstens in den Saal gelassen.«

»Ja, wir sind reingekommen.«

Nachdem er mich verarztet und mit frischen Pflastern versehen hat und meine Füße wieder auf dem Boden stehen, betrachtet er mich so prüfend, dass ich mich frage, ob er nicht doch einen Verdacht hat. Aber er hat mich auch früher schon so angesehen, und ich hatte nie das Gefühl, ich selber stünde im Zentrum seines Blicks. Die anderen Male dachte ich, entweder sucht er in mir meine Mutter (eine Ähnlichkeit, einen Hinweis auf die Gründe für ihr Verhalten) oder meine Augen hätten ihn, weil sie den seinen so ähnlich sind, auf sich und seine Gedanken zurückgeworfen. Aber jetzt, da ich schwanger bin, strahle ich vielleicht etwas aus, das ihm bekannt vorkommt, das er aber nicht genau benennen kann. »Was ist denn?«, frage ich schließlich.

»Ach…«, er schüttelt den Kopf. »Nichts, gar nichts. Hast du Hunger?«

Ich sage, ich hätte im Flugzeug gegessen und wolle am liebsten gleich ins Bett. »Ich glaube, die Grippe macht mir immer noch zu schaffen«, sage ich. »Nein –«, ich weiche aus, als er die Hand nach meiner Stirn ausstreckt, »ich glaube nicht, dass ich Fieber habe. Ich fühle mich bloß ein bisschen schwach. Aber es ist wohl besser, sicherheitshalber morgen nicht zur Schule zu gehen.«

Im Morgengrauen schleiche ich mich in die Küche hinunter, weil er es da nicht so leicht hören kann, und übergebe mich in die Spüle. Dann schlafe ich wieder ein, bis Mrs. Carver plötzlich auf meiner Bettkante sitzt, so gegen zehn Uhr. Auch sie betrachtet mich prüfend, zum dritten Mal in knapp einer Woche. Aber während mein Vater versuchte, etwas zu verorten, spüre ich, dass Mrs. Carver mich drängt, etwas zu gestehen, was sie bereits erraten hat. Also sage ich: »Der Vater ist nicht Tim Todd. Es ist Abel.«

Sie blinzelt.

»Sie dachten, es wäre Tim.«

»Was …?« Sie fasst an den Rand ihrer Brille. »Was willst du …?«

»Sie wissen, dass ich schwanger bin.«

Ihr Mund geht auf und zu, auf und zu.

»Ich bin schwanger«, sage ich. »Ich dachte, Sie wüssten Bescheid.«

Sie schüttelt den Kopf.

Ich setze mich auf. »Warum gucken Sie mich dann dauernd so an?«

Sie steht auf.

»Wie jetzt eben. Ich wache auf, und Sie sitzen da und gucken mich an.«

Sie rollt die Augen. Fasst sich an die Brust. »Ich dachte …« Sie schnappt nach Luft.

»Alles in Ordnung?«

»Ich dachte … du … du wärst … auf …«

»Auf was?«

»Drogen.«

»Drogen? Was denn für Drogen?«

»Mrs. Sawchuk hat dich gesehen.«

»*Mrs. Sawchuk*?« – Ihre Freundin, eine Rechtsanwaltsgehilfin mittleren Alters, die behauptet, sie sei mit Warzen übersät gewesen, bis sie sich mit einer von Mrs. Carvers Tinkturen eingerieben hat.

»Bei dir war ein …« Sie fährt mit flatternden Fingern an beiden Seiten ihres Gesichts hinab, um lange, lockige Haare zu beschreiben.

»Das muss Abel gewesen sein. Wo denn? Wo hat sie uns gesehen?« Aber es kommt nur ein Ort in Frage, und ich beantworte die Frage selbst. »Am U-Bahnhof Bloor-Yonge.«

»In einem Park. Ihr habt geraucht.«

»Na und?«

»Eine Pfeife.«

Ich finde diese Entwicklung der Dinge unglaublich. »Was weiß denn Mrs. Sawchuk davon?«

»Es war im letzten Juni.«

»Und sie hat es Ihnen erst jetzt *erzählt*?«

»Als ich ihr von dem … dem Erbrechen erzählt habe.«

»Nun, nur damit Mrs. Sawchuk Bescheid weiß, vom Marihuana-Rauchen muss man nicht kotzen. Sie können ihr sagen, dass alles in bester Ordnung ist. Ich bin nicht drogensüchtig. Ich bin schwanger, das ist alles. Und ich werde abtreiben.«

Ich fange an zu weinen.

Mrs. Carver setzt sich wieder auf die Bettkante und legt die Arme um mich. »Schschschscht«, flüstert sie. Sie zieht ein Papiertaschentuch aus ihrem Ärmel, und ich putze mir die Nase.

»Ich habe keine Ahnung von Babys«, sage ich. »Ich war nie Babysitter. Ich habe noch nie ein Baby auf dem Arm gehabt.«

Sie reibt meine Hand. »Bist du sicher?«

»Ich habe einen Test gemacht. Im Drugstore.«

»Seit wann?«

»Zwei Monate.«

»Weiß Abel…?«

»Nein. Und ich werde es ihm auch nicht sagen.«

Sie deutet auf die Wand zum Arbeitszimmer meines Vaters.

»Nein, nein, er hat keine Ahnung.« Ich lehne mich zurück, an das Kopfbrett des Bettes. »Es gibt einen Arzt in Buffalo. Er ist nicht sehr teuer.«

Sie fuchtelt mit den Armen. Sie will nichts davon hören.

»Ich will es loswerden«, sage ich warnend.

»*Ich* mache es!«

»Sie machen es weg?«

Sie nickt. Sie wirkt erschreckend eifrig.

»Sie wollen mich *operieren*?«

»Nein! Nein!« Wieder fuchtelt sie mit den Armen.

»Wie denn dann?«

»Es gibt einen Tee.«

Einen Tee, den sie, wie sich herausstellt, vor elf Jahren auch ihrer Tochter Stella gegeben hat, als die unverheiratet schwanger wurde. Das sind verblüffende Neuigkeiten. Der glücklich verheirateten Stella, bei deren kindlicher Stimme, die durch das Knistern der Fernleitung fragt: »Kann ich bitte Mrs. Carver sprechen?«, ich mir immer eine noch zierlichere, nervösere Ausgabe ihrer Mutter vorgestellt habe. »Tut es weh?«, frage ich und denke, dass Stellas Nervosität vielleicht erst *nach* dem Verabreichen dieses Tees eingesetzt hat.

Mrs. Carver zuckt die Achseln. Du kriegst Krämpfe (sie presst sich die Fäuste in den Bauch), aber die kannst du erträglich halten, indem du jeden Morgen einen Löffel Lebertran schluckst und heiß badest.

»Wie oft muss ich ihn trinken?«

Sie hält vier Finger hoch.

»Alle vier Tage? Alle vier Stunden. Auch nachts? Wie lange dauert es, bis er wirkt?«

»Bis du blutest.«

Ich seufze. »Okay. Und wie schmeckt er?«

»Bitter. Schlecht.«

»Was ist drin?«

Ein tadelnder Blick. Sie verrät nie ihre Rezepte.

Also kann ich entweder nach Buffalo fahren, damit ein professioneller Spinner das Baby mit einer Zange herausreißt (oder was immer er macht), es aber wenigstens schnell vorbei ist, oder hier bleiben und das Baby langsam töten, mit einem Geheimtrank, bei dem ich mir vorstellen kann, ich hätte eine Fehlgeburt, und der mir durch die Krämpfe und den bitteren, schlechten Geschmack eine Art Sühne bietet.

Genau gesagt, schmeckt er nach Meerrettich und faulen Eiern. Und die Krämpfe kommen ständig, und sie hätte mir von den Schwindelanfällen und den plötzlichen, stechenden Kopfschmerzen erzählen sollen. Beim Laufen fixiere ich einen mittelweit entfernten Punkt, um nicht ins Stolpern zu kommen. Alice will sich bei mir unterhaken, aber ich schüttele sie ab, denn sie zieht dadurch nur noch mehr Aufmerksamkeit auf mich, und ich habe sowieso schon das Gefühl, dass die halbe Schule denkt, ich sei stoned. Alice denkt, ich hätte auf dem Flug nach Vancouver eine Fehlgeburt gehabt und leide jetzt unter den Nachwirkungen. (Letztendlich konnte ich mich doch nicht überwinden, ihr die Wahrheit zu sagen.) »Ich habe mindestens eine Stunde lang die Toilette blockiert«, sage ich. »Die Stewardess hat mehrmals an die Tür geklopft und sich erkundigt, ob alles in Ordnung ist.«

»Du Ärmste«, sagt Alice, »dass du das ganz allein durchstehen musstest.«

»Gott war bei mir.«

»Ich weiß, du bist sarkastisch. Aber das war er wirklich. Das *ist* er.«

Abends braut Mrs. Carver bei sich zu Hause genug Tee für den nächsten Tag. Wir arbeiten mit der Doppel-Thermos-Methode. Wenn ich aus der Schule komme, gebe ich ihr meine leere Thermosflasche, und sie gibt mir dafür eine volle. Dann lege ich mich in ein brühend heißes Bad, das nicht nur die Krämpfe lindert, sondern angeblich auch das Baby stört oder vielmehr »es«, wie wir es auf Mrs. Carvers Rat hin nennen, damit ich gar nicht erst eine Beziehung aufbaue. In der Zwischenzeit bereitet sie eine Spülung vor, die »es« noch mehr stören soll. Wenn ich mit dem Baden fertig bin, liegt die Spülung in der Mini-Ausgabe einer Tortenspritze auf meinem Nachttisch, und ich lege mich hin, spritze die warme, kaffeebraune, nach Teer riechende Flüssigkeit in mich hinein und bleibe anschließend noch ein bisschen mit erhobenen Beinen liegen. Danach gehe ich, sofern ich genug Energie aufbringen kann, in den Keller und springe Seil. Das Ganze dient dazu, dass »es« sich unwillkommen fühlt. Man kann »es« auf diese Weise nicht umbringen, aber man kann »es« in den Selbstmord treiben.

Mein Vater glaubt, ich leide unter Menstruationsbeschwerden und Liebeskummer. Mrs. Carver, die es nicht gern sieht, wenn ich offen lüge, meint, ich solle ihm einfach aus dem Weg gehen, aber mir war klar, er würde sich nicht abwimmeln lassen. Er hat ständig Angst vor einem Blinddarmdurchbruch, und jetzt schleppe ich mich von einem Zimmer ins andere und knete zwanghaft mit beiden Fäusten meinen Bauch (wieso sollte ich es nicht hinaus*schieben* können). Nur das (für ihn) beschämende Thema meiner Menstruation kann sein Bedürfnis, bei mir Fieber zu messen, bremsen. Der angebliche Abschiedsbrief von Abel hat meinen Vater noch ein Stück weiter auf Abstand gehen lassen. Keine Fragen, kein indirektes Forschen, nur seine großen Augen, die mich beim Abendessen mitleidig betrachten und mir nachblicken, wenn wir uns im Flur begegnen, so dass auch meine Gedanken durch seine fälschliche Annahme beeinflusst werden und zu Abel schweifen, und dann weiter, zu einem Baby in einer Wiege. Aber nur für einen Sekundenbruchteil, dann holen mich die Krämpfe zurück.

Die Krämpfe halten mich nachts mindestens zwei, drei Stunden lang vom Schlafen ab. In meinen Träumen bin ich in Fell gewickelt, und mir fallen die Zähne aus. In einem wiederkehrenden Traum habe ich keine Fehlgeburt, sondern gebäre Dutzende winziger Babys, die schon in vollständigen Sätzen sprechen können, aber nicht größer als Mäuse sind und stündlich kleiner werden. Sie fallen in die Ritzen unseres Holzfußbodens. Ich wickele sie in Winterkleidung, lege sie nebeneinander auf einen Rodelschlitten und schicke sie einen steilen Hang hinunter. Plappernd fliegen sie alle in hohem Bogen hinunter. Ich kratze wie wild im Schnee herum und frage mich bei jedem Stück Schotter, das ich finde: »Ist das eins von ihnen?« Die Liebe und das Grauen, die ich in diesem Traum empfinde, verschwinden in dem Moment, in dem ich aufwache. »Ich zittere«, denke ich mit dumpfem Erstaunen. »Ich weine.«

# 26

**Gegen Ende des ersten Sommers,** den die Richters in Greenwoods wohnen, fühle ich mich langsam entspannter bei ihnen zu Hause, jedenfalls entspannt genug, um nicht mehr direkt die Toilette anzusteuern, wenn ich mal muss, und anschließend eilig in die Küche zurückzukehren. Inzwischen lasse ich mir Zeit. Mit den Augen einer Person, die eines Tages auch hier wohnen wird, schaue ich mir alles an.

An der Wand gegenüber der Küchentür hängen sechzehn gerahmte Schwarz-Weiß-Fotos der Verwandten von Mr. und Mrs. Richter. Vier Reihen, vier Fotos pro Reihe, alle Rahmen gleich groß und aus dem gleichen dunklen Holz, und die Verwandten sind auch alle ungefähr gleich groß aufgenommen, sodass es aussieht wie ein Wohnhaus, in dem die Bewohner alle am Fenster stehen und hinausschauen. Weil sie so ernst blicken, nehme ich zunächst an, dass sie zu Mr. Richters Seite der Familie gehören. Aber wie ich später erfahre, stammen mehr als die Hälfte von ihnen von ihrer Seite. Alle, sowohl ihre als auch seine Verwandten, waren entweder Femmes fatales oder irgendwelche Künstler, und viele von ihnen kamen auf Aufsehen erregende Art zu Tode. Von ihrem Platz in der Küche aus kann Mrs. Richter die Wand sehen, und als ich einmal davor verweilte, rief sie mir Namen und Lebensgeschichten zu:

»Die da. Nein, oberste Reihe. Das ist meine Mutter Greta. Gleicher Name wie meiner. Sie hat acht Heiratsanträge bekommen. Und die da, die sitzt, ist meine Tante Freda. Du hättest sie singen hören sollen, wie eine Flöte, aber todtraurig. Mein Vater hat immer gesagt: ›Freda kann Steine zum Weinen bringen.‹ Sie hat einen Franzosen geheiratet und ist nach Marseille gezogen. Er hatte viel viel Geld und mehrere Häuser, aber er war schlecht und steckte sie mit einer Krankheit an, von der du noch nichts wissen kannst. Sie starb als

Wahnsinnige. Der da? Das ist Mr. Richters Großonkel Otto. Er hat die Geschichte zu einer Oper geschrieben. Was meine ich, Abel?«

»Das Libretto«, sagte Abel. »Das heißt auf Englisch genauso.«

»Libretto! Du weißt schon. Den Text, der gesungen wird. Er hat fünfzehn Jahre daran geschrieben. Dann hat der Mann, dem er es gezeigt hat, der Mann, der die Show inszenieren sollte, seinen eigenen Namen drauf geschrieben und das ganze Geld kassiert. Der arme Onkel Otto, er hatte damals schon keine Beine mehr, das sieht man auf dem Bild nicht. Hat sie im ersten Krieg verloren. Und im zweiten fällt ihm eines Tages dieses Möbelstück…«

»Eine Kommode«, sagte Abel.

»Eine große, schwere Kommode. Die Alliierten bombardierten die Stadt, und wum bäng. So ist er gestorben.«

Ein Stück weiter hängt ein Ölgemälde von einem Schäfer mit seinen Schafen auf einem Sandweg, der von zwei riesigen Bäumen überschattet wird. Es herrscht entweder Morgen- oder Abenddämmerung, die dunklen Ränder des Bildes scheinen sich zur güldenen Mitte hin zu neigen, wo die kleine Gruppe Halt gemacht hat. Der Schäfer steht mit dem Rücken zu uns und hat abwehrend seinen Stab erhoben. Irgendetwas auf der Straße hat ihn erschreckt. Was? Jedes Mal, wenn ich mir das Bild ansehe, vermischen sich all meine Sehnsüchte, Hoffnungen und unbestimmten Ängste zu dem hypnotischen Verlangen, herauszufinden, was der Schäfer gesehen hat. Wenn er sich nur umdrehen würde, dann wüsste ich es. An seinem Gesichtsausdruck könnte ich es erkennen.

Wenn *ich* mich umdrehe, stehe ich vor Abels Zimmer. Nachdem ich mich von dem Bild losgerissen habe, bleibe ich meistens eine Weile im Türrahmen stehen und lasse mich von diesem Schrein seiner überlegenen Begabung, Intelligenz und Ordnungsliebe deprimieren. Für ein so kleines Zimmer stehen viele überflüssige Möbel darin – zwei Bücherregale, ein gepolsterter Ohrensessel, eine Staffelei. An der Wand neben dem Bett hängt eine Weltkarte, und an der Decke eine Sternenkarte. Die restlichen Wände sind mit Bildern und Zeichnungen plakatiert. Die meisten von Insekten und Reptilien, aber ein paar Farne und Flugzeuge sind auch darunter. Alle von ihm. Als er mir das erzählte, konnte ich es kaum glauben; ich dachte, sein Vater oder ein anderer Erwachsener müsste der Künstler sein.

Ich konnte auch kaum glauben, dass er all die Bücher gelesen hatte.

Das Arbeitszimmer seines Vaters, das nebenan liegt, ist ungefähr doppelt so groß. Aber genauso vollgestopft und genauso aufgeräumt. An der Wand hängen gerahmte Ölgemälde von ländlichen Szenen, ähnlich wie das Schäferbild, nur düsterer, und es gibt einen Glaskasten mit Schmetterlingen, die von Nadeln durchbohrt sind. Als ich den Kasten zum ersten Mal gesehen hatte und bei meiner Rückkehr in die Küche erwähnte, dass ich einen Blick in das Zimmer geworfen hatte und er mir aufgefallen war (stimmt nicht ganz, in Wirklichkeit war ich ein paar Schritte ins Zimmer hineingegangen) und die Schmetterlinge, um Mrs. Richters Lieblingswort zu benutzen, »wunderbar« seien, sagte sie achselzuckend: »Wunderbar, wenn sie fliegen. Es ist nicht gut, etwas zu töten, nur damit man es anschauen kann.«

Abel blickte hoch. »Vater hat sie nicht getötet.«

»Nein, nein.« Sie tätschelte seinen Arm. »Das hat er nicht. Natürlich nicht.«

Das Zimmer, das mich am längsten fesselt, ist das Elternschlafzimmer. Dort schläft sie. Hier steht ihre Frisierkommode, deren weinrote Borte genau zu den Samtvorhängen passt. Die Möbel sind aus schwerem, dunklem Holz, und das große Bettgestell ist an den Seiten geschwungen wie der Rumpf eines Wikingerschiffs. Die Tapete hat ein Muster, das umgekehrte Kronen darstellen könnte, in Dunkelgrün, und die Bettdecke ist in dem gleichen Dunkelgrün gehalten und hat eine goldene Brokatborte. Alles aufregend königlich, wie es ihr gebührt, jedenfalls wenn man von den schiefen Säumen an Vorhängen und Kommodenborte und von der Unordnung auf dem Frisiertisch absieht. Dort liegt ein fast zahnloser Kamm, eine Bürste voller Haare, mehrere gerissene, hart gewordene Gummibänder, ein gesprungener Handspiegel, ein weißer Strumpfhalter und einige leere, staubige Parfümfläschchen, die immerhin durch ihre romantischen, spitzen Stöpsel aus buntem Glas aufgewertet werden.

Hinten auf dem Tisch stehen zwei gerahmte Fotografien. Zweimal schon bin ich auf Zehenspitzen in das Zimmer geschlichen, um sie mir anzusehen. Das größere ist ein Schwarzweißbild von ihr und Mr. Richter an ihrem Hochzeitstag. Seltsam, eine Braut zu sehen, die so viel größer ist als der Bräutigam. Seltsam auch, sie, die immer Rot, Lila und Orangetöne trägt, in Weiß zu sehen, obwohl es natürlich noch seltsamer wäre, wenn sie auf dem Foto nicht Weiß trüge.

Davor steht ein Farbbild von Abel mit vier oder fünf Jahren. Abgesehen davon, dass er kleiner ist, sieht er genauso aus wie jetzt. Er trägt ein kurzärmeliges, weißes Hemd unter einem grünen Pullunder und hat die Arme nach vorne ausgestreckt, so als wolle er einen Ball fangen. Man sieht an seinen Augen, dass man ihm das Lächeln entlockt hat.

Am Labour Day ändert sich das Wetter. Seit Mitte Juli hatten wir nichts als tropische Hitze und fast jeden Nachmittag Gewitterwolken, die aus den Baumkronen aufsteigen und sich zu riesigen Fäusten und Haardutts zusammenballen, ehe sie ostwärts ziehen. Dann folgt ein kurzer, harter Regenguss, dann wieder blauer Himmel.

Jetzt sieht der Himmel wie zementiert aus. Und es ist kalt, zu kalt, um ohne Jacke nach draußen zu gehen.

Trotzdem treffen wir uns wie üblich in der Schlucht. Wir verfolgen Waschbärenspuren und suchen nach Fossilien. Gegen Mittag fällt Nieselregen, und wir holen unsere Thermosflaschen und Brotdosen und verziehen uns in die Höhle.

Wir setzen uns neben den Eingang, dorthin, wo das Licht am besten ist, und schauen durch die Ranken hinaus auf das, was zumindest in meinem Kopf die bedrückenden letzten Ausläufer des Sommers darstellt. Hier liegen bergeweise Stöcke herum (immer wenn wir einen langen, geraden finden, nehmen wir ihn mit), und nachdem wir unsere Sandwiches gegessen haben, holen wir unsere Messer heraus und schnitzen Speere.

Auf diesem Fleckchen ist es ziemlich bequem. Im Lauf des Sommers haben wir den größten Teil des getrockneten Kots vom Boden gekratzt und Kiefernnadeln und Farnwedel ausgelegt, und jetzt vermeiden es die Fledermäuse anscheinend, direkt über unserem Platz zu fliegen, sogar wenn wir gar nicht da sind, denn wir finden kaum frischen Kot. Heute hat sich die ganze Kolonie hinten in der Höhle versammelt. Immer wenn ein Windstoß hereinbläst, hört man ein hallendes Rascheln, ansonsten sind sie still.

Mir geht es schlecht. Für mich ist der letzte Tag der Sommerferien immer wie der letzte Tag des Lebens. Ich sehe mich gefesselt auf den Schienen liegen, und der herannahende Zug wird geführt von Maureen Hellier. Ich erzähle Abel, dass ich wünschte, sie würde sterben: in einen Kanalschacht fallen oder an einem Hühnerknochen ersticken. Schließlich sagt Abel: »Warum ignorierst du sie nicht einfach? So würde ich es machen.«

»Wen interessiert schon, wie *du* es machen würdest?«, murmele ich.

Er blickt auf.

»Okay«, sage ich, »wieso ignorierst du nicht einfach Jerry Kochonowski? Wieso spazierst du morgen nicht einfach auf mich zu und gibst mir vor den anderen einen dicken, fetten Kuss?«

»Vielleicht stört es gar keinen, wenn wir zusammenhocken«, sagt er.

Ich ramme mein Messer in die Erde. »Spinnst du? Jerry hat Donny Morgan den Arm umgedreht und beinah gebrochen, bloß weil er Brenda Slack einen alten Gummiball geschenkt hat. Was glaubst du wohl, was er mit einem wie dir machen würde? Er würde dir den Hals brechen, du Blödmann!«

Abel dreht den Stock in seiner Hand. Vorsichtig, als wäre er mit Dynamit gefüllt.

Ich greife nach meinem Messer. »Also«, sage ich, »hör auf zu träumen.«

Mindestens eine viertel Stunde lang arbeiten wir schweigend, dann fröstele ich und schlage vor, mit den Spänen ein Feuer zu machen.

»Lieber nicht«, sagt er. »Der Rauch würde die Fledermäuse stören.«

Seine Stimme klingt weder zornig noch gekränkt. Wenn ich ihn beleidigt habe, so ist er schon darüber hinweg, und das finde ich so bewundernswert, ein Zeichen eines Charakters, der meinem eigenen so überlegen ist, dass ich nicht auf dem Feuermachen bestehe, obwohl mir die Fledermäuse piepegal sind. Ich sage mit einem Blick an die Decke: »Ich glaube, sie fühlen sich jetzt schon gestört.«

Er holt die Taschenlampe und richtet den Lichtkegel auf die Kolonie. Einige der Fledermäuse flattern mit den Flügeln, aber keine lässt sich fallen und fliegt herum, so wie normalerweise, wenn sie den Lichtstrahl spüren.

»Wahrscheinlich frieren sie sich tot«, sage ich.

Er geht näher an die Wand. »Die eine hängt so komisch.«

»Wie meinst du das?«

»Oh nein!«

»Was?«

»Sie ist runtergefallen!«

Ich renne hin. Er hat sich hingehockt und strahlt sie mit dem Licht an. Sie ist mit dem Gesicht nach unten gelandet, ein Klumpen sandfarbenes Fell. »Ist sie tot?«, frage ich.

Er dreht sie um, und ehe ich kapiere, was das faltige Geschwür auf ihrem Bauch ist, sagt er: »Sie hat ein Baby gekriegt«, und dann: »Sie ist tot.«

»Das Baby?«

»Sie. Die Mutter. Das Baby atmet.«

Sein ganzer Körper pulsiert. Anstatt sich an die Mutter zu klammern, hängt es falsch herum und hält sich mit dem Mund fest, und ich will gerade sagen, wie komisch das ist, da wird mir klar, dass es an einer ihrer Brustwarzen hängt. Ich schaue zur Mutter, die, so denke ich, am Leben sein muss, wenn sie Milch hat. Nein, sie ist eindeutig tot. Die Augen sehen so leblos aus wie Apfelkerne. Die Lippen sind zurückgefallen, und erschrocken sehe ich Zähne … die ganze Zeit habe ich geglaubt, ich bräuchte nur vor den Klauen Angst zu haben. »Was ist passiert?«

»Sie blutet nicht.« Er richtet das Licht wieder auf die Kolonie. »Vielleicht hatte sie einen Herzinfarkt.«

»Sie wussten es«, sage ich. »Sie wussten, dass etwas Schlimmes geschehen würde.«

Er nimmt den Lichtstrahl wieder nach unten. Das Baby quiekt. Er sagt, wir müssen es sofort zu ihm nach Hause bringen und es mit einer Pipette füttern, ehe es austrocknet. »Da, halt mal«, und er gibt mir die Taschenlampe. Er hebt die Mutter auf und versucht, das Baby von ihr loszumachen. Es klammert sich mit den Hinterpfoten an das Fell der Mutter.

»Du blendest es mit der Lampe«, faucht er und dreht sich zur Seite, hinaus aus dem Lichtkegel.

»Tschuldigung.« Noch nie habe ich ihn so ärgerlich erlebt. Ich betrachte den Lichtkreis an der Wand, auf die ich die Lampe jetzt gerichtet habe, aber als er laut einatmet, richte ich sie wieder auf den Boden. Er hält das Baby in der rechten Hand, von der Mutter losgelöst.

»Ich habe es umgebracht«, sagt er leise, erstaunt.

»Nein.«

»Ich habe es umgebracht. Ich habe zu doll gezogen. Ich habe ihm das Genick gebrochen.« Er starrt den winzigen Körper mit offenem Mund an.

»Bist du sicher?«

Er richtet sich auf, geht zu unserem Platz, setzt sich hin und streckt die Hände aus, in jeder eine Fledermaus, so als warte er auf irgendeinen Zauber oder eine Strafe. Und dann fängt er an zu weinen; es klingt erstickt.

»Es hat sich beim Fallen verletzt«, sage ich erschrocken. »So wie es sich in ihr festgebissen hatte, war das Genick bestimmt schon gebrochen.« Ich setze mich neben ihn. »Es ist von seinem Leid erlöst«, sage ich. Das hatte meine Mutter stets verkündet, wenn sie ein Insekt totgeschlagen hatte oder wenn eines meiner Haustiere gestorben war, und obwohl ich immer dachte »Von welchem Leid denn?«, fühlte ich mich doch irgendwie getröstet.

»Außerdem« – ich knipse das Licht aus – »hätte es seine Mutter sowieso gebraucht.«

Nicht dass ich mir da wirklich sicher bin.

Abel legt die Leichen zwischen seinen Füßen ab. Er hat aufgehört zu weinen. »Ich hätte es einfach auf ihr lassen sollen. Ich hätte sie zusammen zu mir nach Hause bringen sollen.«

»Aber das wusstest du nicht.«

»Ich hätte es wissen *sollen*.« Er nimmt die Taschenlampe und beleuchtet die Decke. Die Fledermäuse hängen da wie reife Früchte. Fast rechnet man damit, dass sie eine nach der anderen herunterfallen werden.

Er seufzt und knipst das Licht aus.

»Es war bloß eine Fledermaus«, sage ich.

»Es konnte fliegen«, sagt er. »Es konnte sich mit Hilfe von Ultraschall orientieren.« Er fängt an, die Taschenlampe ein und aus zu schalten. »Wenn ich sie nicht angefasst hätte«, sagt er, »hätte das Baby sie vielleicht nach einer Weile losgelassen, und eine andere Mutter wäre heruntergekommen, um es zu retten.«

»Machen die so was?«

»Es ist besser, sich nicht einzumischen. Manche Wissenschaftler denken auch so. Sie meinen, man solle den Dingen ihren Lauf lassen.«

Er klingt so klug, und so verloren. Ich sage: »Als ich dich Blödmann genannt habe. Vorhin. Da war ich bloß wütend. Du bist kein Blödmann, überhaupt nicht.«

Er schaut zum Höhlenausgang. »Es hat aufgehört zu regnen.«

»Wollen wir sie begraben?«

»Ich schätze ja.« Er lässt einen zittrigen Atemstoß raus, der mich mitten ins Herz trifft. Er sagt, wenn ich hier warte, dann holt er den Spatel.

Sobald er weg ist, knipse ich die Taschenlampe an und betrachte die Leichen. Ich breite einen Flügel der Mutter aus. Er sieht aus wie gekochte Hühnerhaut. »Armes Ding«, sage ich und versuche mehr Mitleid zu beschwören, als ich empfinde, denn ich möchte ebenso tief bekümmert sein wie er.

Weil ich verrückt bin vor Liebe. Ich bin in ihn verliebt.

# 27

**Sechzehn Tage nach meiner Rückkehr** aus Vancouver habe ich eine Fehlgeburt. Es ist drei Uhr morgens. Der Wecker unter meinem Kopfkissen hat gerade geklingelt, um mich für die nächtliche Tasse Tee zu wecken, und als ich mich aufsetze, spüre ich die Nässe zwischen den Beinen. Seit vier Tagen trage ich vorsichtshalber Binden, aber das Blut ist schon bis aufs Laken durchsickert. Die Krämpfe – kann das sein? – sind weg.

Den Rest der Nacht sitze ich am Schreibtisch und blute. Etwa alle halbe Stunde wechsele ich die Binde und untersuche die schmutzige auf Spuren rudimentären Lebens. Was erwarte ich? Einen halb ausgeformten Fuß? Einen Augapfel? Es gibt ein paar viel versprechende Klumpen. Ich setze mich wieder an den Schreibtisch und hole meine Mathematikhausaufgaben nach. Mein Verstand ist hellwach, die Abwesenheit der Schmerzen wirkt so einschneidend wie das Zurückgewinnen eines Sinnes.

Um acht Uhr ziehe ich mich für die Schule an und frühstücke, aber kaum ist mein Vater aus dem Haus, kehre ich an den Schreibtisch zurück und mache weiter Hausaufgaben, bis Mrs. Carver kommt. Als ich ihr die Neuigkeiten berichte, holt sie schnell ein Saftglas und sagt, ich soll es mir zwischen die Beine halten, damit sie eine Probe anschauen kann. In der Küche fügt sie dem Blut Wasser hinzu, gießt dann die Flüssigkeit ab, und wir betrachten beide die Reste im Glas. Sie zeigt auf einen gelben Klumpen. »Plazenta.«

Es ist vorbei. Trotzdem blute ich noch drei Tage lang stark. In dieser Zeit gehe ich weiter zur Schule. Ich habe das Bedürfnis, sehr gut aufzupassen, und mache mir Unmengen von Notizen. Zu Hause mache ich eine Bestandsaufnahme meiner Garderobe. Alle Kleider von meiner Mutter, die ich nicht mehr anziehen will – alles, was zu ausgefallen oder pastellfarben ist –, hänge ich in ihren

Schrank zurück. Ich arbeite schnell. Ich gehe auch schnell. Das zeitbombenartige Klacken meiner Absätze auf den Schulfluren ist eine unerwartete Belohnung.

Freitagnacht, als die Blutung fast vorbei ist, kommen die Krämpfe wieder, wie Mrs. Carver vorhergesagt hat. Sie hat gesagt, das sei aber kein Grund zur Sorge, meine Gebärmutter würde sich bloß wieder zusammenziehen.

Die Schmerzen wecken mich ungefähr eine Stunde nach dem Einschlafen. Nebenan raschelt mein Vater mit seiner Zeitung. Ich stelle mir vor, wie er ein Baby im Arm hält, ungeschickt und glücklich. Meine Kehle wird eng.

»Ich habe es umgebracht«, denke ich bestürzt. »Ich habe mein eigenes Baby umgebracht.«

Ich weine leise, erstickt, weil ich nicht will, dass er es hört, und weil ich kein Recht auf diese Trauer habe, die mich scheinbar direkt von meiner Gebärmutter aus durchzuckt. Wie kann es sein, dass Abel von all dem nichts merkt? Wie ist es möglich, dass sein Baby und ich uns einen blutigen Todeskampf liefern und er nicht einmal einen kleinen Stich verspürt, der ihn zum Telefon greifen ließe?

Ich gehe zum Schreibtisch und mache die Lampe an. Ziehe meine Unterhose herunter. Aus einem Schulheft reiße ich eine Seite heraus und ziehe eine Ecke davon zwischen meinen Beinen hindurch.

Der Schmierfleck sieht wie eine Flagge aus. Nein, wie ein Lappen! *Ein dunkelroter Lappen.*

Ich warte ein paar Minuten, wedele mit dem Blatt und puste darauf, dann ziehe ich meine Unterhose wieder hoch, setze mich und schreibe auf den inzwischen getrockneten Fleck das Wort »Roman«. Nicht nötig, Rimbauds Gedicht noch einmal aufzuschlagen – ich habe Abels Brief hundertmal gelesen und kenne es auswendig bis zum letzten Ausrufezeichen. In fließenden, geschwungenen Buchstaben, die seine Schönschrift parodieren sollen, schreibe ich:

I
Man kennt mit achtzehn Jahren wahrlich kein Misstrauen,
Drum, eines Tages – weg mit Übelkeit und Warten –,

Mit dem Bear Pit Café, voll blöder Lampions und Schund! –
Geht's unter die grünen Neonschilder der Promenade.

Die Neonschilder stinken fies an schlimmen
                                    Septembernachmittagen,
Die Luft ist oft so hart, man muss die Augen öffnen.
Verrat des Lügners sieht man in der Seitengasse,
Wo Schnapsgerüche und der Duft von Haschisch hängen.

II
Da, eines großen Lappens dunkelroten Schein
Erblickt man plötzlich, der eine kleine Nutte umwindet,
Durchbohrt von einem Rockstar aus dem Ort, der feige
                                    und gemein
Vor süßen Babys flieht, die tot sind und verschwunden.

Ich lese es noch einmal durch und fange an zu lachen … atemlose,
zitternde, unnatürliche Laute. Ich presse mir die Hände auf den
Mund. Ich schiele zum Spiegel an der Schranktür hinüber und sehe
eine dünne, gebeugte Gestalt mit Augen so groß wie Bowlingkugeln
und bis auf eine übergroße Unterhose nackt. Habe ich den Verstand
verloren? Und wenn schon. Ich greife erneut zum Stift und kritzele
unten auf das Blatt: »ICH WAR SCHWANGER! ICH BIN EXTRA
RÜBERGEFLOGEN, UM ES DIR ZU SAGEN UND DANN
HABE ICH DICH BEIM RUMKNUTSCHEN MIT DIESER
SCHLAMPE ERWISCHT! DESHALB HABE ICH ABGETRIE-
BEN!« Ich zeichne noch einen Pfeil, der auf den Fleck zeigt. »DAS
HIER IST ALLES, WAS VON DEM BABY NOCH ÜBRIG IST!«
    Ich stecke das Blatt in einen Briefumschlag, adressiere ihn und
gehe wieder ins Bett. Trotz der Krämpfe schlafe ich ein.
    Ich schicke den Brief am nächsten Tag ab. Eine Woche später
fangen die Anrufe an, zwei bis drei pro Abend, fünf Abende nach-
einander. Mein Vater, der »Sie will nie wieder mit dir sprechen« sagen und dann den Hörer auf die Gabel knallen soll, hört zu, gibt
mitfühlende Laute von sich, sagt: »Ich werde es ihr ausrichten, mein

Junge, aber sie will immer noch nicht ans Telefon kommen«, und »Vielleicht solltest du ihr ein bisschen Zeit lassen, um sich wieder zu fangen, um tief durchzuatmen, ich mag gar nicht daran denken, was all diese Anrufe kosten.«

»Leg endlich auf!«, zische ich, voller Angst, Abel könnte die Abtreibung erwähnen.

Er tut es nicht, obwohl seine Sorge um meine Gesundheit meinem Vater langsam komisch vorkommt. »Im Bett?«, sagt mein Vater. »Nein, nein, sie ist auf.« Zu mir sagt er: »Ich weiß, er ist derjenige, der Schluss gemacht hat, aber er könnte nicht besorgter sein. Es tut ihm so Leid, wie es nur geht.«

»Zu spät.«

»Nun, so wie er sich anhört, befindet er sich in einem Zustand tiefster Verzweiflung. Und du wirst mir wahrscheinlich den Kopf abreißen, wenn ich das jetzt sage, aber du wirkst auf mich auch nicht gerade froh und munter.«

»Froh?«, sage ich verständnislos. »Munter?«

Eine Woche später kommen die Briefe. Ich muss weinen beim Anblick meines Namens in seiner Handschrift. Ich werde schwach. Aber ich öffne den Umschlag nicht. Ich verbrenne ihn in meinem Metallpapierkorb. Während ich die Flammen betrachte, die fünf, sechs Sekunden, die es dauert, gestatte ich mir Mutmaßungen über den Inhalt: das Gedicht oder die Zeichnung, die beschwörerischen Zeilen, die Erklärung. »Er liebt mich nicht«, sage ich, damit ich nicht in Versuchung komme, das Feuer zu löschen.

Manchmal geht es von selber aus. »Er liebt mich nicht«, sage ich und zünde ein neues Streichholz an.

# 28

**Ich schließe die Highschool** mit einem Notendurchschnitt von sechsundsiebzig Prozent ab. Im Jahr zuvor lag mein Durchschnitt bei dreiundneunzig Prozent, aber da war mir auch noch nicht alles egal. Sechsundsiebzig kommt mir unwahrscheinlich hoch vor, wenn man bedenkt, dass ich im Unterricht kein einziges Mal die Hand gehoben habe und vollkommen unvorbereitet in die Prüfung gegangen bin. Hauptsache, ich bestehe, sagte ich mir immer wieder, nur darauf kommt es an. Ich hatte nicht vor, auf die Uni zu gehen. Ich hatte mir sogar schon eine Vollzeitstelle in einer Secondhandbuchhandlung in der Stadt besorgt.

Ich schreibe meine letzte Prüfungsarbeit an einem Montagmorgen im Juni. Am selben Tag um vier Uhr nachmittags fange ich meinen Job bei BOOKS! BOOKS! BOOKS! an. Meine Arbeitszeit ist von sechzehn bis zweiundzwanzig Uhr, Montag bis Samstag. Am Ende des ersten Tages weiß ich alles, was man wissen muss, denn das ist so gut wie gar nichts. Am Ende der ersten Woche habe ich das Gefühl, schon seit Jahren dort zu arbeiten. Ich fühle mich sicher und nicht unter Druck. Stunden vergehen, ohne dass ich an Abel denke.

Es gibt nur noch einen weiteren Angestellten, Don Shaw, der gleichzeitig der Geschäftsführer ist. Er ist Mitte vierzig, ungefähr so groß wie ich. Er ist Junggeselle, hat nie geheiratet. Er hat kleine, schlaue Augen, schmale Schultern und breite Hüften. Sein Haar ist beigefarben und sehr dicht, es ähnelt einer Grassode. Eines Tages kommt ein geisteskranker Mann in den Laden, zieht in aller Ruhe ein Buch nach dem anderen aus dem Regal und wirft es auf den Boden, und als Don Shaw sagt: »Ich glaube, Sie sollten lieber gehen«, sagt der Mann mit aristokratisch-britischem Akzent: »Ich glaube, Sie sollten sich lieber ein neues Haarteil zulegen«, dann verlässt er im Schlenderschritt den Laden. Hinterher bemerkt Don Shaw, wie ich nach seinen Haaren schiele, beugt sich mir entgegen und sagt verschmitzt: »Na los, zieh.«

Dauernd fordert er mich auf, ihn anzufassen. Ich soll fühlen, wie kalt seine Hände sind, wie der harte, längliche Klumpen an seinem Unterarm sich unter der Haut wie eine lose sitzende Batterie hin und her bewegt. Ich soll auch bestimmte *Dinge* anfassen, wie zum Beispiel das Lederpolster auf seinem hundert Jahre alten Diwan. Er wohnt nur ein paar Minuten vom Laden entfernt, in einem niedrigen Wohnblock neben einem Waschsalon. Durch die Vibrationen der Waschmaschinen hängen seine Bilder schief, und der Dampf von den Trocknern steigt durch die Heizungsschächte hoch und weicht den Putz auf. Er sagt: »Es ist wie im Bauch eines Ungeheuers.«

Er sagt, völlig zusammenhanglos: »Es würde dir gefallen.«

Er braucht viel Wärme. Er trägt breitgerippte Kordhosen in grau oder braun und langweilige Pullunder aus vergangenen Zeiten. An besonders schwülen Tagen kommt es vor, dass sein Hemd unter dem Pullunder kurze Ärmel hat, aber nicht unbedingt. Er sieht aus wie das, was er ist: ein gescheiterter Literat. Während seiner Schicht, die von zehn Uhr morgens bis zu meinem Eintreffen dauert, liest er Lehrbücher aus der Philosophieabteilung. Abends widmet er sich dem Verfassen von Gedichten, die er *Ausatmungen* nennt. Ich frage, ob er schon etwas veröffentlicht hat. Er scheint es nicht gehört zu haben. Aber dann sagt er: »Wenn man sich weigert, seinen Gedankenfluss durch Zeilenbrüche und Satzzeichen zu stören, dann rufen selbst die begeistertsten Lektoren, die einen anfangs mit Joyce und Wallace Stevens verglichen haben, irgendwann nicht mehr zurück.«

Ein Muskel zuckt in seiner Wange. Er könnte noch mehr dazu sagen, aber er wird es nicht tun. Er hortet seine Verletzungen. Er amüsiert sich bitter über seine eigenen Gedanken. Wenn ich im Laden eintreffe, lächelt er in sich hinein, als wolle er zeigen, dass er ganz genau weiß, warum ich zu spät oder zu früh oder pünktlich komme, und einen Augenblick lang frage ich mich, ob mein

kleines, vorsichtiges Leben tatsächlich nicht verwegen und über-
mütig ist.

»Madame Kirk«, sagt er.

»Don Shaw«, sage ich.

Unser Begrüßungsritual.

Sogar wenn ich anderen gegenüber von ihm spreche, sage ich
Don Shaw, beide Namen. Don allein ist zu informell. Und Mr.
Shaw – wenn ich ihn so nennen würde, fände er das bestimmt sar-
kastisch.

Der Mann, dem der Laden gehört, heißt Ernie Watson. Ihn nennen wir Feuerwehrhauptmann, weil unsere Lohnschecks immer (per
Eilzustellung) in Umschlägen der Halifaxer Feuerwehr eintreffen.
In den fünf Jahren, die Don Shaw schon bei BOOKS! BOOKS!
BOOKS! arbeitet, hat er kein einziges Mal mit dem Feuerwehrhauptmann gesprochen, geschweige denn ihn persönlich kennen gelernt. Alles Geld, das am Ende einer Woche noch im Safe liegt, geht
auf ein Nummernkonto bei der Bank; die Wasser- und Strom-
rechnungen werden aus der Ferne bezahlt. Ab und zu gibt es ein
Problem, das nicht ignoriert werden kann (verstopfte Toilette,
klemmendes Schloss an der Eingangstür ... beides passiert in meiner ersten Woche), dann müssen wir eine panische alte Frau namens
Beryl anrufen. »Oje oje oje oje«, sagt sie in einem Tempo, als wäre
es ein einziges langes Wort. Sie schickt ihren Mann Buddy vorbei,
der triefende Augen und superschöne Hände hat, ganz schmal und
weiß; während man ihm das Problem erklärt, hält er sie hoch wie
ein Chirurg, der auf seine Handschuhe wartet.

Don Shaw zweifelt nicht daran, dass der Feuerwehrhauptmann
den Laden gerade *wegen* der ausgefransten Kabel, der Berge ver-
gilbter Bücher im Keller und dem uralten Ofen da unten gekauft
hat, dass er bloß die Zeit aussitzt, bis dieses Pulverfass ohne sein
direktes Zutun bis auf die Grundmauern abbrennt und er eine Mil-
lionensumme von der Versicherung kassieren kann.

»Wenn es also passiert«, sage ich, »wird es im Winter passieren,
wenn der Ofen an ist.«

Don Shaw kapiert, was ich sagen will. »Und bis dahin«, sagt er,

»wird sich unsere Madame Kirk längst wichtigeren und besseren Dingen zugewandt haben.«

Ich habe mich für diesen Job beworben, weil in der Zeitungsanzeige »zwanglose Atmosphäre« gestanden hat und ich dachte, ich könnte ab und zu ein paar Minuten abzwacken, um Stenografie zu lernen. Ich bin übertrieben pessimistisch gewesen. Ich habe ab und zu stundenlang Zeit. Es kommt so gut wie keine Kundschaft, und die, die kommen, setzen sich auf die Kisten frisch gelieferter Bücher (es hat keinen Sinn, sie auszupacken, denn die Regale quellen bereits über) und lesen stundenlang. Wir haben nichts dagegen. Der Laden funktioniert so, dass wir gebrauchte Bücher für zehn Prozent des Ladenpreises ankaufen, jede Art von Büchern, Lehrbücher, Behördenratgeber, Pornographie, Hauptsache, sie sind einigermaßen gut erhalten. Kaum jemand kommt bloß mit einer Kiste; wir kriegen das Zeug wagenladungsweise – die Fachbibliothek eines verstorbenen Apothekers, die gesamte Schundromansammlung einer Hausfrau. »Sie kaufen *alles*?«, fragt die betreffende Person und reißt die Augen auf angesichts von so viel Glück. Ja, wir kaufen alles. Dann verkaufen wir es für fünfzig Prozent des Ladenpreises. Aber da wir es eigentlich nicht verkaufen, da wir zehnmal so viel annehmen, wie wir loswerden, ist dieses System der reine Wahnsinn. Außerdem hat der Feuerwehrhauptmann, wie Don Shaw bei meinem Einstellungsgespräch zugab, keine Möglichkeit, das ganze Inventar zu überblicken. Wir könnten die Hälfte davon klauen und an andere Antiquariate weiterverkaufen.

»Sie müssen nicht klug sein, um hier zu arbeiten«, sagte er. »Sie müssen weder Charme noch Pep besitzen. Sie müssen nur vertrauenswürdig sein.« Er musterte mich von oben bis unten und pausierte kurz bei meinen Brüsten und meinem Mund, als läge der Schlüssel zu meiner Glaubwürdigkeit in diesen Körperteilen. Als er schließlich innehielt und mir in die Augen schaute, wirkte sein Gesicht wachsam und verletzlich. Ich dachte, ich erinnere ihn wohl an eine alte Flamme. Er sagte: »Wie vertrauenswürdig ist Louise Kirk?«

»Ungeheuer«, antwortete ich. »Vollkommen.«

Das stimmt, das bin ich. Ein Jahr früher, vor der Party, vor Vancouver und der Plazenta im Wasserglas (ein Anblick, von dem ich wünschte, er wäre mir erspart geblieben), hätte ich wahrscheinlich hier und da mal ein Taschenbuch mitgehen lassen, warum denn nicht? Ich hielt mich nicht an starre Prinzipien. Was mein Verhalten bestimmte, war, wie hoffnungsvoll oder hoffnungslos meine jeweilige Stimmung war. Die Taschenbücher hätte ich an Tagen geklaut, an denen mein Horizont nur bis zum nächsten Augenblick reichte. Ich hätte das Gefühl gehabt, es stehe mir zu.

Jetzt, da mein Horizont so eng ist wie nie zuvor, habe ich das Gefühl, mir steht sehr wenig zu. Ich *will* sehr wenig, bloß ein bisschen Geld verdienen, während ich mir Tippen und Steno beibringe, und ab und zu ausgehen, mal eine Verabredung haben. Ohne Abel bin ich ein Niemand, ohne ihn habe ich nichts, damit habe ich mich abgefunden. Geblieben ist mir nur der viehische Instinkt, der einen von einem Moment zum nächsten treibt. Wenn ich mich nicht von einer Klippe stürze, und es sieht nicht so aus, dann kann ich ebenso gut versuchen, mein Leben erträglich zu gestalten. Ich kann mir nicht vorstellen, je wieder rasend glücklich zu sein, aber vielleicht gelingt es mir, glücklich *genug* zu werden.

Zumindest kann ich probieren, keinen Ärger zu bekommen, und mit diesem Vorsatz gehe ich in die ambulante Klinik in Yorkville und besorge mir ein Rezept für die Pille. Noch ein Geheimnis, das ich vor meinem Vater verbergen muss. Obwohl ich ihm am selben Tag gestehe, warum ich von keiner Universität etwas gehört habe: Ich habe mich nirgendwo um einen Studienplatz beworben.

Er ist am Boden zerstört. Ich bin überrascht, was für große Pläne er für mich hatte. Rechtsanwältin. Professorin. Biologin. Diplomatin.

Ich sage: »Diplomatin! Machst du Witze? Ich bin der undiplomatischste Mensch, den man sich vorstellen kann.«

Er fuchtelt mit den Armen. »Du könntest rumkommen in der Welt. Faszinierende, aufregende, kultivierte Menschen treffen. Sprachen lernen. Andere Lebensweisen kennen lernen!«

Ich sage: »Ich möchte tippen lernen.«

Ich habe einen Film von meiner näheren Zukunft im Kopf. In allen Einzelheiten, jedenfalls den Anfang, der von der Einrichtung und Atmosphäre des Büros meines Vaters und von Tante Vernas Geschichten aus ihrer Zeit als Sekretärin des Chefs eines großen Maklerbüros in der Innenstadt beeinflusst ist. In der Eröffnungsszene nehme ich ein Diktat auf. Mein Boss ist Mitte vierzig. Er ist ein gutmütiger, stattlicher Mann, nicht unbedingt der Kopf der Firma, aber auch nicht in Gefahr, gekündigt zu werden. Es ist Winter, das Ende des Arbeitstages, gerade sind die Straßenlaternen angegangen. Durch die Fenster des Nachbargebäudes sieht man, wie Sekretärinnen die Schutzhüllen über ihre Schreibmaschinen ziehen. In unserem Büro breitet sich ein heimeliges Gefühl aus, während das Energieniveau langsam heruntergeschraubt wird. Mein Boss lockert die Krawatte. Ich lehne mich im Stuhl zurück. Ich trage einen Tweedrock und eine klassische weiße Bluse. Ich schließe meinen Notizblock und sage: »Ich tippe das gleich morgen früh.«

Er macht eine wegwerfende Geste. »Hat keine Eile.«

Auf dem Weg zurück an meinen Platz komme ich an den Schreibtischen anderer Sekretärinnen vorbei. Wir wünschen uns gegenseitig einen schönen Abend. Ein paar von uns essen regelmäßig zusammen Mittag, in der Cafeteria eines Kaufhauses. Überbackener Käsetoast oder Clubsandwich, Apfelkuchen nach Art des Hauses. Anschließend gehen wir noch in die Kosmetikabteilung, bemalen unsere Handgelenke mit Lippenstift und sagen: »Ist der zu rot?« »Was meinst du?« Manchmal wird eine von uns schwach und kauft einen. Irgendetwas außer Essen und Nylons zu kaufen gilt als verschwenderisch.

Ich fahre mit der U-Bahn nach Hause. Ich bin Expertin in Origami, ich falte meine Zeitung so, dass sie den anderen Fahrgästen nicht ins Gesicht schlägt. Ich lese die »Liebe Abby«-Rubrik und löse das Kreuzworträtsel. Bei meiner Haltestelle ist ein Obststand, und jeden Abend kaufe ich dort eine frische Navel-Apfelsine für das Frühstück am nächsten Morgen. Der Fußweg bis zu meiner Wohnung dauert nicht lange, ungefähr zehn Minuten. Ich wohne im obersten Stock eines viktorianischen Hauses, zwei Zimmer mit Bad und einer Wanne mit Löwenfüßen. Ich habe eine Katze – grau, fett und scheu. Auf dem Kühlschrank steht ein Asparagus. Der Herd hat zwei Platten. Zum Abendessen mache ich mir Rührei oder eine Dose Spaghetti mit Fleischklößchen. Der Küchentisch steht in der Ecke, ein alter Holztisch mit klappbaren Seitenteilen.

Plötzlich ist es Sommer in dem Film. Ich habe meine Büroklamotten gegen weiße Shorts und ein blau-weiß gestreiftes T-Shirt getauscht. Ich wasche ab, während ich mir aus dem Radio klassische Musik anhöre, dann mache ich mir einen Kaffee und gehe damit hinaus auf die Feuertreppe. Die Aussicht besteht aus den Dächern ähnlicher Häuser und aus Baumkronen und aufgehenden Sternen.

Eines Abends ist der neue Typ aus dem zweiten Stock zufällig auch auf der Feuerleiter. Wir unterhalten uns, und er lädt mich zu sich auf ein Glas Wein ein. Er studiert Medizin oder Ingenieurswesen oder Jura. Er ist ungefähr einsachtzig groß, wirkt sympathisch, weder superattraktiv noch langweilig, aber auch kein Hippie. Blond oder dunkelblond. Vielleicht trägt er eine Nickelbrille. Er hat wenige, aber enge Freunde. Seine Interessen liegen außerhalb von Kunst, Musik oder Naturwissenschaft. Also ist er kein Medizinstudent, eher Jurist. Einer von denen, die Stellung beziehen, sich für das, woran sie glauben, einsetzen.

Sie sehen, worauf ich hinauswill. Er ist nicht Abel. Er darf kein bisschen wie Abel sein, und meistens gibt es ihn gar nicht. Ich trinke meinen Kaffee aus, gehe wieder hinein und setze mich in einen Sessel, um einen Roman von Jane Austen zu lesen, oder vielleicht bin ich schon bei Dickens angekommen. (Ich arbeite mich in alphabetischer Reihenfolge durch die Werke berühmter Autoren.) Wenn ich ausnahmsweise mal die Sache mit dem Typen aus dem zweiten Stock verfolge, seine Einladung annehme und den Abend fortschreiten lasse, bis wir uns küssen, springt der Film an der Stelle unweigerlich von der Rolle.

Wenn das aus Loyalität Abel gegenüber geschieht, dann bin ich es leid. Ich gebe zu, ich liebe ihn. Meine Liebe ist eine Tatsache, wie das Gesetz der Schwerkraft. Aber das ändert nichts. Worauf bezieht sich meine Loyalität? Was ist noch übrig, was ich verraten könnte?

Ich will ja bloß ab und zu mit netten jungen Männern ausgehen, die überall Anklang finden. Vielleicht will ich auch mit ihnen schlafen. Manchmal bin ich so einsam. Im Laden fühle ich mich manchmal so eingepfercht und verzweifelt, dass ich mich frage, ob ich langsam wie Don Shaw werde. Ich versuche mich auf meine Stenoübungen zu konzentrieren, aber immer wieder blicke ich auf, schaue aus dem Fenster und beschwöre im Geist jeden halbwegs gut aussehenden Mann unter dreißig, der vorbeigeht, in den Laden zu kommen. Ich schraube meine Ansprüche herunter und schließe auch die kleinen, untersetzten mit ein. Und dann kommt tatsächlich einer herein und steuert direkt auf die Pornographie-Abteilung zu. Vorhersehbar. Der Laden liegt in einem Block mit lauter Pfandleihern und Sanitärgeschäften. Zwei Häuser weiter ist eine Schnapskneipe namens *The Morgan*, und wenn ich um zehn Uhr gehe, torkeln meistens ein paar Männer mittleren Alters auf dem Bürgersteig herum. Sie tragen billige Anzugjacken. Extrem viele von ihnen haben volles, säuberlich gekämmtes Haar. Manche tragen Ducktails. Immer mal wieder habe ich einen von denen bei mir im Laden, und entweder ist es bloß ein harmloser Trunkenbold oder aber er belästigt mich und kracht gegen die Bücherregale, sodass ich mir den Besen greifen und ihn hinausscheuchen muss. Es ist nicht so furchterregend, wie es sich anhört. Es hat auch etwas Komisches. Einer ist dabei (der ausnahmsweise glatzköpfig ist), der nennt mich Slim, und nachdem ich ihn rausgeworfen und die Tür abgeschlossen habe, klopft er an die Scheibe und brüllt: »Slim! Ich liebe dich! He Slim, heirate mich!« Das einzige, was mich daran verstört, ist, dass ich das Gefühl kenne. Ich kenne diese Dringlichkeit.

# 29

**Mitte Juli fange ich an, mich zu fragen,** ob ich nicht zu viel Zeit in Bussen und U-Bahnen verbringe, um zur Arbeit zu fahren. Obwohl ich eigentlich bis zum Frühjahr warten wollte, ehe ich mir eine Wohnung in der Stadt suche, überlege ich jetzt, ob ich nicht lieber schon viel früher umziehen sollte.

Ebenfalls Mitte Juli fange ich an, von meiner Mutter zu träumen, vielleicht weil ich nicht darüber nachdenken kann, von zu Hause wegzugehen – meinen Vater zu verlassen –, ohne an das zu denken, was sie getan hat. Die Träume sind zuckersüß und todtraurig. Sie ist darin tot, kehrt aber für kurze Zeit ins Leben zurück, um etwas zu holen, eine Bluse oder ein Paar Schuhe, und ehe sie wieder geht, setzen wir uns noch eine Weile an den Küchentisch, nur wir beide. Sie ist so alt, wie sie war, als sie wegging: dreiunddreißig. Ich bin so alt, wie ich jetzt bin. Sie ist immer seltsam angezogen – trägt zum Beispiel ein Tambourmajorinnen-Kostüm oder einen Bastrock. Einmal hat sie Mrs. Dingwalls schlabberige, rote Hosen an. Sie ist heiter. Ihre Augen wirken zersplittert, wie gesprungenes Eis. Ich denke, vielleicht ist sie blind. Ich frage sie, wie sie gestorben ist und warum sie weggegangen ist, bekomme aber keine Antwort oder kann sie nicht hören. Manchmal weine ich, und sie streicht mir übers Haar. In einer Version liege ich zusammengerollt auf ihrem Schoß. Der Traum quillt über vor Liebe – meiner zu ihr und ihrer zu mir.

Wenn ich aufwache, brauche ich mehrere Minuten, bis mir klar wird, dass sie gar nicht tot ist, jedenfalls nicht, dass ich wüsste. Ich wundere mich über die Liebe in dem Traum. Eines Morgens kommt mir der Gedanke, dass ich vielleicht Gefühle aus der Kindheit heraufbeschwöre, und beim Frühstück frage ich meinen Vater: »Wie war Mama, als ich noch ein Baby war?«

Er blickt von seiner Zeitung hoch. »Ein Baby?«

»War sie glücklich?«

»Glücklich?« Die Frage scheint ihn zu erschrecken.

»War sie gerne Mutter?«

»Natürlich. Natürlich war sie das.«

»Na ja, sie war nicht gerade verrückt nach den Kindern anderer Leute. Ich weiß noch, als Ward und Gord Dingwall gerade geboren waren, da wollte sie nicht mal in den Kinderwagen schauen.«

»Das waren ja auch nicht ihre. Nicht ihr eigen Fleisch und Blut.«

»Also –« Ich bin plötzlich verlegen. »Also war sie damals zumindest glücklich.«

»Sie war nie, was man unbeschwert oder zufrieden nennen würde. Sie war eben keine Frohnatur. Es wäre wohl treffender zu sagen, sie hat es als sinnvoll empfunden. Sich um ein Baby, um *ihr* Baby zu kümmern, das war eine wichtige, lohnende Aufgabe, die sie sehr ernst nahm. Alles musste auf eine ganz bestimmte Art und Weise gemacht werden. Die Windel musste genau so und nicht anders gefaltet werden.« Er runzelt die Stirn, offensichtlich im Gedenken an seine zahllosen fehlgeschlagenen Versuche.

»Ich wette, sie hat sie alle zehn Sekunden gewechselt.«

Er stellt seine Kaffeetasse ab. »Du warst ein Ereignis«, sagt er. »Ein Ereignis, an dem sie wachsen konnte.«

Ein Ereignis, an dem sie wachsen konnte. Der Satz bleibt mir tagelang im Ohr. Was soll er bedeuten? Manchmal glaube ich es zu wissen, dann wieder nicht. Er nimmt langsam eine gewisse Ehrwürdigkeit an, so als hätte ich ihn auf einer Gedenktafel gelesen. Am Ende der Woche bin ich davon überzeugt, damit einen Schlüssel zu meinem Schicksal in die Hand bekommen zu haben. In den Träumen von meiner Mutter (in dieser Zeit habe ich noch mehrere davon) spüre ich weiterhin ihre Liebe und staune beim Aufwachen immer noch darüber, aber ich spüre auch ihren Ehrgeiz.

Man könnte meinen, das würde mich dazu verleiten, doch noch ein Studium aufzunehmen. Aber der Gedanke kommt mir kein einziges Mal. Im Gegenteil, ich bin mehr denn je davon überzeugt, dass es genau das Richtige für mich ist, bescheidene Pläne zu verfolgen.

Ich habe ein Schicksal. Was ich auch tue, ich werde ihm nicht entgehen. Jetzt, da ich den Weg frei gemacht habe, kann es kommen.

Im Glauben daran beruhige ich mich langsam. Gleichzeitig werde ich wachsam. Jeder kleine Vorfall könnte sich als Ausgangspunkt für diese zweite Phase meines Lebens erweisen. Ein gut aussehender Mann geht vor dem Ladenfenster vorbei, und statt mich zum Angriff bereitzumachen, betrachte ich ihn nur sehnsüchtig als Möglichkeit. Er wird entweder durch die Tür treten oder nicht. Wir sind entweder dazu bestimmt, uns kennenzulernen, oder nicht.

Ich lasse die Wirkung des Wetters auf meinen Geisteszustand durchaus nicht unberücksichtigt. Seit dem ersten August haben wir Temperaturen über dreißig Grad, donnergrollende Nachmittage und dann, gerade wenn ich zur Arbeit aufbreche, einen kurzen, heftigen Schauer, der die Luft nur noch feuchter macht. Die kleinste Aktivität – ein Buch aus dem Regal nehmen zum Beispiel – gerät zum Marathon. Normalerweise bin ich nicht so nervös, dennoch ist die Hitze nicht die einzige Erklärung für meine Überzeugung, dass mein Leben sich bald verändern wird. Ich denke immer wieder an den schwülen August unten in der Schlucht zurück, in dem es jeden Tag ein Gewitter gab, das irgendwie unheilvoll wirkte, und was schließlich passierte, war, dass meine Liebe zu Mrs. Richter erlosch und ich mich in Abel verliebte. Ich erwarte nicht etwa, dass jetzt meine Liebe zu *ihm* erlöschen wird; das wird es nicht sein. Aber ich könnte vielleicht jemand anderen lieben. Ein bisschen.

Vormittags, bis zum frühen Nachmittag, übe ich im Wind zweier Ventilatoren, die ich in entgegengesetzten Ecken des Arbeitszimmers aufstelle, auf der alten Remington meines Vaters Tippen. Auch hier merke ich, dass ich entspannter bin als sonst und meine Umgebung schärfer wahrnehme. Ich scheine das Klingeln des Telefons vorherzusehen, gehe aber nie ran. Ich stehe auf, öffne die Tür und lausche auf Mrs. Carvers »Hallo?« Was, wenn es Abel ist? Manchmal bin ich sicher, er ist es, ich habe eine Vorahnung. Ich klammere mich an den Türrahmen, bis mir klar wird, dass es bloß Mrs. Carvers Tochter ist oder ihre Freundin Mrs. Sawchuk, und dann sinke ich zu Boden und rede mir ein, dass dieses Gefühl, dieser Stich in der Rippengegend, Erleichterung ist.

Um Mittag herum ruft manchmal mein Vater an, um zu fragen, wie es mir geht. Wenn wir genug geplaudert haben, will er noch einmal mit Mrs. Carver sprechen. Seit ich abends nicht mehr zu Hause bin, bleibt sie, um mit ihm zu essen. Das habe ich erst kürzlich erfahren, obwohl mein Vater behauptet, er habe es mir schon vor Wochen erzählt. Ich würde am liebsten am Zweitapparat mithören, aber vermutlich würden sie mich erwischen, denn wenn beide Hörer abgenommen sind, entsteht ein Nachhall, deshalb lege ich auf und schleiche mich hinunter in den Flur, um möglichst viel von Mrs. Carvers gelegentlichen, mitfühlenden oder interessierten Lauten mitzukriegen. Oft lacht sie, ein trockenes, hustendes Geräusch, das man sonst selten hört. Eines Tages sagt sie einen vollständigen, erstaunlichen Satz: »Zu einem Glas Sherry würde ich nicht Nein sagen.«

»Worüber sprecht ihr?«, frage ich meinen Vater an dem Abend.

»Ach, über das, was im Büro so passiert. Den ganzen Klatsch und Tratsch. Sie scheint so was sehr zu mögen.«

»Bist du … würdest du mit ihr ausgehen?«

»Ausgehen?«

»Zu einem Rendezvous.«

»Ein Rendezvous?«.

»Sie ist nur drei Jahre älter als du.«

Er sieht verblüfft aus. »Ich bin immer noch ein verheirateter Mann.«

»Nicht wirklich.«

»Vor dem Gesetz sind deine Mutter und ich immer noch Mann und Frau. Und Mrs. Carver ist … sie ist…«

Ich warte.

»Na ja, sie ist eine nette, anständige, adrette…«

»Okay, schon gut. Also, wird sie bei uns bleiben, wenn ich ausgezogen bin?«

Schweigen. Er spricht nicht gerne über meinen Auszug. »Darüber habe ich noch nicht nachgedacht. Wahrscheinlich schon. Die erste Zeit.«

»Das will ich hoffen. Ich möchte mir keine Sorgen um dich machen müssen.«

»Weißt du…« Er schaut weg. »Sie ist klüger, als ich gedacht hätte. Kennt sich erstaunlich gut aus. Richtig gebildet.«

»Wie meinst du das?«

»Diese ganzen medizinischen Sachen, ihre Hausmittel und so. Die sind nicht nur irischen Ursprungs, die stammen aus der ganzen Welt. China, Türkei. Sie macht mir immer Tee.«

Ich erstarre.

»Gegen meine Arthritis. Ein altes türkisches Rezept. Eine alte Frau in einem Feinkostladen in der Bloor Street verkauft ihr die Zutaten. Unter dem Mantel der Verschwiegenheit, alles ganz heimlich.« Er lässt seine Finger spielen. »Schmeckt teuflisch, das Zeug, aber es scheint wirklich zu helfen.«

Als ich darüber nachdenke, komme ich zu dem Ergebnis, dass ich mir keine Sorgen zu machen brauche, dass Mrs. Carver es ihm erzählt. Warum sollte sie? Sie hätte nichts davon, und gerade bei ihr besteht wenig Gefahr, dass ihr etwas herausrutscht. Und so, wie sie sich verhält, würde man nie darauf kommen, dass wir gemeinsam eine Abtreibung durchgeführt haben. Sie spricht nie davon und wirft mir auch keine ungewöhnlich kummervollen Blicke zu. Offenbar hat sie die Gabe, Unangenehmes hinter sich zu lassen.

Wenn das stimmt, ist sie ein Glückspilz. Und ich auch, weil ich mir keine Sorgen machen muss, dass sie sich Sorgen macht. Dennoch *gibt* es diese Abtreibung, sie schwebt zwischen uns wie ein schmutziger Lichtschein. Manchmal ist alles an Mrs. Carver – die Kleider aus dem Schnäppchenmarkt, die billige Haarfarbe, das Flüstern, die Tees und der Aberglaube, sogar ihr Alles-wieder-beim-Alten-Benehmen, das auf eine übermäßige Gewöhnung an blutige Angelegenheiten hindeutet – wie eine Erinnerung daran. Ich weiß, dass ich ungerecht bin. Aber ich kann nicht anders. Wenn ich von der Arbeit komme, entsetzt mich der Gedanke, immer noch in diesem Haus zu leben, bei diesen Menschen. Manchmal öffne ich den

Schrank im Flur, bloß um mich vom Anblick der vielen Hüte meiner Mutter deprimieren zu lassen. Ich höre ihre Stimme – nicht die zärtliche aus meinen Träumen, sondern die hämische aus meiner Erinnerung –, die sagt: »Alles Müll. Wirf sie weg!«

Ich fange an, die Kleinanzeigen zu lesen und Besichtigungstermine für unmöblierte Wohnungen zu vereinbaren. Meistens ist mir, kaum dass der Vermieter die Haustür aufgeschlossen hat, klar, dass ich nur meine Zeit verschwende. Trotzdem steige ich die Treppen hinauf in eine Hitze, von der ich mir nicht vorstellen kann, dass sie für Menschen ungefährlich ist. Risse im Putz, irgendwo ein schreiendes Baby, abblätternde Tapeten, ein Zimmer unter dem Dach, in dem höchstens eine Fünfjährige aufrecht stehen könnte – das war in der Anzeige mit »gemütlich« gemeint. Wenn die ganze Wohnung in glänzendem Behörden-Beige gestrichen ist, heißt das »frisch renoviert«. »Hell« bedeutet nicht stockfinster. Ich hatte Souterrains bislang gemieden, aber angelockt von den Worten »hoch und trocken« stehe ich dann doch in einem und ducke mich unter einem Rohr, dessen stetes Lecken der Vermieter als Kondenswasser abtut.

Don Shaw meint, ich werde nie etwas finden, jedenfalls nicht in meiner Preisklasse, nicht dort, wo ich suche. Er erzählt mir immer wieder von freien Wohnungen in seiner Gegend. »Es würde dir hier gut gefallen«, sagt er.

Ich lache.

»Oje«, sagt er. »Das herzlose Lachen eines jungen Mädchens.«

Eines Tages ist in seinem Haus ein möbliertes Apartment zu vermieten. »Das wäre perfekt für dich«, sagt er. »Ruhig, nach hinten raus. Alles, was du hörst, sind die Spatzen im Ahornbaum.«

Ich sage ihm, er kann es vergessen.

»Alles zu Fuß zu erreichen«, fährt er fort. »Straßenbahnhaltestelle vor der Tür, Waschsalon im Erdgeschoss, Lebensmittelladen an der Ecke.«

»Huren an der Ecke.«

»Genau. Huren lenken die Sexsüchtigen ab, damit hübsche Mädchen wie Madame Kirk nicht belästigt werden.«

Hübsch. Außer Abel hat mich noch keiner so genannt. Ich spüre, wie ich rot werde. Don Shaw lächelt in sich hinein.

An diesem Abend taucht er plötzlich auf, kommt durch die Tür, als ich gerade Feierabend mache.

»Don Shaw«, sage ich überrascht.

»Madame Kirk.«

»Hast du etwas vergessen?«

»Habe ich nicht.« Er lächelt seine Schuhe an, die frisch geputzt sind und glänzen. Auch sein Haar glänzt, er hat Öl hinein getan und es nach hinten gekämmt. Und er trägt Rasierwasser – Old Spice. Ich rieche es bis hierher.

Mit leichtem Unbehagen frage ich: »Was gibt es denn zu feiern?«

Er blickt auf. Streicht sich übers Haar. »Ach … ich, ähm, ich habe mich mit einem Freund getroffen, mit einem alten Freund, zum Essen.«

Ich glaube ihm nicht. Mehr als einmal hat er sich als Einzelgänger bezeichnet. Ich drehe mich um und hocke mich hin, um den Safe, der in die Wand eingelassen ist, zu öffnen.

Er sagt: »Ich war auf dem Heimweg und dachte, da ich sowieso hier vorbeikomme, könnte ich reinschauen und dir ein Angebot machen.«

Mein Herz schlägt dumpf und schnell. Ich lege den Geldsack in den Safe, schließe die Tür und drehe die Zahlenkombination.

»Du bist offenbar nicht gewillt, dir die Wohnung alleine anzuschauen«, sagt er, »deshalb bin ich gekommen, um dir meine Begleitung anzubieten.«

Ich richte mich auf. Immer noch mit dem Rücken zu ihm schlage ich das Kassenbuch auf und trage die Einnahmen des Nachmittags ein: siebzehn Dollar.

»Also was ist?«, fragt er.

Ich drehe mich um. »Jetzt?«

Er klimpert mit einem Schlüssel. »Der derzeitige Mieter ist verreist.«

»Und rein zufällig hast du den Schlüssel.«

»Ich bin der Hauswart.«

»*Wirklich*?«

»Das habe ich dir doch erzählt.«

Hat er nicht. Egal. Ich ziehe meine Tasche unter dem Ladentisch hervor. »Ich weiß nicht recht. Ich bin ziemlich müde.«

»Es dauert nicht lange.«

»Aber dann verpasse ich den Bus um viertel nach zehn.«

»Die Busse fahren bis zwei Uhr morgens.«

Ich seufze. Ich wundere mich über meine Kraftlosigkeit.

»Lebe gefährlich«, sagt er.

Es ist immer noch heiß draußen. Auf den Stufen des Morgan streiten sich vier Männer, darunter auch mein kahlköpfiger Verehrer, über etwas, das sie sich gegenseitig aus der Hand zu reißen versuchen. Ein Kartenspiel oder eine Zigarettenschachtel. »Slim!«, ruft mein Verehrer. Er kommt angestolpert. Sein Kopf ist kugelrund. »Ich liebe dich!«, brüllt er.

»Hau ab«, sagt Don Shaw und wedelt mit der Hand, aber der Kopf schwebt weiterhin wie der Mond neben meiner rechten Schulter. An der Kreuzung bleibt er schließlich zurück. Ich drehe mich um. Er verschwindet rückwärts im Verkehr. »Heirate mich!«, ruft er.

Wir biegen nach links in einen Block mit abgedunkelten Trödelläden und Secondhand-Möbelgeschäften ein. Ein Laden nennt sich Schuhschnäppchen und zeigt im Fenster lauter bunte Rüschenkleider für kleine Mädchen. Darauf folgt ein unbebautes Grundstück, auf dem blaue Zichorienblüten geheimnisvoll in der Dämmerung leuchten. Wir schweigen. Er steigt über die Beine einer Frau, die in einem Hauseingang liegt und leise vor sich hin murmelt. Ich bin erschrocken darüber, dass es eine Frau ist und dass er sie kaum wahrzunehmen scheint. Ich werfe ihm einen Seitenblick zu. Sein Gesicht wirkt angespannt. Sein angeklatschtes Haar sieht aus, als trüge er einen futuristischen Helm.

An der Ecke kommen wir an zwei stark geschminkten Mädchen in Miniröcken vorbei, ungefähr in meinem Alter, vielleicht Nutten, vielleicht bloß zwei gelangweilte Freundinnen, die aus ihren überhitzten Wohnungen geflohen sind. Dann eine Cafeteria, taghell erleuchtet, mit nur einem Gast, einer altersweisen Ausgabe von Brigitte Bardot: Schmollmund, toupiertes, blondes Haar unter einem rotgepunkteten Kopftuch. Sie sitzt am Fenster und raucht.

Vor dem Gebäude daneben bleiben wir stehen. Es ist ein altes, reizloses, rostrot gestrichenes Ziegelhaus. Die Hälfte des Erdgeschosses wird von einem Waschsalon eingenommen. »Das ist es«, sagt Don Shaw. »Haus Weidenbaum.«

In seiner Stimme liegt keine Ironie. Hinter dem Haus steht tatsächlich eine Weide. Ich blicke zu den oberen Stockwerken hoch und versuche den Charme zu entdecken, der mir bisher offenbar entgangen ist. Zwei Türmchen, na schön, aber die sind mit braunen Schindeln bedeckt, und der größte Teil der Holzschnitzerei ist unter einer Seitenwandung aus Aluminium verborgen.

»Nun, wie findest du es?«, fragt er.

Ich wüsste nicht, warum ich ihm etwas vormachen soll. »Hässlich.«

Hässlich. Er versucht, sein Lächeln zu halten. »Das ist nicht gerade das Wort, das *mir* dabei in den Sinn kommt. Aber wenn lebendige Geschichte für dich hässlich ist, wenn etwas durch die Epochen hindurch Gewachsenes hässlich ist, dann…«

»Dann«, sage ich, »ist es hässlich.« Ich zeige auf drei mögliche Eingangstüren. »Welche ist es?«

Die mittlere. Drinnen in der geräumigen Halle hängt eine trübe, nackte Glühbirne an einem Kabel von der Decke. Direkt darunter stehen sich zwei Holzstühle gegenüber. »Was ist das denn?«, frage ich. »Das Verhörzimmer?«

Er nimmt die Stühle und stellt sie an die Wand. »Die Kinder stellen sie manchmal um.«

»Welche Kinder?«

»Ein Mädchen und ein Junge aus Apartment drei. Gute Kinder, sie haben nur keinen Platz zum Spielen.« Er zeigt auf die Treppe.

»Geh du vor«, sage ich.

Ich möchte nicht, dass er mir aufs Hinterteil schaut. Als er anfängt, die Stufen hochzusteigen, bemühe ich mich, nicht auf seins zu schauen: diese fraulich breiten Hüften. Die Stufen sind noch aus

dem ursprünglichen Hartholz, verblasst und in der Mitte ausge-
treten, die Oberfläche durch Abnutzung samtig geworden, ein erster Hinweis auf die Geister in diesem Haus. Ich frage, wie viele Mieter hier wohnen.

»Zehn. In sechs Wohnungen. Eine im ersten Stock, das ist
meine. Drei im zweiten Stock und zwei im dritten. Deine liegt im
zweiten Stock nach hinten raus.«

»*Meine?*«

»Die Wohnung, die ähm, die, ähm …«

»Zu vermieten ist«, beende ich den Satz.

Der Schlüssel will sich nicht drehen. »Komm schon«, murmelt er.

Als wir drin sind, entspannt er sich und schaltet das Deckenlicht
ein. »Zweifünfzig hohe Decken. Stuckleisten. Neues Linoleum.« Er
dreht sich im Kreis. »Mit den beiden Fenstern kann man Durch-
zug machen.«

Mag sein, aber hier drinnen sind mindestens vierzig Grad. Das
Linoleum hat ein Ziegelsteinmuster, und es gibt scheinbar nur dieses einzige kleine Zimmer, denn alles ist in Sichtweite: ein Einzelbett,
eine Kochnische, ein braunes Kordsofa, ein Esstisch, vier Stühle.

»Hat es auch ein Badezimmer?«, frage ich.

»Badezimmer!« Er geht zu einer Tür, die ich für eine Schranktür gehalten hatte, und öffnet sie schwungvoll. »Toilette. Waschbecken. Badewanne. Dusche.«

»Ein echtes Sanitärparadies.«

Er wirft mir ein kampflustiges Lächeln zu. »Ich hatte, glaube ich,
erwähnt, dass es gemütlich ist.«

»Gemütlich. Das ist nicht das Wort, das *mir* dabei in den Sinn
kommt.«

»Verstehe.« Er nickt in Richtung seiner Schuhe.

»Also dann …« Ich gehe zur Tür. »Ich nehme an, jetzt gehen wir
zu dir, und du zeigst mir deine Briefmarkensammlung.«

Ich sage das einerseits aus Ungeduld, weil ich endlich wissen will,
was für ein Erlebnis mir heute Abend bevorsteht, aber auch weil ich
langsam feststelle, dass er beinahe attraktiv wird, wenn ich ihn be-
leidige und dann Mitgefühl zeige.

Der Muskel in seiner Wange zuckt.

»Du könntest mir etwas zu trinken anbieten«, sage ich.

Kaum hat er die Tür zu seiner Wohnung aufgeschlossen, spüre ich die Feuchtigkeit.

»Oh«, sage ich dann. »Ganz schön groß.«

Es ist richtig hübsch hier. Wer hätte das gedacht? Bücherregale bis unter die Decke, ein ausgetretener Orientteppich, antike Möbel, nicht aufgearbeitet (der Couchtisch hat Ränder, die Stuhlbeine sind abgestoßen), aber geschmackvoll. Als er Licht macht, sehe ich seinen Schreibtisch und daneben ein Klavier. »Du hast ein Klavier«, sage ich und spüre einen plötzlichen, atemlosen Schmerz. Ich könnte im Wohnzimmer der Richters in Greenwoods stehen.

»Ich spiele aber nicht«, sagt er. »Du?«

Ich schaue ihn an. Seine lächerliche Frisur. Ich bemerke das Vibrieren des Fußbodens von den Waschmaschinen im Erdgeschoss. »Nein. Ich hatte einen Freund, der spielen konnte. Sehr gut.« Ich lasse mich in einen braunen Sessel fallen. »Es ist hier wie im Dampfbad.«

Er geht eilig durchs Zimmer und zieht die Jalousien hoch. Ein Ventilator kommt zum Vorschein. Er schaltet ihn ein.

»Das schadet bestimmt deinen Büchern«, sage ich.

»Ich bin kein Sammler. Ich kaufe Bücher wegen ihres Inhalts. Ich behalte sie nur, weil ich die Regale habe.«

Er geht in die Küche. Von meinem Sessel aus sehe ich einen sauberen, weißen Kachelfußboden und blaue Schränke. Er bewegt sich ruhig. Als er wiederkommt, hat er ein Glas Eiswasser in der einen und zwei Weingläser und einen Korkenzieher in der anderen Hand. Die Flasche klemmt unter seinem Arm.

Ich presse mir das Wasserglas an Wangen und Stirn. Er setzt sich mir gegenüber auf die Couch und macht sich daran, die Weinflasche zu entkorken.

»Ich werde es gleich anfassen«, sage ich, während er die Gläser füllt.

Er schaut kurz hoch.

»Das Sofa. Du sagst dauernd, ich sollte es mal anfassen. Also, hier bin ich. Zum Anfassen bereit.«

Er schürzt die Lippen, unsicher, wie er das verstehen soll, aber dennoch zum Mitspielen bereit, warum auch nicht? Ich bin da, wo er mich seit zwei Monaten haben will. Ich bin zerbrechlich und schwach und mache Anspielungen auf Verführung. Sowie seine Zuversicht allerdings steigt, lässt mein Interesse nach, deshalb nehme ich ihn genau unter die Lupe, auf der Suche nach etwas, das mich … nicht erregt, das wäre zu viel verlangt, aber etwas, das mich berührt.

Ich entscheide mich für seine Augen, für die Intelligenz und das Leid, die von all seiner Verschlagenheit nicht ganz ausgelöscht werden. Aber ich brauche mehr. Ich schaue mich in der Wohnung um. Der Schreibtisch ist ein Rollpult. Nichts liegt darauf außer einer Ledermappe voller Papiere.

Ich stelle das Wasserglas ab und nehme meinen Wein in die Hand. »Auf die Poesie«, sage ich.

Er hält einen Augenblick inne, ehe er sein Glas hebt.

»Liest du mir etwas vor?«, frage ich. »Von dir?«

Er trinkt einen Schluck. »Nein.« Ganz ruhig. »Ich glaube nicht.«

Ich stehe auf und setze mich neben ihn.

Unsere Schenkel berühren sich. In den Kniekehlen spüre ich, wie weich das Leder ist. »Es ist wie Haut.« Ich fahre mit den Fingern darüber.

Sein Gesicht ist ausdruckslos.

Ich beuge mich an seiner Brust vorbei und knipse die Lampe aus.

Er zittert. Oder es ist die Vibration von den Waschmaschinen. Ich küsse ihn. Sein Atem riecht entfernt nach Pilzen, eine Erleichterung nach dem aufdringlich frischen Parfümgeruch. Ich schließe die Augen. Seine Lippen sind so weich wie das Sofa. Seine Verzweiflung bleibt eingeschlossen, obwohl ich spüre, wie sie in ihm zuckt. Er stellt sein Glas ab und legt einen Arm um meine Schultern. Ich lasse mich nach hinten sinken. Ich versinke in dem Kuss, aber nicht so tief, dass ich vergesse, dass es Don Shaws Mund ist, und Don Shaws Finger, die meine Bluse aufknöpfen.

Wir schlafen auf dem Sofa miteinander. Als wäre ich ein schlafendes Kind küsst er meine Stirn, meinen Hals. Verweilende, zarte

Küsse, die mich entspannen sollen. Aber sie erfüllen ihre Aufgabe nicht. Ich verlagere meinen inneren Blick auf seinen, und das geht besser. Der Trick ist, sich vorzustellen, was *er* fühlt, alles aus seiner Sicht zu betrachten. Ich bin noch ein Mädchen, zu jung und hübsch, um hier zu sein. Ich bin ein Geschenk. Es ist kaum zu glauben.

Er kommt mit einem einzigen plötzlichen Zucken. Ich mache die Augen auf, um sein verzerrtes Gesicht zu sehen. Beinahe erschrocken rolle ich mich unter ihm hervor auf den Boden. Er fällt in sich zusammen. Ich stehe auf und schnappe mir meine Sachen. Mein Bauch ist glitschig von seinem Schweiß. Ich stelle mich vor den Ventilator, aber ehe ich trocken bin, ziehe ich mich schon an.

»Wozu die Eile?«, keucht er.

»Ich muss gehen. Mein Vater wird sich Sorgen machen.«

»Warum rufst du nicht an?«

Ich knöpfe meinen Rock zu. »Wo ist meine Handtasche?«

Er setzt sich auf und knipst die Lampe an. »He«, sagt er.

Ich schaue hinüber ... zu einem dicklichen Mann in mittleren Jahren mit fettigem, beigem Haar, das wie Hörner vom Kopf absteht.

»Bleib«, sagt er. »Nur noch ein paar Minuten. Du hast deinen Wein noch gar nicht getrunken.«

»Ich kann nicht. Tut mir Leid.«

Er greift nach seinem Hemd. »Ich bringe dich zur Bushaltestelle.«

»Nein!« Ich wirbele herum.

Er wird still.

»Ich komme schon zurecht.« Ich entdecke meine Handtasche neben dem braunen Sessel und gehe eilig hin und hole sie. Ich habe ein Gefühl, als sei ein Verbrechen geschehen. Ein harmloser Jux, mit Streichhölzern gespielt, und plötzlich brennt das Haus.

»Na gut.« Er nickt dem Fußboden zu.

Erneutes Mitgefühl kann ich mir nicht leisten. »Wir sehen uns morgen«, sage ich.

Er blickt nicht auf. »Ich nehme an, du wirst die Wohnung nicht mieten.«

»Nein.«

Wieder ein Nicken.

»Wir sehen uns morgen«, sage ich noch einmal.

Ich möchte ihn überzeugen. Nicht um ihm falsche Hoffnungen zu machen, sondern weil es mich wurmt, dass er sich bereits mit etwas abgefunden hat, das mir bis gerade eben nicht klar war.

# 30

**Ehe er mit dem harten Trinken anfängt,** legt Abel den Riegel vor. Wenn man lange klopft und er noch bei Bewusstsein ist, schiebt er manchmal einen seiner vorgefertigten Zettel unter der Tür durch. Entweder ICH RUF DICH AN (wie denn? Sein Telefon ist abgestellt) oder DANKE, STELL ES EINFACH VOR DIE TÜR (was auch immer man mitgebracht hat: die Lebensmittel, die Milch, die in seinem überheizten Treppenhaus sauer wird) oder ICH LEBE NOCH! (das Ausrufezeichen steht nur für dich da, um einem Umstand zu huldigen, den er selbst bestenfalls interessant findet). Früher hat er ab und zu durch die Tür mit einem gesprochen, aber durch das viele Erbrechen ist seine Kehle so geschädigt, dass seine Stimme zu leise ist, und er hat sowieso nie etwas anderes gesagt als »Ich rufe dich an« oder »Stell es einfach vor die Tür«. Dass er noch lebte, konnten wir uns denken.

Er hat die Zettel nicht selbst geschrieben. Er hat Joyce, eine Kellnerin aus seinen Pianobar-Zeiten, darum gebeten. Dreimal fünfzig Stück. Während der Depression hat Joyce einen nationalen Schönschreibwettbewerb gewonnen. Wenn man den Zettel vom Boden aufhebt und ihre hübsche, fließende Schrift sieht und die ganz schwache Bleistiftlinie, die sie gezogen hat, um gerade zu schreiben, hat man das Gefühl, wenigstens mit Stil abgewiesen worden zu sein, wie von einem Butler. Abel bewahrt die Zettel in verschiedenen Taschen seines Armymantels auf, aber er verwechselt sie trotzdem oft, er schiebt einem DANKE, STELL ES EINFACH VOR DIE TÜR hin, wenn man mit leeren Händen gekommen ist. Manchmal liegt der Zettel mit ICH LEBE NOCH! schon da, wenn man kommt. Ich sage ihm, er kann nicht einfach eine so allgemeine Behauptung aufstellen, er muss wenigstens die Zeit dazu schreiben: ICH LEBE NOCH! UM 8.30 oder 18 Uhr oder wann auch immer. Also probiert er es. Er sucht sich einen Stift. Mit zitternder Hand fügt er die Zahlen hinzu, und dann steht man da und fragt sich, ist das eine Neun oder eine Sieben, eine Drei oder eine Acht?

Wenn er nicht viel trinkt – er schafft es, sich bis zu zwei Tage lang auf therapeutische Schlückchen, wie er es nennt, zu beschränken –, ist die Tür meistens nur angelehnt. Die Leute gehen einfach rein. Alte Freunde aus der Pianobar. Cindy, die schöne Maniküre von gegenüber, die zwischen zwei Kunden eine Pause macht, Archie, der Hauswart, mit einem Bier in der Hand. Da es keine Sitzgelegenheit gibt, lehnt Archie sich an den Kühlschrank und erzählt in grimmigen Stakkato einen Witz nach dem anderen. Abel liegt auf dem Bett und nickt dazu wie zu einem Jazzrhythmus. Cindy lacht, aber nur ganz allgemein, um Optimismus zu verströmen. Beim Betreten der Wohnung kündigt sie sich fröhlich an, indem sie ruft: »Ich hab's satt bis oben hin« oder »Frag lieber nicht«, und meint damit vermutlich ihr schlecht laufendes Geschäft. Ihr Lächeln grenzt ans Hysterische, deshalb glaube ich, ihre gute Laune ist aufgesetzt, um seinetwillen.

Ich komme jetzt täglich vorbei, auf dem Weg zur Arbeit, und wenn ich kann, auch auf dem Heimweg. Seine Eltern kommen nach dem Abendessen, sie fahren täglich die anderthalb Stunden von Waterloo herüber, wo Mr. Richter, jetzt im Halbruhestand, Chemie unterrichtet. Selbst *sie* werden nicht immer hereingelassen. Mindestens dreimal pro Woche finde ich morgens eine Tüte mit Lebensmitteln und Tupperware-Schüsseln mit gekochtem Essen draußen im Flur. Mrs. Richter bringt ihm Blumen aus ihrem Garten mit – Tausendschönchen, schwarzäugige Susanne, Teerosen. Sie wickelt die Stiele in einen nassen Lappen und Plastikfolie darüber. Einmal stammte der Lappen von dem orange-roten Rock, den sie anhatte, als ich sie zum ersten Mal gesehen habe. Ich weiß, er will mich morgens da haben, aber trotzdem bin ich jedes Mal erleichtert, wenn der Riegel nicht vorgeschoben ist. Die zweite Erleichterung ist sein röchelndes Atmen. Ich gehe zum Bett. Er schläft auf dem Rücken, das Buch, in dem er vor dem Einschlafen gelesen hat – Blakes Gesammelte Gedichte oder Yeats' Ausgewählte Gedichte –, liegt oft noch offen auf seiner Brust. Ich denke: »Eines Tages werde ich hier vielleicht einen Leichnam betrachten.« Ich versuche mir das vorzustellen, aber der Schwall von Furcht, der mich dabei überkommt, erscheint mir zu vertraut und ist wohl nur Ausläufer eines Gefühls, auf das es keine Vorbereitung gibt.

Ich räume etwaige Lebensmittel weg. Wenn seine Mutter Blumen mitgebracht hat, werfe ich den alten Strauß fort und stelle den neuen in sein einziges Trinkglas. Die Katzen miauen zu meinen Füßen, ich habe keine Ahnung wieso, denn ihre Näpfe sind gefüllt, und wenn ich versuche, sie zu streicheln, ziehen sie sich zurück. Er schläft weiter. Erst wenn ich die Decke zurückschlage, öffnet er die Augen. »Louise«, sagt er, so als seien wir jahrelang voneinander getrennt gewesen. Ich helfe ihm auf die Beine. Er erzählt mir, wovon er geträumt hat: einem fremden Planeten, seiner malvenfarbenen Atmosphäre, den Lichtscheiben, einem gläsernen Hangar voller Schwalbenschwänze, die so groß wie Zeppeline waren. Oft träumt er, wie wir miteinander schlafen. Ich auch. In meinen Träumen sind wir wieder Kinder. In seinen sind unsere Körper surreal. Ich habe drei Brüste oder bin von Brustwarzen übersät. Er hat Hände wie Baumzweige, die in unzählige Finger münden, und einen Penis, der aus einer Teleskop-Hülse herauskommt.

»Ist ja abgefahren«, sage ich.

»Allerdings«, sagt er, ohne meinen Sarkasmus zu beachten. »Es war wunderschön.«

Während er schwankend und zitternd dasteht, öffne ich die Zigarrenkiste. Gewöhnlich liegt darin eine fertig gedrehte Zigarette. Ich zünde sie an, stecke sie ihm zwischen die Lippen und krümme mich mit ihm, wenn er den ersten Zug nimmt, der ihm, wie er zugibt, die Kehle verbrennt. Er überzeugt sich, dass der Aschenbecher in der Nähe steht; er möchte die Asche nicht auf den sauberen Teppich streuen. Seine Mutter hat mir erzählt (in hoffnungsvollem Tonfall, als wäre es ein gutes Zeichen), dass seine Blackouts nie länger als ein paar Stunden dauern. Also muss er die Pausen nutzen, um sich und die Wohnung wieder in Ordnung zu bringen. Dennoch schaue ich mich unauffällig nach Spuren der Verwüstung um: Glassplittern, Whiskyflecken an der Wand. Ich suche sein Gesicht und seine Arme nach blauen Flecken ab. Eines Morgens erwischt er mich dabei und sagt: »Ich trinke in der Badewanne.«

»Du *badest*?«

»Ich lasse kein Wasser ein.«

Ich stecke seine Zigarette an.

»Ich merke es, wenn ich einen Blackout kriege«, sagt er.

»Woran?«

»Ich höre dann ein Wimmern.«

»Als würde jemand weinen?«

»Wie eine Sirene. Weit weg.«

»Die Blackout-Sirene«, sage ich.

Er lächelt, als wäre das ein umwerfend spitzfindiger Witz. »Louise«, sagt er.

»Ich muss los«, sage ich verärgert. »Ich bin spät dran.«

Seine Offenheit erschreckt mich. Noch vor zwei Wochen hätte er seine Trunksucht niemals erwähnt, jedenfalls nicht mir gegenüber. Das ganze Jahr über habe ich ihm Vorträge gehalten, er solle der Wahrheit ins Gesicht sehen und kämpfen, aber jetzt scheint er der Wahrheit ins Gesicht zu sehen, bloß um zu beweisen, dass nichts Bedrohliches daran ist, nichts, das man nicht mit einem Achselzucken abtun kann.

Eines Morgens ist er gerade dabei, den Teppich zu schrubben. Die Ärmel seines Schlafanzugs hat er hochgekrempelt, und zum ersten Mal seit Monaten sehe ich, wie erschreckend dünn seine Unterarme sind.

»Was ist passiert?«, frage ich. Das Wasser im Eimer ist rosa. »Oh Gott, hast du etwa Blut gespuckt?«

Er schrubbt weiter, mit beiden Händen, die eine stabilisiert die andere. Er benutzt dazu einen Nagelbürste. »Bloß ein bisschen Blut.«

»Ich fahre dich ins Krankenhaus.«

»Mir geht es gut. Ich habe meinen Blutdruck gemessen.«

»Abel, bitte. Mir zuliebe.«

»Es geht mir gut. Ich fühle mich prima.«

»Na schön, dann lass mich weitermachen.«

»Muss nur noch nachgespült werden.« Er setzt sich aufs Bett.

Ich leere den Eimer und fülle ihn mit frischem Wasser, dann suche ich mir ein Geschirrtuch. »Warte!«, sage ich, als ich höre, wie er nach einer Zigarette fummelt. Ich gehe zu ihm und zünde sie ihm an.

»Du bist so wild«, sagt er. »Du bist wie ein Mungo.«

Er meint das als Kompliment. Ich gehe zum Eimer zurück, knie mich hin und bearbeite den Fleck. »Tut es nicht weh?«, frage ich.

»Was?«

»Alles. Das Kotzen.«

»Manchmal tut mein Hals weh.«

»Rauchen ist bestimmt gut dafür.« Ich wringe das Tuch aus. »Wie schlimm wird es?«

»Nicht zu schlimm.«

Was ich als *sehr* schlimm interpretiere. »Wie hältst du das aus? Durch das Trinken?«

»Ich sage mir, es gibt eine bestimmte Menge von Schmerz auf der Welt, eine tägliche Ration, und die muss irgendwo hin. Wenn ich Schmerzen habe, hat jemand anders keine. Ein Kind in New Jersey, das an Knochenkrebs stirbt. Ein Mann in Kampala, der gefoltert wird. Für die Zeit, die mein Hals brennt, flaut ihr Schmerz ab.«

»Glaubst du das wirklich?«

»Ich weiß nicht.«

»Du bist ein Masochist.« Ich trage den Eimer zum Waschbecken und schütte das Wasser aus. »Würdest du ein Glas Orangensaft trinken?« Ich frage ohne große Hoffnung.

Aber er legt interessiert den Kopf schief. »Orangensaft. Warum nicht? Den Saft einer Orange.«

Sein Glas ist mit Blumen gefüllt. Ich entdecke einen Messbecher aus Plastik und benutze den.

»Orangensaft aus dem Messbecher«, sagt er fröhlich. Ich halte ihm den Becher an die Lippen. Er wendet den Kopf ab. »Ich trinke ihn später. Danke.«

Ich stelle den Becher auf den Tisch, zwischen die Blumen und den Aschenbecher, und schaue auf meine Armbanduhr. Halb neun. Ich komme zu spät zur Arbeit. Macht nichts, mein Chef ist im Urlaub. Ich setze mich auf den Boden, den Rücken ans Bett gelehnt, die Schulter an seiner Wade. Draußen vor dem Fenster, das unter der Decke ist, stolzieren zwei Tauben auf und ab. Ein Lastwagen rumpelt vorbei.

»Ich könnte ewig hier bleiben«, sagt er.

Ich tätschele seinen Fuß.

Aber er meint nicht hier mit mir, in diesem Moment. »Auf der Kippe«, fährt er fort. »In dem Wissen, dass ich jeden Augenblick abstürzen kann. Das Paradoxe daran ist, wenn ich wüsste, ich hätte tatsächlich ewig Zeit oder auch nur gute Aussichten auf weitere sechs Monate, dann wäre ich im Geiste woanders.«

»Du könntest sehr wohl noch sechs Monate haben«, sage ich hilflos. »Mehr sogar.«

»Wenn man kurz vor dem Abflug steht, schaut man sich alles ein letztes Mal an, als könnte man es irgendwie festhalten.«

»Hör auf. Du machst mir Angst.«

»Alles ist genau das, was es ist. Alles ist …«

»Was?«, frage ich schließlich.

»Es selbst. Alles ist es selbst.«

Er klingt so gefesselt. Unmöglich, ihn zurückzuholen. Ich sage: »Ich weiß nicht mal, wovon du sprichst.«

»Die Tauben«, sagt er. »Das sind keine Bäume oder Katzen oder Messbecher. Es sind Tauben. Sie gurren, sie bauen ihre luftigen Nester und legen ihre weißen Eier. Sie sind weder richtig noch falsch noch wichtig oder unwichtig oder sonst was. Aus dem Vergessen sind diese *Namenlosen* gekommen.«

»Und dann ist ein Name für sie gekommen.«

»Die Schlange im Paradies. Du sagst zu dir selber ›Taube‹, und die Taube vor deinen Augen wird von allem korrumpiert, was du über Tauben weißt. Du siehst deine *Vorstellung* von einer Taube.«

»Weil du nicht anders kannst. Weil aus dem Vergessen ein Mund gekommen ist. Und Stimmbänder. Und ein Gehirn.«

»Und eines Tages verschwinden die Namen. Sie spielen keine Rolle mehr. Sie sagen dir nichts.«

»Was ist das hier?« Ich nehme seinen Fuß.

»Mein Fuß.«

Ich habe ihn nicht verstanden. Er bestreitet nicht, dass die Dinge Namen haben. »Dein *kalter, knochiger* Fuß«, sage ich und lasse ihn los. Ich drehe mich um und schaue ihn an. »Gib dir mehr Mühe. Okay? Sei stark. Warum kannst du nicht stark sein?«

»Ich bin nicht sehr gut für dich, nicht wahr?«

»Du bist ausgesprochen schlecht für mich.«

»Tut mir Leid.«

»Es soll dir nicht Leid tun. Sei lieber wütend.«

»Sei wie du.«

»Genau. Sei wie ich. Sei genau wie ich!«

# 31

**Obwohl Don Shaw vermutlich weiß,** dass es aus ist mit uns, und zwar alles, mein Job eingeschlossen, möchte ich ihm keinen Vorwand liefern, mich zu Hause anzurufen, deshalb gehe ich, nachdem ich aus seiner Wohnung gestürmt bin, direkt zum Laden.

Ich lasse das Licht aus. (Ich sehe gut genug in dem nervösen Lichtschein der ewig flackernden Neonröhre im Sanitärgeschäft gegenüber.) Ich gehe zum Ladentisch, nehme ein Blatt Papier und einen Stift und setze mich auf den Hocker. Zwischen den Beinen bin ich noch feucht. Der würzige Geruch seines Rasierwassers haftet an meiner Kleidung. Ich denke daran, wie er aussah, als er gekommen ist, diese mörderische Grimasse, die mir jetzt komisch und zugleich furchtbar erscheint. Wie konnte er nur überrascht sein, dass ich weggelaufen bin? Ich fühle mich schuldig, aber auch ein bisschen benutzt und finde mein Verhalten mehr als gerechtfertigt. Alles in allem bleibt ein tüchtiges und tugendhaftes Gefühl übrig, als hätte ich einen Schrank ausgemistet.

Was soll ich schreiben? Wie wäre es mit einer Variante des Abschiedszettels meiner Mutter? »Ich bin weg, ich komme nicht wieder, Buddy weiß, wie man die Rechenmaschine bedient.« Oder: »Die Wahrheit wird dich befreien.« Bloß das. Soll er, der glaubt, mich so gut zu kennen, ruhig ein wenig grübeln.

Schließlich schreibe ich: »Lieber Don Shaw. Ich habe beschlossen, Deinen Rat zu befolgen und ›gefährlich zu leben‹. Tut mir Leid, dass ich Dich im Stich lasse. Als Teilentschädigung lege ich meinen Lohnscheck bei. Auf Wiedersehen und viel Glück. Mit schönen Grüßen, Madame Kirk. P.S. Gestern Abend war sehr schön.«

Das P.S. soll ihn für die »schönen Grüße« entschädigen. Nicht mal als Formalität bringe ich es über mich, »in Liebe« zu schreiben.

Mit »Sehr schön« meine ich den Abend, durch den wir gelaufen sind – die Zichorienblumen, die Frau in der Cafeteria. Natürlich wird er glauben, ich meine den Sex. Das kann er ruhig.

Ich falte das Blatt und lege es auf das Kassenbuch. Nachdem ich die Tür von außen abgeschlossen habe, werfe ich den Schlüssel durch den Briefschlitz. Das Klimpern, als sie auf den Boden auftreffen, lässt mich einen Augenblick innehalten, und ich sehe mich selber, wie ich mit Don Shaw zusammenlebe, mit ihm verheiratet bin, mit unseren pummeligen, grashaarigen Kindern zu Hause sitze. Könnte ich das ertragen? Wahrscheinlich schon, irgendwie. All meine Zukünfte, diese ersten dürftigen Proben eingeschlossen, müssen erträglich sein, so scheint es mir, wenn ich sie mir vorstellen kann.

Mitte September finde ich eine Wohnung. Ein Studio im obersten Stock eines dreistöckigen Hauses, an der Ecke nach vorne raus, sodass es Fenster nach zwei Seiten hat. Es ist kaum größer als die Wohnung, die Don Shaw mir andrehen wollte, aber es liegt in einer viel besseren Gegend, und die U-Bahn ist ganz in der Nähe. Es hat auch mehr Charakter: dunkle Holztäfelungen; einen von den alten Fünfziger-Jahre-Kühlschränken mit runden Ecken. Und ein Bett, das aus dem Schrank fällt, wenn man eine Doppeltür aufmacht. »Ein Murphy-Bett!«, ruft mein Vater, als er es sieht. Er sagt, sein Erfinder, William L. Murphy, hat auch den Spannmechanismus in Haarspangen erfunden, eine Bemerkung, die Mrs. Carver ein verächtliches Schnauben entlockt, und mir fällt ein, dass ihr toter Ehemann, das Genie, dem jede Idee unter den Händen weggeklaut wurde, den elektrischen Lockenstab erfunden hat.

Das Schnauben ist vielsagend. Früher war sie in Gegenwart meines Vaters immer ganz nervös, rannte aus dem Zimmer, sobald er hereinkam, griff sich ans Herz, wenn ihm ein Ausruf entfuhr. Ob er es merkt oder nicht, die beiden benehmen sich inzwischen wie ein Ehepaar, und wenn sie das rückwärts in die Romanze führt, dann soll es mir recht sein. Ich werde sowieso schon für Mrs. Carvers Tochter gehalten. Am Tag des Umzugs nennt mein Vermieter sie und meinen Vater »Ihre Eltern«, und ich belasse es dabei. Den restlichen Nachmittag über schaue ich sie mir unwillkürlich genauer an, diese energische kleine Frau, die mithilft, Kisten in den Fahrstuhl zu schleppen, und als wäre ich der Vermieter, denke ich, klar, woher ich meine dunklen Augen habe.

Jedenfalls ist es ein Glück, dass mein Vater zu Hause jemanden hat. Obwohl er mir beim Packen zugeschaut hat, verblüfft ihn mein tatsächlicher Weggang. Obwohl ich ihm erzählt hatte, dass ich für den Transport meiner Kommode, meines Schreibtisches, meines Sessels und des gläsernen Couchtisches aus dem Keller einen Pritschenwagen gemietet habe, sagt er beim Anblick des Wagens in der Einfahrt: »Was macht der denn hier?« Nur das Murphy-Bett heitert ihn auf. Ansonsten seufzt er und macht Bemerkungen darüber, dass ich flügge werde, auf eigenen Füßen stehe, in die weite Welt hinaus ziehe. Zweimal holt er seine Brieftasche hervor und zählt Geldscheine ab, aber ich schiebe seine Hand weg und erkläre ihm, dass ich gut zurechtkomme, ich habe massenweise Geld. Ich habe einen Job!

Noch nicht ganz. Aber ich habe mich vergangenen Freitag bei einer Maklerfirma beworben und hatte das Gefühl, einen guten Eindruck auf die Personalchefin Miss Penn gemacht zu haben, eine bedrückt wirkende Frau, die während des Gesprächs die meiste Zeit zum Fenster gewandt saß und hinausstarrte. Dass ich den Steno-Test nur knapp bestanden hatte, schien nicht so schlimm zu sein. »Na ja«, sagte sie und warf meine Abschrift in den Papierkorb. Außerdem hat sie sich vernichtend über meine beiden Konkurrentinnen geäußert: eine Akademikerin mit »einem Komplex, so groß wie die Schreibmaschine da drüben« und ein »Kind der Liebe« mit »Haaren bis hierher und schmutzigen Fingernägeln«. Trotzdem rechnete ich mir keine großen Chancen aus, bis ich als Antwort auf die Frage: »Warum wollen Sie diese Stelle?« mit: »Meine Tante, die wie eine Mutter für mich war, hat auch in einem Maklerbüro gearbeitet« herausplatzte (war das der Grund?, fragte ich mich, während ich das sagte) und Miss Penns Profil matt lächelte und sie sagte: »Ja, so eine Tante hatte ich auch.«

Sie ruft am Donnerstag an, um mir die Neuigkeiten mitzuteilen. Ich soll am Montag anfangen. Ich nutze mit Hilfe der Nachrichtensprecher im Radio die Zeit zum Diktatüben und um die mit Tesafilm gekürzten Säume der Röcke und Kleider meiner Mutter, deren Sachen ich vor den Augen meines Vaters aus dem Schrank geholt habe (bisher das eindeutigste Zeichen dafür, dass seine romantischen Gefühle sich gewandelt haben), wieder auszulassen. Der Mann, für den ich arbeiten soll, Mr. Fraser, ist einer der Seniorpartner, dessen Sekretärin siebenunddreißig Jahre lang für ihn tätig war und jetzt nach langem Kampf an Krebs gestorben ist. Ich habe ein bisschen Angst davor, ihren Posten zu übernehmen, aber ich denke nicht allzu viel darüber nach. Erst Sonntagabend im Bett versuche ich, mir mich bei der Arbeit vorzustellen, komme aber über das Einschalten der Schreibmaschine nicht hinaus. Wie viele Kopien müssen von einem Brief gemacht werden? Nimmt man dafür Durchschlagpapier oder benutzt man den Fotokopierer? Was genau ist eine Aktie? Was konkret? Und was ist der Unterschied zwischen einer Aktie und einem Wertpapier? Und wo wir schon dabei sind, was ist der zwischen einer Stenotypistin und einer Sekretärin? Ich wälze mich herum, das Murphy-Bett wackelt auf seinen dünnen Metallbeinen, und ich mache mir Sorgen, es könnte von alleine hochschnappen und mich zerquetschen.

Mein Wecker mit Leuchtanzeige sagt zehn vor eins. Zehn vor zehn an der Westküste. Ich hasse es, dass Abel für mich noch so präsent ist, dass ich halb nach Vancouver-Zeit lebe. Beim Frühstück denke ich, er schläft noch. Zur Mittagszeit stelle ich mir vor, wie er zur Schule aufbricht oder, jetzt im Sommer, wie er sich im Schlafanzug ans Klavier setzt und ein melancholisches Stück anschlägt. Ich kann es nicht lassen. Es ist eine Art obsessiver, hellseherischer Voyeurismus. Nein, es ist viel aktiver und verdorbener, es ist der Versuch, per Fernhypnose Kontrolle über ihn auszuüben. Ich erhebe Einspruch gegen Sex und Mädchen, aber nicht gegen die Melancholie. Die Melancholie verstärke ich.

Ich stehe auf und gehe in die Küche, um mir eine Tasse heiße Milch mit Honig zu machen. Vorsichtig, aus großem Abstand (beim einzigen anderen Mal, als ich den Herd benutzt habe, habe ich mir die Haare verkohlt), zünde ich einen Gasbrenner an. Flammen schießen empor. Ich drehe sie kleiner, aber dadurch geht der Brenner gleich ganz aus. Ich zünde ihn wieder an, und jetzt zischt es nur. Ich probiere einen anderen Brenner. Wieder zischt es. Der Zündbrenner, wo immer der sich befindet, muss ausgegangen sein. Ich schalte alles aus, auch die Küchenlampe, lasse die Milch im Topf und setze mich an den Schreibtisch, auf den einzigen Stuhl. Die Kirchturmuhr gegenüber schlägt. Ich stelle mir Abel vor, wie er auf dem Sofa liegt und eine Platte hört, etwas Düsteres, Intellektuelles. Eric Satie. Nebenan klingelt ein Telefon. Fünf, sechs, sieben Mal, bevor es aufhört. Ich schaue mein eigenes Telefon an. Ich habe mir ein schwarzes ausgesucht, denn die Alternativen – weiß oder pink – erschienen mir zu frivol für das eventuelle Werkzeug meines Verderbens. Es wäre ganz leicht, ihn anzurufen. Niemand, der mithören könnte, keine verräterische Nummer in Vancouver, die auf der Rechnung meines Vaters auftaucht.

Ich nehme den Hörer ab. Herein schwebt der Engel der Liebe. Ich wähle die Null, und die Vermittlung geht sofort ran, was mich überrascht. Ich beantworte ihre Fragen, tue so, als wolle ich tatsächlich anrufen (sobald sie mich durchstellt, werde ich auflegen), aber statt dass es klingelt, spricht plötzlich jemand am anderen Ende.

»Wie bitte?«, sage ich.

»Ihr Gesprächspartner scheint umgezogen zu sein«, sagt die Telefonistin.

»Umgezogen?«

»Hat den Wohnsitz gewechselt.« Sie wiederholt den Namen und die Nummer, die ich angegeben habe. »Stimmt das?«

»Ja, aber…«

»Wenn Sie einen Moment dranbleiben möchten, erkundige ich mich, ob eine neue Nummer hinterlassen wurde.«

In der Pause ringe ich nach Luft. Ich stelle mir das verlassene Haus in Vancouver vor, die vorhanglosen, schwarzen Fenster.

»Es ist eine Nummer in Toronto«, sagt die Telefonistin. Sie rasselt sie herunter.

Ich unterbreche sie. »Nein«, sage ich. »Ist schon gut.«

»Wollen Sie denn nicht –?«

Ich lege auf. Wie erstarrt warte ich auf ihren Rückruf. Als die Gefahr vorüber scheint, stehe ich auf und gehe ans Fenster.

Er ist hier. Und ich habe monatelang sein Leben in Vancouver vor mir gesehen. Ich komme mir dumm vor, ausgetrickst. Warum hat er nicht versucht, mich zu treffen? Ach ja, ich weiß, warum. Wenn er angerufen und mein Vater ihm meine neue Nummer gegeben hätte und ich ans Telefon gegangen wäre und er sich gemeldet hätte, hätte ich ihn dann überhaupt zu Wort kommen lassen? Vielleicht. Aber das kann er nicht wissen.

Auch gut.

Ich bleibe am Fenster stehen und betrachte die leere Kreuzung. Die Ampellichter wechseln weiter. Eine Katze überquert bei Rot. Ich zähle die Sekunden, die jede Farbe bleibt; ich habe nichts Besseres zu tun. Ich bin allein, abgeschnitten von der Welt in einer Wohnung, in der dem Bett, dem Ofen und dem Telefon nicht zu trauen ist. In ein paar Stunden trete ich eine Stellung an, aus der man mich mit ziemlicher Sicherheit wieder feuern wird. Ich werde einen gelbkarierten Rock mit passender Weste tragen, der vor zwanzig Jahren aus der Mode gekommen ist.

Ob er manchmal an mich denkt? Schaut er in den Himmel und denkt: »Louise sieht den gleichen Himmel«? *Da, eines kleinen Lappens azurdunklen Schein erblickt man plötzlich, den ein kleiner Zweig umwindet, durchbohrt von einem bösen Stern.*

Ich gehe zum Schrank im Flur und hole meinen Schmuckkasten vom obersten Regal. Ich besitze keinen Schmuck, ich trage keinen. Was ich darin aufbewahre, sind die beiden Briefe, die er mir geschickt hat, ehe ich nach Vancouver geflogen bin. Ich weiß nicht, warum ich sie aufgehoben habe. Ich habe sie seit fast einem Jahr nicht mehr angesehen.

Ich lese beide in der Erwartung, diesmal etwas anderes zu empfinden, spüre aber nur wieder das alte Erstaunen und die alte Wut. Warum gerade diese Gedichte? Und warum sagt er mir, Schönheit sei Wahrheit und Wahrheit Schönheit, und dass die Wahrheit mich befreien wird? Die Wahrheit, als ich darauf gestoßen bin, hat mich an Selbstmord denken lassen.

Dann wende ich mich den Zeichnungen zu. Die Seeanemone. Ich habe sie nie richtig gewürdigt, sie ist wirklich sehr schön, sehr komplex. Na ja, er ist begabt, das habe ich nie bestritten. Die andere Zeichnung ist die von ihm und mir in Mönchsroben: »Abelard und Höll-Louise«, wie er darunter geschrieben hat.

»Nein, das sind wir nicht«, denke ich. »Wir sind nicht die beiden.« Abelards und Héloises Liebe war unzerstörbar, und alles, was sie erlitten haben, kam von außen. Bei Abel und mir kam der Angriff von innen. Von ihm.

»Er liebt mich nicht«, denke ich. Ich habe diesen Gedanken so oft gedacht, dass ich ihn kaum noch als Feststellung wahrnehme. Er ist zu einer Art Mantra geworden, das ich aufsage, um mir nie wieder Hoffnung zu machen.

Ich lege die Briefe zurück in den Kasten, stelle ihn weg und zerre dann meine Decke und mein Kopfkissen auf den Boden. Ich lege mich auf den Rücken und betrachte die Lichtstreifen, die durch die Jalousie auf die Decke fallen. Ich habe keine Angst mehr. Ich bin nicht einmal mehr ärgerlich. Vermutlich sollte ich mich verlassen fühlen oder deprimiert sein, und vielleicht bin ich das auch unterschwellig. Aber mein einziges bewusstes Gefühl ist eine zärtliche Neugier gegenüber der Person, die ich geworden bin, eine wiedererlangte Ruhe, die dieses Zimmer und diese Nacht vereinnahmt, von ihnen aber nicht beeinflusst wird. Sie geht von mir aus. Ich spüre, wie sie meinen Körper in Wellen verlässt, wie ein Signalton.

# 32

**Auf dem Schulhof tun Abel** und ich weiterhin so, als würden wir uns nicht kennen, aber ich lasse ihn nicht aus den Augen. Er drückt sich am Zaun herum und wird allgemein ignoriert, außer wenn er die Aufmerksamkeit von Jerry Kochonowski erregt, dem mit dem kantigen Kopf, dem blonden Bürstenschnitt und dem Glasauge. Letztes Jahr hat Jerry immer gerufen: »He, Kraut! Wie viele Juden hat dein Nazi-Vater umgebracht?« Jetzt ruft er: »He, Nazi! Heute schon 'nen Juden umgebracht?« oder »Zeig uns doch dein Hakenkreuz!« Seine Freunde scheinen dieses Spiel leid zu sein, aber keiner von ihnen sagt etwas. Jerry ist ein Schläger aus einer Schlägerfamilie, seine älteren Brüder sitzen alle naselang im Knast, und sein Vater verprügelt ihn mit einem Brett.

»Knallt's mir mit voller Wucht vor die Birne«, prahlt er und liefert damit unfreiwillig die Erklärung, wie er zu seinem Auge gekommen ist.

Niemand, Jerry vermutlich am allerwenigsten, erwartet, dass Abel auf die Verhöhnungen antwortet. Ich sage auch nichts, so schwer es mir fällt. Es würde alles nur noch schlimmer machen, wenn ein Mädchen von meinem geringen Ansehen ihm zu Hilfe käme, obwohl ich nur deshalb schweige, weil Maureen Hellier nicht merken soll, dass er mir etwas bedeutet. Ausgerechnet sie ist die einzige, die Jerry sagt, er soll ihn in Ruhe lassen, und sie ist so selbstsicher, so unempfindlich gegen Hänseleien, dass Jerry manchmal nachgibt. Wenn nicht, verpetzt sie ihn bei der Pausenaufsicht. Dann trotten sie und ihre Freundinnen zu Abel hinüber – vor ihnen gibt es kein Entkommen – und lassen sich lang und breit darüber aus, wie schrecklich Jerry ist und dass Adoptivkinder nicht anders sind als andere Kinder und dass Abels richtige Eltern bestimmt Kanadier sind, aber selbst wenn nicht, dann ist das nicht schlimm, schließlich haben viele Leute deutsche Verwandte. »Rücksichtslosigkeit ist der Grund, warum es Kriege gibt«, erklärt Maureen unweigerlich irgendwann. Später, wenn Abel und ich uns treffen, versuche ich ihn dazu zu bringen, dass er zugibt, dass sie eine blöde Besserwisserin ist. Er interessiert sich dann plötzlich sehr für irgendein Blatt oder Insekt. Wenn wir gerade bei ihm in der Küche sind, geht er ins Wohnzimmer und fängt an, Klavier zu spielen.

Ich lasse mich neben ihn auf die Bank gleiten. Der Engel der Liebe ist auch da und lässt Licht auf die Tasten strömen. Meistens spielt Abel etwas von Bach, denn der ist sein Lieblingskomponist, und jetzt auch meiner. Ich mag das Frische, Geheimnisvolle an der Musik; es erinnert mich an die Schlucht, wie wir unter den Kiefern liegen und das Sonnenlicht wie Splitter durch die Nadeln fällt.

Ich kann mir nicht vorstellen, dass irgendjemand besser spielt als er, aber das sage ich ihm nicht, denn sonst würde er mir eine Plattenaufnahme von demselben Stück vorspielen und ich müsste den Unterschied heraushören. Was ihn stört, ist nicht das Kompliment, sondern die ungenaue Wahrnehmung, die Nachlässigkeit. Wenn ich einen Ochsenfrosch Kröte nenne oder einen Grashüpfer Heuschrecke, dann ist er genauso wild darauf, mich zu korrigieren. Wenn ich Jerry auf der anderen Seite der Schlucht entdecke und sage: »Da ist der Doofkopf!«, dann verbessert er mich auch noch jedes Mal, allerdings indirekt; er sagt: »Blonder Junge um vier Uhr«, als wäre diese neutrale Ausdrucksweise bloß eine Bestätigung.

Als die Tage kürzer und kälter werden und der Schnee schon Mitte November hoch liegt, sehen wir Jerry, oder auch andere, immer seltener in der Schlucht. Wir selber gehen immer noch nach der Schule hinunter, wenn auch nicht mehr so oft. Abel zieht seine nächtlichen Streifzüge, wie er es nennt, vor, und ein- bis zweimal die Woche schleiche ich mich aus dem Haus und gehe mit, jedenfalls, wenn kein Schlechtwetter vorhergesagt wurde. Das ist nicht so einfach. Ich muss meinen Schneeanzug, Mütze, Schal, Handschuhe und Stiefel in mein Schlafzimmer schmuggeln, bis Mitternacht wach bleiben und dann durchs Fenster hinausklettern, ohne meinen Vater zu wecken.

Wenn wir das im Sommer gemacht haben, zirpten die Grillen, und manchmal bellte irgendwo ein Hund. Aber im Winter gibt es keine Geräusche, die nicht von uns stammen. Das unvermeidliche Pfeifen, das meine Hosenbeine beim Gehen erzeugen, schneidet scharf durch eine Welt, die den Atem anhält. Wir lassen unsere Taschenlampen aus, bis wir in der Schlucht sind, und dann suchen wir nach Tierspuren. Auf Kammlinien oder unten am Fluss treffen wir manchmal auf die hübsche, schnurgerade Fährte eines Rotfuchses. Die gleichen Spuren, aber unordentlich und geschlängelt, bedeuten, es war ein Hund. Abdrücke, die kleinen Menschenfüßen ähneln, stammen vom Stinktier. Wir suchen nach verlassenen Vogelnestern und besuchen die, die wir schon kennen. Im Spirea-Gebüsch ist ein Spatzennest, das mit blauer Angelschnur zusammengehalten wird und mit etwas, das wir für den roten Faden halten, den man abzieht, um eine Pflasterpackung zu öffnen. Ganz in der Nähe, gefährlich locker an einem Ast baumelnd, aber jedes Mal noch an Ort und Stelle, hängt ein Amselnest in Form eines holländischen Holzschuhs.

Gegen zwei Uhr machen wir uns auf den Rückweg. Meistens hören wir seine Mutter rufen, wenn wir ins Wohnviertel zurückkehren.

»Was glaubt sie, wo du hingehst?«, habe ich beim ersten Mal gefragt.

Er sagte, er wüsste es nicht.

»Fragt sie nicht, wo du warst?«

»Sie freut sich bloß, mich gefunden zu haben. Ich lasse mich immer finden.«

»Und sie ist nicht böse?«

»Sie würde vermutlich sowieso spazieren gehen. Sie hat Insomnie.«

»Was ist das?«

»Wenn man nicht schlafen kann.«

»Aber macht sie sich denn keine Sorgen, dass du nicht genug Schlaf bekommst?«

»Ich habe auch Insomnie.«

Unter meinem Fenster faltet er die Hände zu einer Stütze, und ich klettere aufs Fensterbrett. Er wartet, bis ich drin bin, dann geht er in die Richtung, aus der die Rufe seiner Mutter kommen. Ich fühle mich dann immer ein bisschen verlassen. Nie scheint er uneinnehmbarer oder mehr er selbst, als nachts von hinten, wenn er weggeht.

Anfang Juni hat Abel offenbar ein weiteres Schuljahr unversehrt überstanden. Er gibt sich jedoch nicht erleichtert, er spricht nicht davon, knapp dem Tode entronnen zu sein. Er spricht vom Erfolg seiner Strategie, so als wäre Jerry Kochonowski bloß ein Element in einem gelungenen Experiment.

»Ich habe ihn total ignoriert«, sagt er. »Ich habe mich tot gestellt. Wenn man sich tot stellt, lähmt das den Tötungsinstinkt des Raubtiers.«

Oder es schärft ihn.

Eines Tages habe ich nach der Schule einen Zahnarzttermin, daher treffe ich erst um halb fünf in der Schlucht ein. Abel hat gesagt, er wäre im Färberbaumwäldchen, aber dort ist er nicht. Ich benutze den Krähenruf, den lautesten und dringlichsten aus unserem Repertoire. Keine Antwort. Krächzend laufe ich umher. Ich gehe zur Höhle, zurück zum Wäldchen, hinunter zum Fluss. Ich klettere zum Vorsprung hoch und spähe in mein altes Fort. Ich klettere weiter nach oben. Von hier kann ich den Fluss und das Klärwerk sehen. Die Männer machen langsam Feierabend. Vielleicht weiß Al etwas. Al, der Manager, der uns einmal eine Tüte grüne Pfefferminzbonbons geschenkt hat und dessen Gesicht so faltig und schelmisch aussieht, dass ich ihn mir nicht mehr als Spion vorstellen konnte. Ich renne eilig nach unten. Ich bin gerade auf der Höhe des Vorsprungs, als ich einen Jungen über die Lichtung von Camp Wanawingo rennen sehe. Nicht Abel, sondern einen blonden Jungen.

Jerry Kochonowski. Allein.

Ich stolpere den Rest des Weges nach unten. Ich renne und schreie: »Abel!« Egal, wer es hört. Meine Beine fühlen sich wie Baumstämme an. Die Brücke ist zu weit weg. Ich renne direkt ins

Wasser, das an der Stelle nur knietief ist, aber so faulig, dass ich nie auch nur einen Finger hineingesteckt habe.

Er taucht hinter einem Busch auf. Er hat sein Hemd ausgezogen und hält es über sein rechtes Auge. »Keine Angst«, sagt er und kommt zum Ufer. »Mir geht's gut.«

»Was ist passiert?« Ich stapfe mühsam aus dem Wasser. »Was hat er gemacht?«

»Ein Stück Ziegelstein geworfen.«

»Lass mal sehen.«

Er nimmt das Hemd weg, und zum Vorschein kommt eine gezackte Platzwunde.

Ich halte mir beide Hände vor den Mund.

»Es koaguliert schon«, sagt er.

Ich weiß zwar nicht, was das bedeutet, aber es klingt schlimm. »Komm schnell«, sage ich, »lass uns zum Werk gehen, ehe sie zumachen. Vielleicht haben sie dort einen Verband oder so was.«

»Ich brauche keinen Verband. Ich muss nur weiter Druck auf die Wunde ausüben.«

»Wir sollten nach Hause gehen und einen Arzt rufen.«

»Ich muss mich hinsetzen.« Er sinkt in den Sand.

Ich lasse mich neben ihn fallen. »Ich habe ihn weglaufen sehen. Ich wusste, dass er dir etwas getan hat. Ich…« Meine Stimme bricht.

»Schon gut. Mir geht's gut.«

»Aber was ist passiert?«

»Ich suchte gerade nach der Kröte, die wir gestern gesehen haben. Da hörte ich ein Rascheln im Gebüsch da drüben und dachte, du wärst es…«

»Ich würde doch nicht rascheln«, sage ich verzweifelt.

»Ich bin rübergegangen, um nachzusehen, und es war Jerry, der dort hockte und sich versteckte, da dachte ich, lieber schnell weg, und rannte los, aber er schrie ›Hilfe!‹, also lief ich zurück, und da hat er den Stein geworfen und ist dann gleich abgehauen.«

»Gemeiner Doofkopf! Ich hasse, hasse, hasse ihn. Wir müssen die Polizei rufen.«

»Nein.«

»Warum nicht?«

»Es ist ja vorbei.« Er nimmt das Hemd von seinem Gesicht. »Wie sieht es aus?«

»Scheußlich. Ach herrje, dein Hemd ist schon ganz blutig.« Ich trage eine hellblaue Baumwolljacke über meiner Bluse, die ziehe ich aus und reiche sie ihm. »Hier, nimm die.«

»Echt? Das Blut geht vielleicht nicht wieder raus.«

»Dann verbrenne ich sie eben.«

Er faltet die Jacke zu einem Viereck. »Nicht weinen, okay?«

»Hast du mich nicht rufen hören?«

»Ich war kurz ohnmächtig.«

»Ohnmächtig?« Ich springe auf. »Ich gehe zum Werk, und zwar sofort!«

»Nein.« Er greift nach meiner Hand und zieht mich nach unten. Meine Hand in seiner bringt mich zum Schweigen. Er sagt: »Ehe du gekommen bist, habe ich Konzentrationsübungen gemacht. In Siebenerintervallen von Hundert rückwärts gezählt. Ich bin ziemlich sicher, dass ich keinen Gehirnschaden habe. Klinge ich wie immer?«

»Er hat versucht, dich umzubringen.«

»Wir sagen niemandem etwas davon, ja?«

»Und deine Eltern?«

»Ich sage, ich bin gestolpert und auf einen Stein gefallen. Einen spitzen Stein.«

»Du willst ihn davonkommen lassen?«

»Er wird es nicht noch mal machen.«

»Woher weißt du das?«

»Ich weiß es eben. Versprich mir, dass du niemandem etwas sagst.«

Schluchzer steigen mir die Kehle hoch. Sein Gesichtsausdruck ist verwirrend mitfühlend, so als wäre ich diejenige, die blutet. Als ich wieder sprechen kann, sage ich: »Okay, aber nur wenn er dich von jetzt an in Ruhe lässt.«

»Mach dir keine Sorgen.«

Er legt sich auf den Rücken. Ich ebenfalls. Er dreht mir den Kopf zu und hält dabei mit dem Ellbogen die Jacke fest. Wir halten uns immer noch an den Händen. Er sagt: »Du musst dir die Füße und die Beine waschen, wenn du nach Hause kommst. Und deine Schuhe.«

»Mach ich.«

»Wein doch nicht.«

»Was, wenn ich weine, weil ich dich liebe?«

Er blinzelt. Aber er schaut nicht weg. Er überlegt, denkt über die Frage nach. »Tust du das?«

Ich küsse ihn auf den Mund. Er schließt die Augen. Ich küsse ihn fester. Er lässt meine Hand los, legt einen Arm um mich, und wir rollen uns auf die Seite, sodass wir uns anschauen können. Wir pressen unsere Lippen und Körper aneinander. Ich kann dem Gefühl, das dadurch ausgelöst wird, gar nicht nah genug kommen. Als wir aufhören, ist die Jacke von seinem Gesicht gefallen. Der Anblick der Wunde, die ich fast vergessen hatte, lässt mich zusammenfahren.

»Blutet es noch?«, fragt er.

»Ein bisschen. Es schwillt an.«

Er legt die Jacke wieder drauf. »Vielleicht muss ich doch genäht werden.«

»Dann sollten wir lieber gehen.«

»Gleich.«

»Tut es nicht weh?«

»Nicht sehr doll.«

Er starrt mich an. Sein Gesicht wirkt Jahre jünger. Ich sage: »Du liebst mich auch.«

Er nickt.

»Du liebst mich sogar sehr.«

Er nickt.

Wir küssen uns andauernd. Beim Steinesammeln oder Beerenpflücken werfen wir uns plötzlich einen Blick zu, so als hätten wir beide ein seltsames Geräusch gehört, und auf der Stelle suchen wir nach einem stillen Plätzchen. Wir sagen nichts; es gibt keine Einleitung. Kaum haben wir uns hingelegt, küssen wir uns.

Wir sind inzwischen so weit, dass wir dabei den Mund aufmachen. Unsere Zungen berühren sich, und wir saugen an der Unterlippe des anderen. Ich habe eine ungefähre Vorstellung von Geschlechtsverkehr, aber ich kann mir nicht vorstellen, dass man irgendetwas Sexuelleres als dies hier tun kann. Wenn es vorbei ist, ehe wir aufstehen, sage ich ihm manchmal, dass ich ihn liebe, und er sagt: »Okay.« Dann sage ich: »Du liebst mich«, und er wird rot und sagt: »Ja.« Über das Küssen sprechen wir nie.

Auch nicht über die Narbe. Er weigert sich. Sie hat die Form eines auf der Seite liegenden Z, was ihn heimlich freut, vermute ich, denn es könnte das Zeichen Zorros sein. Neun Stiche waren nötig. Wir bleiben bei unserer Lüge, aber sein Vater schien zu wissen, dass der Stein, wenn es einer war, geworfen wurde. Er sagte: »Hast du dich denn beim Fallen nicht mit den Händen abgestützt?«, und Abel steckte die Hände in die Taschen und schüttelte den Kopf.

»Wo genau war denn dieser Stein?«, hat Mr. Richter daraufhin gefragt.

Wieder zögerte Abel, deshalb sagte ich: »Wo das neue Haus gebaut wird, beim Spruce Court«, und Mr. Richter schaute mich mit einem ernsten, ungläubigen, aber nicht unfreundlichen Blick an. Mrs. Richter, die schon oft an diesem Haus vorbeigekommen ist und die Stapel von ausgegrabenen Steinen gesehen hat, rief: »Abel, Louise hätte in die Grube fallen können!«

»Louise ist sehr vorsichtig«, murmelte Abel.

»Louise ist sehr lieb«, rief Mrs. Richter und umarmte mich, »dir ihre Jacke zu geben, die jetzt hin ist.«

Ich bin nicht vorsichtig. Ich bin auch nicht lieb. Ich bin rachsüchtig, jawohl, das bin ich.

Seit Abel tot ist, denke ich oft, dass ich ihm ermöglicht habe, edelmütig zu bleiben, indem ich ständig in seinem Namen wütend wurde. Oder ich habe ihm keine andere Wahl gelassen. In meiner Gegenwart hat er nie zugegeben, dass irgendjemand auch nur nervig war, geschweige denn bescheuert oder gemein. Aber warum sollte er auch, wo ich doch zuverlässig immer das Schlimmste sagte? Anders als er wollte ich Rechnungen begleichen. Ich verstand die

Auge-um-Auge-Haltung sehr gut. Die Halt-die-andere-Wange-hin-Haltung dagegen kam mir in beinahe körperlichem Sinne falsch vor, wie eine Bedrohung des natürlichen Gleichgewichts und der Ordnung.

Ich finde es empörend, damals, Jerry unbestraft in der Schlucht zu sehen, wie er dreist auf der Brücke sitzt und angelt oder Lagerfeuer macht, die er nie richtig löscht, sodass wir später Wasser darauf schütten müssen. Neuerdings ist er meistens allein, seine Bande ist ihm auf geheimnisvolle Weise abhanden gekommen, und ich sage zu Abel, warum fangen wir ihn nicht und fesseln ihn in der Höhle? Lassen ihn zerstoßenes Glas schlucken? Oder schieben spitze Zweige unter seine Fingernägel? In der Schlucht machen Abel und ich uns jetzt nicht mehr die Mühe, Abstand voneinander zu halten, aber wenn ich so rede, versucht er immer außer Hörweite zu gehen. Oder er will einen Handel machen. »Lass uns einen Stichtag festlegen«, sagt er zum Beispiel. »In genau einer Woche sprichst du nicht mehr von Jerry. Nie mehr.«

»Und wenn doch?«, sage ich.

»Dann hast du den Stichtag verpasst.« Er sagt es, als wäre das furchtbar, und allein das Wort Stichtag klingt erschreckend genug, um mich vorübergehend zum Schweigen zu bringen.

Und dann kommt ein echter, eindeutiger Stichtag. Er erzählt mir, dass er am einundzwanzigsten Juli mit seinen Eltern für drei Wochen nach Vancouver fährt, um Mr. Richters Bruder zu besuchen, Onkel Helmut, der sie überreden will, dorthin zu ziehen.

»Wollt ihr etwa umziehen?«

»Keine Ahnung.« Er zuckt die Achseln. »Vielleicht.«

Da ist er also: Ein Tag, der mir einen Stich versetzt, der wie ein Todesstoß ist.

Am Morgen ihrer Abreise regnet es. Ich helfe Mrs. Carver bei der Zubereitung eines Eintopfs, indem ich Möhren und Selleriestangen in die pillengroßen Stückchen schneide, die sie verlangt. Danach schaue ich mir im Fernsehen einen Film über einen Komponisten an, der jung stirbt und in der letzten Szene blutüberströmt am Klavier sitzt. Ich weine still, genau wie die Freundin des Komponisten, George. Als der Film zu Ende ist, hat es aufgehört zu regnen. Ich beschließe, hinunter in die Schlucht zu gehen, was soll's.

Ich gehe in die Höhle und setze mich einfach hin. Mein Kopf ist leer, ich denke an nichts. Hinter mir, wo die Fledermäuse schlafen, tickt etwas. Wasser tropft. Stichtage vergehen. Schließlich gehe ich hinaus auf den Vorsprung und überlege, ob ich Abels Gartenhandschuhe holen und die Nesseln weiter zurückschneiden soll, um unseren Ausguck zu vergrößern.

Aber ich stehe bloß da und betrachte den Pfad. Und es vergehen keine fünf Minuten, ehe ich Jerry Kochonowski heraufkommen sehe.

Es ist, als ob ein Bann von mir abfiele. Ich krieche in die Höhle und schnappe mir einen Speer. Krieche wieder hinaus. Er ist stehengeblieben und schaut sich in alle Richtungen um, aber nicht zu mir hoch. Die Spannung in meiner Brust löst sich. Er geht zu einem Steinhaufen und setzt sich hin. Eine Ruhe überkommt mich, ein einfaches Verstehen dessen, was zu tun ist. Ich gehe auf die andere Seite des Vorsprungs. Den Speer zielgerichtet in der Hand, klettere ich langsam nach unten. Ein Schritt, dann eine Pause, um zu sehen, ob er mich gehört hat, dann der nächste Schritt. Als er sich umdreht, bin ich schon direkt hinter ihm.

»Oh«, sagt er und steht auf. »Hallo.«

Sein Gesicht ist gerötet, sein Glasauge fällt zur Seite, als schaue es zu einem Komplizen. Instinktiv schiele ich auch in die Richtung.

»Hast du Wasser dabei?«, fragt er. »Ich sterbe vor Durst.«

Ich lege meinen Arm nach hinten.

Er betrachtet den Speer. »Was ist das?«

Ich schleudere ihn gegen seine Brust.

»He!«

Ich treffe ihn an der Schulter. Der Speer wackelt und fällt dann zu Boden.

»Was sollte das denn?«, fragt er.

Er blutet noch nicht mal. Ich lasse meinen Blick über die Steine schweifen. Ich greife mir einen und werfe ihn, so doll ich kann. Er duckt sich, aber der Stein trifft ihn über dem Ohr, und er gerät ins Schwanken. *Jetzt* blutet er. Er scheint es gar nicht zu merken. In seinem gesunden Auge liegt ein Ausdruck von Verständnislosigkeit und Verwirrung. Die Brutalität ist in seinem anderen Auge. Ich hebe den Speer auf. Er schaut mich an, dann den Steinhaufen. Dann dreht er sich um und stolpert den Abhang hinunter.

# 33

**Ich wache steif** und mit zusammengepressten Zähnen auf. Die Namen MacLellan, Fraser und Eliot gehen mir durch den Kopf. Wer ist das?, denke ich angstvoll. Freunde von meinem Vater? Berühmte Entdecker? Dann fällt es mir ein. Heute ist mein erster Arbeitstag.

Ich dusche, frisiere mich, ziehe meinen gelb karierten Rock mit der passenden Weste an. Aber das sind alles nur Formalitäten. Ich verstehe jetzt, warum todgeweihte Gefangene die Henkersmahlzeit essen: Man macht einfach das, was als nächstes drankommt. Es ist ganz einfach. Draußen auf der Straße schließe ich mich der Menge von Büroangestellten an, die in die U-Bahn drängen. Ich lasse mich in einen vollgestopften Wagen schieben. Ich halte mich an einer Stange fest. Die Luft hier drinnen ist erstickend, aber alle wirken ruhig und gelassen. Die Männer lesen Zeitung, die Frauen Taschenbücher. Die Atmosphäre ist würdevoll. Der Zug hält unvermittelt an, schleicht vorwärts, quietscht, fährt ruckartig weiter. Als wären wir eine einzige Körpermasse, schlingern und schwanken wir und tun so, als merkten wir nichts.

An der Haltestelle *King* leert sich der Zug zur Hälfte. Hunderte von uns laufen schnell in dieselbe Richtung. Ich empfinde das als vorübergehende Stärkung, ähnlich wie das Singen der Nationalhymne. Oben auf der Straße teilen wir uns in mehrere Reihen; meine führt westwärts, auf ein neues schwarzes Bürohochhaus zu. Ich betrete die Drehtür, die schon jemand anders in Bewegung gesetzt hat. Steige in den Fahrstuhl und starre die aufleuchtenden Zahlen an: ein umgekehrter Countdown bis zu meiner Blamage. Bei siebenunddreißig trete ich hinaus auf einen taubengrauen Teppichboden, der die Fußspuren früherer Ankömmlinge trägt. Der Maklerfirma gehört die gesamte Etage und zwei weitere dazu. Dieses Foyer mit den vier Fahrstühlen dient ihnen als Rezeption.

»Louise Kirk?«

Die Empfangsdame. Sie wirkt weit weg und einsam dort hinten.

»Ja?«

Sie lächelt und hält einen Finger hoch. »Guten Morgen. MacLellan, Fraser und Eliot.« Ich gehe zu ihr hinüber. Auf ihrem riesigen Chefschreibtisch steht neben dem Telefon, einem Stift und einem rosafarbenen Notizblock nur eine gerade Glasvase mit einer einzelnen lila Orchidee darin. Hinter ihr an der Wand hängt ein Kasten mit Fächern, die aussehen wie Vogelverschläge auf dem Bauernhof.

»Einen Moment«, sagt sie, »ich sehe nach, ob er schon da ist.« Sie rollt die Augen, als wolle sie sich über den Nerv der Leute mokieren, die vor neun Uhr anrufen. Sie hat kurzes, blondes Haar, das wie Blütenblätter gestuft ist, wie eine Blumenbadekappe. Sie ist sehr hübsch. »Guten Morgen, Mr. Gage«, sagt sie. »Soll ich Mr. Webster durchstellen?« Ihr korallenroter Nagellack passt zu ihrem Lippenstift und ihrer Bluse. Am Ringfinger der linken Hand hat sie einen weißen Streifen, wo früher ein Ring gesteckt hat. »Hallo«, – jetzt spricht sie mit mir – »ich bin Debbie Luke.«

»Hallo.«

»Pat, Sie wissen schon, Pat Penn, die Personalchefin, hat vor ein paar Minuten angerufen, um Bescheid zu sagen, dass sie heute nicht kommt. Sie hat Migräne. Die Ärmste, sie kriegt das mindestens einmal pro Woche. Besonders oft, wenn das Wetter so ist wie heute. So trübe. Dann muss sie ganz still liegen, mit kaltem Umschlag, Ohrstöpseln und Augenbinde, das ganze Programm. Muss furchtbar sein.«

All das sagt sie aufgeregt und vertraulich, wobei sie zu mir hoch und dann schnell wieder weg schaut, so als gäbe es in dem Zusammenhang noch viel mehr zu erzählen, eine überraschende, vielleicht sogar romantische Geschichte. Ich will etwas sagen, aber sie hebt eine Hand. »Guten Morgen. MacLellan, Fraser und Eliot.«

Ich frage mich, was ich wohl tun soll. Miss Penn hat mich angewiesen, mich als erstes bei ihr im Büro zu melden. Vielleicht kann ich wieder nach Hause gehen. Mein Magen krampft sich zusammen. Wenn ich jetzt gehe, ist das wie ein Ausbruch aus dem Gefängnis. Dann werde ich nicht zurückkommen.

»Der ist leider bis nächsten Dienstag außer Landes. Kann ich seiner Sekretärin etwas ausrichten?« Es folgt eine Pause, in der sie sich auf ihrem Block Notizen macht, während sie mir eine Reihe kurzer Blicke zuwirft, die illustrieren, was sie hört: etwas Erstaunliches, mal nervig, dann wieder akzeptabel. »Okay«, sagt sie, nachdem das Gespräch beendet ist. Sie wirbelt herum, um die Nachricht in eines der Fächer zu schieben. »Wir müssen uns bloß gedulden« – sie wirbelt zurück – »bis eins der anderen Mädchen auftaucht, um Sie zu Mr. Frasers Büro zu bringen. Es liegt ganz am anderen Ende. Er ist schon da. Er kommt jeden Tag um sieben. Er ist alt, wissen Sie, Witwer, steht bei Morgengrauen auf. Ich möchte ihn nicht anrufen und ihn bitten, Sie abzuholen, es ist ziemlich weit, und er geht schon ganz krumm. Aber er ist ein Schatz.« Sie wendet den Kopf, als die Tür hinter ihr aufgeht. »Sie werden ihn bestimmt ins Herz schließen. Oh. Wenn man vom Teufel spricht. Guten Morgen, Mr. Fraser.«

»Guten Morgen, Debbie.« Eine tiefe, vollmundige Stimme, wie von einem Bühnenschauspieler. Er schaut mich an. »Ich erwarte eine junge Dame…« Ein weiterer Blick.

Debbie, die gleich zu platzen scheint, so als erlebe sie ein Wiedersehen mit lange verschollenen Verwandten, nickt in meine Richtung.

»Aha!«, sagt der Mann. »Louise Kirk?«

»Ja«, sage ich. »Hallo.«

Er betrachtet mich geradeheraus, in aller Ruhe. Er ist groß, immer noch ein großer Mann, obwohl so stark gebeugt, dass er den Kopf in den Nacken legen muss, um nach vorne zu schauen. Sein Gesicht ist lang; sein offen wirkender Blick könnte zum Teil daher kommen, dass sein Kinn vorspringt. Eine mit Leberflecken in der Farbe von Erdnussbutter übersäte Glatze. Augen in der gleichen Farbe. Diesen Gesichtsausdruck, der zugleich tiefe Traurigkeit und eine ganz persönliche, unauslöschliche Freude zeigt, habe ich schon öfter bei alten Männern gesehen.

Lächelnd kommt er auf mich zu. »Freut mich, Sie an Bord begrüßen zu dürfen.«

Wir schütteln uns die Hände. »Ich freue mich, hier sein zu dürfen«, sage ich und versuche so enthusiastisch wie Debbie zu klingen. Ich hasse es, dass ich ihn enttäuschen werde und uns beiden dieser anfängliche gute Wille peinlich sein wird.

Manchmal habe ich doch Glück. Von allen Chefs in dieser Stadt gerate ich ausgerechnet an Mr. Fraser, der – das wird sofort deutlich – bloß eine Sekretärin braucht, um den Schein zu wahren, und das ist natürlich großartig, wenn man bedenkt, dass ich bloß dem Schein nach Sekretärin bin, solange ich nicht das eine oder andere gelernt habe.

Es gibt für uns beide nur sehr wenig zu tun. Darin ähnelt der Job komischerweise meinem alten, außer dass wir im Buchladen offen über unsere Nutzlosigkeit gesprochen und uns darüber lustig gemacht haben, während sie hier unerwähnt bleibt (jedenfalls zwischen Mr. Fraser und mir), wenn auch nicht unbemerkt. Wir können kaum voreinander verbergen, dass wir nur zur Arbeit kommen, um geschäftsmäßige Aktivitäten zu erfinden, mit denen wir unsere Tage ausfüllen können. Dennoch fühle ich mich weder unnütz noch überflüssig. Ich habe das Gefühl, zur Erhaltung bestimmter höherer, aber aus der Mode gekommener Tugenden beizutragen. Anständigkeit und Besinnlichkeit.

An jenem ersten Morgen vergeht mindestens eine halbe Stunde damit, dass er mich mit dem Inhalt meines Schreibtisches vertraut macht. Bettys altem Schreibtisch. Er ist aus antikem Eichenholz, hier und da etwas klebrig von Verschüttetem. Mr. Fraser und ich inspizieren als erstes die Papierlade, die drei Fächer hat, eines für Briefkopfblätter, eines für weiße Seiten, eines für das gelbe Durchschlagpapier, mit dem man Kopien erstellt. »Ich ziehe weiß vor«, sagt er zu dem Durchschlagpapier. »Aber der Mann, der die Bestellungen macht, sagt, das wird nicht mehr hergestellt.« Ich schließe die Schublade. »Tacker, Anspitzer«, sagt er zum Auftakt einer Inventarliste. »Klebstoff, Tesafilm, Büroklammern, Reiß-zwecken.« Seine tiefe Stimme und die bedeutungsvolle Aussprache verleihen jedem Gegenstand einen flüchtigen Glanz. Er zeigt mit zittrigem Finger auf die Pappschachtel mit den Reißzwecken. »Stimmt das? Reißzwecken?«

Ich öffne die Schachtel. »Ja.«

»Also wofür zum Kuckuck hat sie Reißzwecken gebraucht? Was ist in der grünen Dose dort?«

Ich öffne sie.

»Was soll das Ihrer Meinung nach sein?«

»Sieht aus wie die Plastikreiter, die man auf Aktendeckeln an-bringt.«

Erfreut reibt er sich die Hände. »Ach ja, richtig.«

Ich sitze am Schreibtisch. Er steht neben mir, so weit vorgebeugt, dass man Angst bekäme, wenn er nicht einen so krummen Rücken hätte. Er drückt die Krawatte an seine Brust, damit sie nicht im Weg ist. Sie ist dunkelblau mit hellbraunen Punkten. Sehr geschmack-voll. Sein dunkelblauer Nadelstreifenanzug ist zu groß, und ich frage mich, ob er in letzter Zeit abgenommen hat, ob Bettys Tod vielleicht einen Tribut gefordert hat. Er ist nicht auf die persönlichen Dinge vorbereitet, die wir in der untersten Schublade entdecken, obwohl es nichts Besonderes ist, bloß eine Nagelfeile, eine Lesebrille, eine Tube Lippenbalsam, eine Dose Rosenwasser-Handcreme und ein weißer Kamm. »Oh«, sagt er. Er streicht über seine Krawatte. »Ich hätte das ausräumen sollen.«

»Ist schon gut, es stört mich nicht.«

Ich will die Schublade wieder schließen, aber er sagt: »Nein, sie werden Ihre eigenen Sachen dort hineinlegen wollen«, und er greift hinein und fummelt herum, versucht die Nagelfeile herauszuneh-men, schafft es jedoch nicht, einen Finger darunter zu schieben, des-halb greift er nach der Brille. Ich nehme den Rest heraus und rei-che ihm die Sachen, und er dankt mir und steckt alles in seine Jackentaschen.

»So, also.« Er richtet sich etwas auf. Er runzelt die Stirn. Er scheint etwas vergessen zu haben. Er dreht sich zu den Aktenschränken um.

»Sie haben wirklich eine Menge Aktenschränke«, sage ich, um ihm ein Stichwort zu liefern.

Seine Miene heitert sich auf. »Zwölf insgesamt. Achtundvierzig Schubladen.«

Sie sind aus grauem Metall, alles andere als neu. Vier stehen in seinem Büro; die restlichen sind hier draußen aufgereiht, um eine Wand vor dem leeren Flur zu bilden und so eine Nische zu schaffen. Wir befinden uns auf entlegenem Posten, und das Gefühl der Verbannung lässt sich nicht ganz vermeiden, aber vielleicht ist es eine willkommene Verbannung und ein Kompromiss, denn auf dem langen Weg von der Rezeption hierher habe ich nirgends solche Möbel gesehen wie hier, nicht nur die Aktenschränke und mein Schreibtisch, sondern alles: die gusseiserne Garderobe, die beeindruckende Anrichte mit Marmorplatte, sein Koloss von einem Schreibtisch, die Bücherschränke mit den Glastüren in seinem Büro und die Ölgemälde, die er dort hängen hat, vier oder fünf, so scheint mir nach dem ersten schnellen Blick, alles Segelschiffmotive.

Er wedelt mit der Hand in Richtung der Aktenschränke und sagt: »Einen für jedes Jahr, das ich im Maklergeschäft bin.«

»Achtundvierzig Jahre«, sage ich. Ich kann mir nicht mal vorstellen, so lange zu leben.

»Sechster Juni neunzehnhunderteinundzwanzig, das war der Tag, an dem ich meinen Laden aufgemacht habe. Dass es genauso viele Schubladen wie Jahre sind, ist allerdings nur ein Zufall. Ich wollte sagen, dass wir die Akten alphabetisch nach dem Klientennamen ablegen. Möchten Sie es sich ansehen?« Er fragt das zweifelnd.

»Natürlich.«

Wir gehen zum nächststehenden Aktenschrank, oberste Schublade, auf deren Schild »Nyman-O'Farrell« steht.

»O'Farrell wird eigentlich mit zwei L geschrieben«, sagt er und starrt auf den Namen. Unter Anstrengung zieht er die Lade heraus; sein Gesicht nimmt dabei den Ausdruck grimmiger Entschlossenheit an. »Die Rollen müssen geölt werden«, sagt er. Die Ordner hängen dicht gedrängt und unordentlich, einzelne Blätter schauen heraus, an manchen lösen sich die Namensschilder. Er schließt die Lade wieder und zieht die darunter liegende auf, in der es genauso unordentlich aussieht. »Vermutlich könnte es nicht schaden, hier ein bisschen aufzuräumen«, sagt er.

»Man sollte die Inaktiven aussortieren«, biete ich an und bin selbst überrascht. Mir war gar nicht klar, dass ich inaktive Akten kenne.

»Nun«, sagt Mr. Fraser, »wenn wir uns für diesen Weg entscheiden, werden wir die Schränke so gut wie ausleeren. Neunzig Prozent dieser Leute weilen nicht mehr unter uns.«

»Ach so.«

Er lächelt. Seine Lippen sind dünn wie Fäden und ziemlich rot. Sein Lächeln ist belustigt, aber wohlwollend, und mir kommt der Gedanke, dass er sich eine unsichere und unerfahrene Sekretärin gewünscht hat, obwohl er das nicht so direkt ausgedrückt haben dürfte. »Eine, die es mit mir aushält«, hat er vielleicht gesagt.

Die folgenden Wochen sind eine einschläfernde, behütete Zeit, die den traumgleichen Tagen nach einer Krankheit ähnelt, wenn das Schlimmste vorüber ist, man aber noch im Bett liegt. Bei der Arbeit klingelt selten das Telefon, und nur wenige Leute kommen vorbei. Mr. Fraser selbst lässt mich in Ruhe, sobald er sichergestellt hat, dass ich für die nächsten paar Stunden halbwegs beschäftigt sein werde. Wenn ich um neun Uhr eintreffe, liegen immer ein paar Briefe auf meinem Tisch, die getippt werden müssen. Er hat sie mit leicht zittriger, aber leserlicher Handschrift auf einen linierten Block geschrieben und das Datum und die Adresse gleich hinzugefügt, obwohl ich die Adresse leicht selbst in seinem Rolodex hätte finden können.

»Ich denke freier, wenn ich selber schreibe«, hat er mir am ersten Morgen mitgeteilt, und ich habe mich gefragt, ob er wohl gehört hatte, dass ich im Diktat aufnehmen nicht sehr gut bin. Nach ein paar Tagen habe ich mich dann gefragt, ob es ein Witz sein sollte, dass er freier denkt, denn die Briefe unterscheiden sich kaum voneinander. »Verzeihen Sie mein längeres Schweigen«, beginnt er, »aber wie Sie vielleicht wissen, ist Betty im Juli von uns gegangen, sie hat ihren langen Kampf gegen den Krebs verloren, und ich komme erst jetzt so langsam wieder rein.« Dann erkundigt er sich nach der Familie des Mannes – er hofft, der Frau geht es gut, die Kinder und Enkel geben keinen Anlass zur Sorge. Das bringt ihn auf sein eigenes Kind, Jonathan: »Jonathans Frau Hazel hat am neunundzwanzigsten Juni noch einen Sohn zur Welt gebracht. Ich mache gerade die Reisebuchungen, damit die ganze Blase zu Weihnachten aus Halifax herfliegen kann.« Als P.S. legt er einen ausgeschnittenen Artikel aus der *Financial Post* oder der *Globe and Mail* bei. »Für den Fall, dass du den verpasst hast«, schreibt er. Oder: »Ich dachte, das könnte dich interessieren.«

Wenn ich ihm die abgetippten Briefe bringe, liest er sie langsam durch, und zwar mehrmals. Schließlich nimmt er hier und da ein paar belanglose Änderungen vor: Aus »Ich mache die Reisebuchungen« wird »Ich buche gerade die Reisen« oder anders herum, aus »interessieren« wird »vielleicht interessieren« oder »Dein Interesse finden«.

»Tut mir Leid«, sagt er, wenn er mir die Briefe zurückgibt.

»Das macht doch nichts«, sage ich. Und das stimmt. Ich bin froh über die Gelegenheit, meine Tippkünste zu verbessern.

Wir können das Abtippen, Ändern und erneute Abtippen ausdehnen, bis Hank Bell mit dem Postwagen eintrifft. Hank ist ein gespenstischer Typ. Blond, extrem blass, von undefinierbarem Alter, lächelt immer, summt immer traurige Melodien. Er legt ein beeindruckend dickes Bündel auf meinen Schreibtisch, aber es sind hauptsächlich Jahresberichte und Newsletter. Ich mache alles auf, staple es säuberlich und bringe es Mr. Fraser ins Büro. Es ist inzwischen halb elf, Zeit für mich, unsere Porzellantassen und Untertassen auf das glänzende Silbertablett zu stellen und damit den Korridor hinunter bis zur Küche der Geschäftsleitung zu gehen, wo nie jemand zu sehen ist, wo aber in einer Edelstahlkanne frischer Kaffee wartet. Es gibt auch abgepackte Kekse: Feigenbrot und Sandgebäck. Ich nehme von jeder Sorte einen für jeden von uns beiden.

Dann bringe ich Mr. Fraser seine Tasse ins Büro, und er gibt mir zwei Aktenordner, jeden Tag zwei neue, aus denen ich alle Korrespondenz, die mit der Ontario Securities Commission zusammenhängt, heraussuchen soll. Ungefähr eine Woche lang glaube ich fast, es findet irgendeine Untersuchung statt, aber da sich die Briefe bloß in einem Fach auf seinem Schreibtisch häufen, lasse ich den Gedanken wieder fallen. Ich finde es rührend, wie er die Akten auswählt. Ich habe das Gefühl, er will nicht so sehr die Arbeit verlängern, als vielmehr die Zeit, die ich mit unnötigen Dingen verbringe, begrenzen und dafür sorgen, dass ich mich nicht zu sehr langweile. Vielleicht will er mich auch mit dem Geschäft vertraut machen, denn man kann nicht so viele Briefe lesen, ohne ein bisschen was zu lernen, zum Beispiel, dass eine Aktie ein Zertifikat aus Papier ist und nicht, wie ich dachte, eine Metallplakette. Man kann auch nicht so viele Briefe lesen, die über Jahrzehnte hinweg geschrieben wurden, ohne etwas über seine Familie zu erfahren. Vermutlich möchte er, dass ich weiß, dass seine Frau Pam hieß und vor fünf Jahren an einem Herzinfarkt gestorben ist. Dass Jonathan konzessionierter Steuerberater ist. Dass es noch einen älteren Sohn gegeben hat, Eric, der am einunddreißigsten Januar neunzehnhundertsechzig bei einem Autounfall ums Leben gekommen ist, am gleichen Tag, wie der Zufall es will, an dem meine Mutter verschwunden ist.

Für gewöhnlich bin ich gegen halb, viertel vor eins mit dem Sortieren der Akten fertig. Um fünf vor eins ruft Debbie an und fragt, ob ich soweit bin, dann hole ich sie an der Rezeption ab, und wir gehen mit unseren Sandwiches in das unterirdische Einkaufszentrum, wo wir uns jede eine Tüte Saft kaufen und uns dann einen Platz auf einer der Bänke suchen. Montags, mittwochs und freitags kommt noch Lorna Lawton dazu, ein hämisches, kettenrauchendes Mädchen, das in der Verkaufsabteilung arbeitet und dessen Mittagspause sich dienstags und donnerstags aus Gründen verschiebt, die sie so wütend machen, dass sie anscheinend nicht einmal darüber sprechen kann. Wir reden über die anderen Angestellten, jedenfalls Debbie. Sie ist indiskret, verschwörerisch und nachsichtig. Lorna ist hasserfüllt, bläst Rauchschwaden aus und murmelt »die alte Hexe« oder »blöder Mistkerl«. Der liebe, summende Hank aus der Poststelle ist »dieser Vollidiot«. Mit Mr. Fraser geht sie etwas sanfter um, jedenfalls in meiner Gegenwart; ihn nennt sie, fast schon tolerant, den »Buckligen«.

Ich frage mich, warum sich Debbie mit einer wie Lorna angefreundet hat, aber ich frage mich auch, warum sie gleich so auf mich angesprungen ist. Am allerersten Tag, als ich aufbrach, um nach Hause zu gehen, hat sie zu mir gesagt: »Ich muss sagen, du bist ganz und gar nicht so, wie ich erwartet hatte.«

»Wie meinst du das?«, fragte ich ängstlich, denn ich dachte, sie meine unqualifiziert, aber sie sagte: »Na ja, jung, auf Zack.«

Am zweiten Tag, als sie mich Lorna vorstellte, sagte sie: »Louise lässt sich so schnell nichts vormachen«, und wieder hatte ich keine Ahnung, was sie meinte und wie sie zu einer solchen Behauptung kam, nachdem sie kaum mehr als eine Stunde mit mir verbracht hatte. Sie erinnerten mich irgendwie an Don Shaw, diese haltlosen Vermutungen, nur dass ich bei Debbie das Gefühl habe, sie hält mich für klüger und besser, als ich bin, und nicht wie er für abgründiger und sexyer. Sie schmeichelt mir ausgiebig und vielleicht unaufrichtig, aber dennoch kommt sie mir nicht gefährlich vor. Ganz im Gegenteil. Sie sagt, sie findet mein Haar toll. Ich sage, sie spinnt, mein Haar ist scheußlich, ganz glatt. Sie lächelt so, als wüssten wir es beide besser. Sie sagt, sie wünschte, sie hätte meine Figur, und drängt mich dazu, Kleider anzuprobieren, die ich mir nicht leisten kann. Das geschieht, nachdem wir gegessen haben, wenn uns noch Zeit für einen Schaufensterbummel bleibt. Lorna, die ebenfalls dünn und glatthaarig ist, schlurft schnaubend hinterher. Ich gehe davon aus, dass ich auf der Liste ihrer Feinde stehe, obwohl sie mich jeden Mittag bis zu meiner Nische bringt, während sie irgendeine vorher begonnene Tirade fortsetzt. Dann scheint sie beleidigt zu sein, wenn ich mich gleich an den Schreibtisch setze, und benimmt sich so, als hätte ich sie unhöflich abgewiesen.

»Bis dann«, sage ich zu ihrem Rücken.

Ich übe Steno. Um halb drei kommt Mr. Fraser aus dem *Baron*, zurück, einem Steakhaus, in dem er schon seit Ende des Zweiten Weltkriegs zu Mittag isst. Während er seinen Hut auf den Garderobenständer legt, fragt er, wie es mir geht, ob alles gut läuft? Ich vermute, er stellt die Frage um diese Tageszeit, weil er etwas getrunken hat und in gelöster Stimmung ist.

Ich sage, es geht mir gut.

Er sagt, schön, das zu hören. Seine kummervollen, strahlenden Augen sehen inzwischen ein bisschen müde aus, nehmen mich ein bisschen langsamer wahr.

Nachmittags kopiere ich die Artikel, die er in den Morgenzeitungen angestrichen hat. Dann gehe ich sein A-F-Rolodex durch, lege neue, getippte Karten an und werfe die alten weg, es sei denn, ein rotes V steht neben dem Namen, V für Verstorben. Diese Karten, die nicht mal zehn Prozent der Gesamtzahl ausmachen (anscheinend wurde die Kartei jahrzehntelang nicht mehr aktualisiert), müssen herausgenommen und auf seinen Schreibtisch gelegt werden. Was er wohl mit ihnen macht? Er bewahrt sie irgendwo auf, vermute ich.

Um halb fünf gieße ich Bettys Usambaraveilchen und spüle die Tassen und Untertassen im Waschbecken der Toilette der Geschäftsleitung. Um fünf stecke ich den Kopf durch die Tür von Mr. Frasers Büro und verabschiede mich. Oft liest er gerade in einem Band seiner vierundzwanzigbändigen Encyclopedia Britannica. »Ah, Louise«, sagt er, als erwache er soeben aus einem Traum. »Auf Wiedersehen, meine Liebe. Und vielen Dank.«

Abends.

Mein Vater ist vorbeigekommen, um das Murphy-Bett zu stabilisieren (es brauchte bloß ein paar Schrauben angezogen zu werden) und mir zu zeigen, wie der Herd funktioniert. Inzwischen zünde ich die Brenner mit Aplomb an. Ein paar Tage lang habe ich abends klassische Musik aus dem Radio gehört, wie in meiner alten Fantasie, aber vor einer Kulisse aus Geigen und Harfen wirkte die Wohnung irgendwie altjüngferlich, deshalb bin ich zum Rocksender auf FM gewechselt. Zum Abendessen gibt es Rührei oder Spaghetti. Mittwochs und donnerstags – eine halbe Woche von Mrs. Carvers Sonntagsbraten und den Resten, die ich für Sandwiches mitgebracht habe, entfernt – gönne ich mir Fleisch: ein gebratenes Kotelett oder ein gegrilltes Hacksteak. Ich esse am Schreibtisch. Nachdem ich das Geschirr in die Spüle gestellt habe (um es bei Bedarf abzuwaschen), wasche ich meine Strumpfhosen und hänge sie wie ein Mädchen in einem französischen Film über die Duschstange. Dann mache ich mir eine Kanne Tee und schiebe den Stuhl ans Küchenfenster, um das fünfstöckige Wohnhaus auf der anderen Seite der Einfahrt betrachten zu können.

Ich habe den Bewohnern Namen und Berufe zugeordnet. Die Wohnung, wo immer die Fenster offen stehen, sogar bei Regen, sodass die langen grauen Vorhänge nach draußen geweht werden und gegen die Ziegel schlagen, und wo nie jemand zu Hause ist, der Mann, der da wohnt – es muss ein Mann sein –, ist ein Barkeeper, vielleicht auch ein Taxifahrer namens Ed. Die vollbusige, rothaarige Frau mittleren Alters, die im durchsichtigen Negligé Staub saugt und deren Fensterbänke mit Büchern vollgestellt sind, das ist Madame Broulé, Französischlehrerin an der Highschool. Direkt unter ihr wohnt Glenn, der kleine Regierungsbeamte, der von seinen glorreichen Zeiten als Footballstar an der Uni träumt; das entnehme ich einem Silberpokal auf seiner Fensterbank (sieht aus wie eine Siegesprämie), aber auch der Art, wie er immer am Küchentisch sitzt und im Halbdunkel Zigaretten raucht, ein großer, beleibter Mann in Jackett und Krawatte, der die ganze Zeit, die ich hinausschaue, raucht.

Wenn die Teekanne leer ist, ziehe ich den Stuhl wieder an den Schreibtisch und verbringe ungefähr eine Stunde damit, meine Bürokleidung zu ändern, die Kragen und Ärmelaufschläge modischer zu machen. Dann bügele ich das, was ich am nächsten Tag anziehen will. Um halb zehn ziehe ich meinen Schlafanzug an, ziehe das Bett aus der Wand und lege mich hin, um Jane Austen zu lesen. Gegen halb elf schlafe ich ein.

Die Samstagabende sind nicht so einfach. Ich werde unruhig,

habe das Gefühl, ich sollte ausgehen, ins Kino oder in ein Restaurant. Aber alleine will ich nicht gehen, und wen sollte ich anrufen und fragen, ob er mitgeht? Debbie spielt Samstagabends immer Bridge (genau wie Dienstag-, Donnerstag- und Sonntagabends, einer der Gründe, das gibt sie zu, warum ihr Zahnarzt-Ehemann sie wegen einer zehn Jahre älteren, geschiedenen Frau verlassen hat, was Debbie allerdings nicht viel ausmachte, denn er war sowieso dauernd depressiv, hat heulend auf dem Klo gesessen und sich gewünscht, er wäre Glasbläser oder Holzhacker geworden, und das, obwohl er schreckliche Angst vor Armut hatte). Dass jemand mit dem Gegenteil von einem Pokerface eine gerissene Kartenspielerin sein kann, kommt mir unwahrscheinlich vor, aber offenbar ist Debbie in Bridgekreisen wohl bekannt. Sie meint, ich könnte auch eine gerissene Spielerin werden, wenn ich wollte. »Du denkst schnell«, sagt sie. »Und du hast den nötigen Ehrgeiz.« Tatsächlich? Sie hat gesagt, ich könne jederzeit kiebitzen kommen, was so viel heißt wie ihr beim Spielen zuschauen. Vielleicht mache ich das eines Abends auch. Aber nicht am Samstag; ich kann mir nicht vorstellen, am Samstagabend stundenlang stillzusitzen.

Wen gibt es sonst noch? Alice Keystone. Ein paar Wochen nach meinem Einzug rief Alice mich an, um mir zu erzählen, dass sie einen Teilzeitjob hat. Sie verkauft religiöse Kinderbücher an der Haustür. Sie ließ durchblicken, dass sie gerne mal abends vorbeikommen würde, aber ich sah sie vor mir in ihrem Kleid mit dem Teetassenmuster, und das Bild machte mir Angst, so als könnte ich zurück auf die Highschool und in das Elend des letzten Jahres gezogen werden, deshalb wimmelte ich sie ab, indem ich sagte: »Es ist so hektisch auf der Arbeit, dass ich nur schnell etwas esse, wenn ich nach Hause komme, und dann gleich ins Bett falle.« Ich versprach, sie anzurufen, wenn »sich die Lage entspannt hat«.

Es gibt Lorna. Die freitags und samstags den Abend mit Trinken verbringt, in einer Bar namens The Pigskin, wo Motorradgang-Typen versuchen, sie auf ihren Schoß zu ziehen, aber »wenn du ihnen sagst, sie sollen sich ins Knie ficken, dann lassen sie dich in Ruhe«. Der Barkeeper ist ein Freund von ihr, deshalb geht sie hin, er gibt ihr Drinks umsonst und erlaubt ihr, draußen vor der Küchentür zu pinkeln, damit sie nicht auf die ekligen Toiletten muss. »Du solltest auch mal mitkommen«, hat sie schon mehr als einmal gesagt.

Es gibt Abel.

Manchmal ziehe ich mir schwarze Jeans und einen schwarzen Pullover an, kaufe mir im Milchgeschäft an der Ecke Zigaretten und gehe im Viertel spazieren, rauche, huste und fühle mich schlecht und interessant. Eines Abends fahre ich U-Bahn und versuche mich aufzuheitern, indem ich alle Menschen mit Abels Augen sehe. Das ist zuerst schwierig, aber bald habe ich den Bogen raus. Man muss sich einreden, dass es eine rettende Anmut gibt, die irgendwo verborgen liegt. Vergiss die großen Ohren, konzentriere dich auf das glänzende Haar, die vollen Lippen. Sieh nicht das Fett, sieh die Robustheit, sieh das intelligente Gesicht. Der stinkende Säufer, der schnarchend da drüben in der Ecke sitzt, was spricht für den? Ein römisches Profil, rote Socken – ein lässig-eleganter Zug, auch wenn sie vielleicht das einzige Paar sind, das er besitzt.

Allmählich hebt sich meine Stimmung so weit, dass es mir nichts ausmacht, in meine leere Wohnung zurückzukehren. Ich steige an der Yonge Street aus und gehe auf den Bahnsteig Richtung Norden. Ich stelle mir Abel irgendwo in der Stadt vor, in einer Straße oder sogar auf einem anderen U-Bahnsteig, wie er ebenfalls auf einer Welle brüderlicher Liebe dahintreibt.

Und dann kommt ein verrückt wirkender Mann den Bahnsteig entlanggerannt und bleibt direkt neben mir stehen, so dicht, dass sich unsere Schultern berühren. Ich trete einen Schritt zur Seite. Er hält sich ein Transistorradio ans Ohr, aus dem lautes Rauschen dringt. Er schaltet das Radio ab und sagt in den Lautsprecher: »Hauptquartier bitte melden. Bitte melden.« Ich gehe ein Stück weiter weg. Er folgt mir. Er schaltet das Radio wieder ein und hört sich weiteres Rauschen an, dann schaltete er es aus und sagt: »Die Verdächtige ist circa einssiebzig groß, zierlich, hellbraunes Haar.« Er stellt das Rauschen wieder an. »Roger«, sagt er entschlossen, kommt auf mich zu und legt mir eine Hand auf die Schulter.

Ich schüttele ihn ab. »Lassen Sie das.«

»Ich fürchte, ich muss sie zum Verhör mitnehmen, Miss.«

»Bitte lassen Sie mich in Ruhe.«

Er fummelt am Radio herum, jetzt nicht mehr so geschickt, und fängt ein paar Musikfetzen ein. Verwirrt schaltet er es ein und aus. Ich gehe schnell den Bahnsteig entlang. »Die Verdächtige leistet Widerstand«, sagt er und kommt hinter mir her.

Er streckt eine Hand aus, und ich springe zur Seite und stoße mit dem Oberschenkel gegen die Armlehne einer Bank.

»Scheiße«, sage ich.

»Darf ich Ihnen behilflich sein, Miss.«

Ich wirbele herum. »Fick dich ins Knie!«

Er schluckt. Die anderen Leute auf dem Bahnsteig beachten uns nicht. Ob sie uns für ein streitendes Liebespaar halten? Er geht hastig weg und murmelt etwas in sein Radio. Ich bin den Tränen nahe. »Fick dich ins Knie«, denke ich. Es klingt so gemein. Vielleicht stimmt es, dass Motorradgang-Mitglieder sich verziehen, wenn sie das aus dem Mund einer Frau hören. Wir dünnen, glatthaarigen, zornigen, jungen Frauen, wir sind so furchtbar stark.

Später, gegen Mitternacht, sitze ich am Schreibtisch und schlage das Telefonbuch bei R auf. Richardson, Richmond. Richter.

Karl. Grenadier Road 241.

Sie wohnen also draußen am High Park. Ich lege mich aufs Bett, während dieses Wissen wie ein Serum in mir wirkt. Mein Bein, das ich mir an der Bank gestoßen habe, pulsiert. Ich schlafe in meinen schwarzen Sachen ein.

Am nächsten Tag, Sonntag, nehme ich die ostwärts fahrende U-Bahn und fahre bis zur Endstation. Draußen auf der Straße setze ich mich auf eine Bank und warte auf meinen Vater. Es ist Ende Oktober, kalt und windig, Laub weht knisternd über den Bürgersteig. In einem weißen Plastikkorb habe ich meine schmutzige Wäsche dabei. Mein Vater kommt in Mrs. Carvers klapprigem Auto angefahren, er sagt, sein eigenes sei nicht angesprungen. Während wir nach Norden fahren, betrachte ich eine handschuhförmige Wolke, die über den Himmel kriecht. Mrs. Carver ist zu Hause und macht das Abendessen. Sie ist jetzt immer da, bleibt aber nie über Nacht, wenn man den beiden glauben darf. Ich denke, das darf man. Wir essen Schweinebraten mit Süßkartoffeln und grünen Bohnen und zum Nachtisch einen Zitronen-Pie. Dann fährt mein Vater mich wieder in die Stadt. Irgendwie gerät die Tüte mit den Resten unter meine sauberen Sachen, auf den Boden des Wäschekorbs. Ich merke es erst am nächsten Morgen. Ich merke nicht, dass das Kleid, das ich zur Arbeit anziehe, immer noch nach Schweinebraten riecht, obwohl ich es mit Parfüm eingesprüht habe. Troy Warren erzählt mir das zwei Jahre später. Er sagt: »Ich habe mich trotzdem in dich verliebt.«

# 34

**Wegen der vielen unwahrscheinlichen Zufälle,** die dazu führen, dass Troy und ich uns treffen – was wir buchstäblich tun: Er fährt mich mit dem Auto an –, könnte man entweder (sein Gefühl) sagen, es war Schicksal, dass wir uns kennenlernten, oder (mein Gefühl) wir sind uns dem Schicksal zum Trotz begegnet.

Er sagt, er handelt so gut wie nie impulsiv, aber an jenem Morgen entschließt er sich plötzlich, zum Haus seiner Exfreundin zu fahren, um nachzusehen, ob rein zufällig seine Uhr noch in der Seitengasse liegt, wo sie sie eine Woche vorher hingeworfen hat. (Seine sauberen Hemden und Ersatzunterwäsche, die sie ebenfalls aus dem Fenster geworfen hat, hat er gleich aufsammelt.) In der Zwischenzeit hat es geregnet; selbst wenn die Uhr noch da ist, dürfte sie kaputt sein, und selbst wenn sie da und nicht kaputt ist, wird seine Freundin noch nicht bei der Arbeit sein und könnte ihn vor der Tür erwischen. Trotz alledem fährt er los, bloß um den Mut zu verlieren, kaum dass er vor ihrem Haus vorgefahren ist. Dann überkommt ihn ein anderer Drang: an dem Mietshaus vorbeizufahren, in dem er gewohnt hat, als er vor vier Jahren nach Toronto zog. Eine Viertelstunde später sieht er auf der Yonge Street einen Donutladen und kriegt Appetit auf ein Schokoladeneclair. Und so kommt es, dass er an diesem Morgen um zwanzig nach neun von der Yonge Street nach rechts in die Wellesley Street einbiegt.

Mein Tag fängt schlecht an. Das heiße Wasser geht zur Neige, während ich noch unter der Dusche stehe, und dann schlafe ich auch noch in der U-Bahn ein. Als ich die Augen aufschlage, habe ich meinen Bahnhof um so viele Haltestellen verpasst, dass der Zug schon die Endstation passiert hat und bereits wieder Richtung Norden fährt. Ich steige aus und renne auf den anderen Bahnsteig. Fünf

Minuten vergehen, zehn. Schließlich wird über Lautsprecher durchgesagt, dass auf der Strecke eine technische Störung aufgetreten ist. Also gehe ich nach oben auf die Straße und laufe los. Bald ist Halloween, in den Schaufenstern sind Skelette und Kürbisse dekoriert. Trotz meiner Eile bleibe ich vor einem Fenster stehen, in dem ein als schöne Frau dekorierter Kürbis steht: Katzenaugen, Schlitze, um lange Wimpern zu suggerieren, zwei winzige dreieckige Nasenlöcher und ein Kussmund mit Zigarette. Er erinnert mich an meine Mutter ... die Augen, die Zigarette. »Die machen erst um zehn auf«, sagt eine Stimme hinter mir, und ein beinloser Mann im Rollstuhl kommt näher und hält mir einen Köcher mit Bleistiften hin. Ich suche mir einen aus, bezahle für zwei und gehe dann weiter, den Stift wie einen Stock zwischen den Fingern zwirbelnd, was mich an Abel erinnert, der immer Zweige zwischen seinen Fingern hin und her wandern ließ. Ich überquere gerade eine Straße, als mir der Bleistift aus der Hand fliegt und direkt in das münzgroße Loch einer Gulliabdeckung fällt, so perfekt gezielt, dass ich stehen bleibe und ein rechts einbiegendes Auto mich anfährt.

Unverletzt stolpere ich seitwärts. Der Fahrer springt aus dem Wagen. »Alles in Ordnung, Miss?«

»Ja, alles okay. Es war nur ein kleiner Stoß.«

»Ganz bestimmt?« Erschrocken starrt er auf den großen, lilafarbenen Bluterguss, den ich mir am Samstagabend zugezogen habe, als ich dem Typen mit dem Transistorradio ausweichen musste.

»Ach so, den hatte ich schon.«

»Na Gott sei Dank. Ich meine, Gott sei Dank sind Sie nicht verletzt. Ich habe Sie gar nicht gesehen.«

Er spricht mit Südstaatenakzent. Blonde Haare bis zum Kragen, so glatt und dünn wie meine. Mir gefällt, was er trägt, braune Lederjacke, weißes Hemd und Blue Jeans. Er bietet mir an, mich zu fahren, wo immer ich hinwill. Er fährt einen alten roten Sportwagen, und auch weil ich noch nie in einem Sportwagen gesessen habe, nehme ich an.

»Troy Warren«, sagt er. Lächelnd streckt er eine Hand aus.

Ich strecke meine ebenfalls aus. »Louise Kirk.«

»Louise Kirk.« Wir schütteln die Hände. »Also«, sagt er, »freut mich, Ihre Bekanntschaft zu machen, und vielen Dank für Ihre Nachsicht.«

Der Verkehr ist zähflüssig. Er fragt, was ich mache, und als ich es ihm erzähle, sagt er »Ah« und gibt sich Mühe, beeindruckt zu wirken.

»Ja«, sage ich. »Eine kleine Sekretärin mit äußerst geringem Ehrgeiz.«

Er lächelt und wirft mir einen Blick zu. Er hat ein freundliches Gesicht, das seiner ständig wechselnden Miene einen spöttischen Anflug verleiht, so als solle man ihn mit Vorbehalt betrachten. Nicht dass er unaufrichtig wirkt: Eher wirkt er wie jemand, der versucht, allzu große Aufrichtigkeit zu vertuschen. Ich kann mir vorstellen, wie ich zu Debbie sage: »Er ist auf unkonventionelle Art gut aussehend.« Unwillkürlich erzähle ich ihm von Debbie und Mr. Fraser und Lorna, und dann von meiner Wohnung und den Leuten im Haus gegenüber, die ich abends immer beobachte. Das alles innerhalb von sieben Querstraßen. Er treibt mich mit genau den richtigen Fragen und Reaktionen an. Wir stehen schon vor meinem Bürohochhaus, ehe ich darauf komme, ihn zu fragen, was er macht.

»Ich habe einen Plattenladen.«

»Wirklich?«

»Nur einen kleinen. Nichts Großartiges.«

»Aber er gehört Ihnen? Sie sind der Besitzer?«

»Er gehört mir.«

»Das *ist* großartig.« Ich versuche sein Alter zu schätzen. Unter dreißig. »Wie heißt er?«

»Warren Records.«

»Nach Warren Beatty?«, scherze ich.

»Nach Warren Peace.«

Ich lache.

»Sie sind ziemlich fröhlich«, sagt er, »für jemanden, der gerade von einem Auto angefahren worden ist.«

»Ich glaube, ich habe ihn schon mal gesehen. Auf der Bloor Street, nicht?«

»Schauen Sie doch bei Gelegenheit mal rein.«

»Ich habe keinen Plattenspieler.«

»Nein?«

»Nh-nh.«

»Warum sollten Sie auch, ein Mädchen mit so geringem Ehrgeiz wie Sie.«

Wir lächeln uns an. Das Auto hinter uns hupt, und ich sage, wir halten den Verkehr auf, und er fragt, ob ich mal mit ihm zu Abend essen würde, und ich sage: »Heute Abend habe ich nichts vor«, und er fragt nach meiner Adresse und sagt, er holt mich gegen sieben Uhr ab.

In der Mittagspause erzähle ich Lorna und Debbie: »Er hat so hübsche, graue Augen, richtig süß und irgendwie … ich weiß auch nicht … brillant.«

»Aha.« Debbie atmet hörbar aus. »Brillant.«

»Was meinst du damit?«, fragt Lorna.

»Strahlend.«

»Warum sagst du das nicht gleich?«

»Ich habe das Gefühl, ich kann ihm alles anvertrauen.«

Lorna schnaubt. »Tu dir einen Gefallen und tu's nicht.«

Aber ich tue es doch. Wir sind noch keine halbe Stunde im Restaurant, als ich zugebe, mit meinem vorigen Arbeitgeber geschlafen zu haben. Er hat mir bereits erzählt, wie seine Exfreundin seine Hemden und Boxershorts und die antike Armbanduhr aus dem dritten Stock auf die Straße geworfen hat, weil er ihren Heiratsantrag abgelehnt hat. Macht ihm das zu schaffen? Die Trennung nicht, darüber ist er eher erleichtert, die hatte er kommen sehen. Natürlich bedrückt es ihn, sie verletzt zu haben. Sie war seine erste Freundin, nachdem er aus North Carolina hergekommen war. Sie hat ihm eine Wohnung besorgt und einen Job als Musiktheorie-Lehrer an einer Abendschule.

Ich frage ihn, welches Instrument er spielt. Sollte es Klavier sein, kann ich gleich aufstehen und gehen.

»Oh«, sagt er, »ich bin kein Musiker. Ich habe am College ein paar Musikseminare belegt. Meine Schüler wussten alle mehr als ich.«

Ich greife nach meinem Weinglas.

Der Kellner hat uns beiden Wein eingeschenkt, obwohl ich eine Cola bestellt habe. Es ist ein italienisches Restaurant, mit rot-weiß karierten Tischdecken, dickbauchigen Weinflaschen in Körben als Kerzenständer, einem alten, langsamen und vermutlich kurzsichtigen Kellner. Ich sage zu Troy: »Woher weiß er, dass ich nicht zu jung für Alkohol bin?«

»Bist du es?«

»Zwei Jahre.«

»So ungefähr hatte ich dich auch geschätzt.«

»Wie alt bist du?«

»Vierundzwanzig.«

»Du verführst also gern junge Mädchen?«

»Tue ich das denn?«

Sein Lächeln ist vielleicht nicht umwerfend, aber doch unwiderstehlich. Ich sage: »Das wird sich vermutlich noch zeigen.« Ich hebe mein Glas. Ich fühle mich kokett und selbstbewusst, wie eine Südstaatenschönheit. »Erzähl mir von dir«, sage ich. »Hast du Geschwister? Bist du in North Carolina aufgewachsen?«

Das ist er. In der Nähe von Fayetteville, auf einer gut gehenden Tabakfarm. Keine Brüder, zwei ältere Schwestern, die noch zu Hause wohnen. Seine Mutter, die zehn Jahre älter ist als sein Vater, ist hübsch und warmherzig, aber exzentrisch – »ein bisschen unkonzentriert«. Als er klein war, sammelte sie manchmal seine Lieblingskleidungsstücke und Lieblingsspielsachen ein oder seine heißgeliebten Bücher und legte sie armen Leuten vor die Tür, manchmal sogar Angehörigen des Mittelstands, und dann mussten die Hausfrauen, die wussten, woher die Kisten kamen, alles wieder zurückbringen und eine von ihren Umarmungen ertragen, denn eine weitere Marotte von ihr bestand darin, Leute zu umarmen und sie peinlich lange festzuhalten. Sein Vater war noch schlimmer: ein Mann mit Holzbein, der Witze über Holzbeine erzählte und dann eisig und fies wurde, wenn man zu laut darüber lachte. Er hatte sein Bein im Zweiten Weltkrieg verloren, und das machte ihn zum Helden. Ein paar Jahre später hatte er einen Landstreicher erschossen, den er dabei erwischte, wie er ein Bleirohr aus dem Keller wegtrug (es wurde keine Anklage erhoben, doch nicht gegen einen Kriegsveteranen, der auf Notwehr plädierte), und das machte ihn zu einem Helden, mit dem man sich lieber nicht anlegte. Niemand wusste das besser als Troy, daher kamen er und sein Vater im Allgemeinen so gut miteinander aus, dass sie sogar Höflichkeiten austauschten, ehe sein Vater ihn mit dem Gürtel auf die Rückseite seiner Waden schlug, fünf Hiebe auf jedes Bein, so heftig, dass dicke Striemen zurückblieben.

»Bis du bereit, Sohn?«

»Ja, Sir.«

»Es wird vorbei sein, ehe du dich's versiehst.«

»Danke, Sir.«

Was hatte Troy getan? Er war ein paar Minuten zu spät zum Abendessen erschienen oder hatte eine Schallplatte zu laut abgespielt. Dann kamen College, Cafébesuche, Protestsongs und neue Ansichten und Weltanschauungen, aber um des lieben Friedens Willen und ehrlich gesagt auch, um die monatliche Unterstützung nicht aufs Spiel zu setzen, schwieg er. Zum Showdown kam es nach dem College, als sein Vater entschied, dass Troy sich freiwillig zur Marine melden sollte, bevor er etwas mit seinem Wirtschaftsdiplom anfing. Troy verschlug es die Sprache. Sicher, sein Vater war für den Krieg in Vietnam, aber er hatte oft gesagt, dass man das eigentliche Kämpfen lieber Jungs mit niedrigem IQ und schlechten Zukunftsaussichten überlassen sollte, was Troy so interpretiert hatte, dass er selber nicht gemeint war. Und jetzt? Troy hatte keine Ahnung, er konnte keinen klaren Gedanken fassen, deshalb platzte er einfach mit der Wahrheit heraus: »Sir, ich kann das nicht machen. Ich bin Pazifist.« Nach einer längeren Pause ging sein Vater aus dem Zimmer, kam mit seinem Gewehr in der Hand zurück, zielte auf Troys Kopf und sagte: »Mein Sohn, was du bist, ist ein Feigling, das habe ich schon immer gewusst. Du hast fünf Minuten, um mir aus den Augen zu gehen. Das heißt, ich werde fünfmal bis sechzig zählen, und ich fange jetzt an. Eins, zwei, drei…« Kaum Zeit genug für Troy, um seine Brieftasche und ein paar Sachen einzupacken und loszulaufen. Draußen im Vorgarten holte seine Mutter ihn ein und umschlang ihn mit einer ihrer fesselnden Umarmungen, während sein Vater mit erhobenem Gewehr auf der Veranda stand und die letzte der fünf Minuten abzählte: »Achtundvierzig, neunundvierzig...« Ob er abgedrückt hätte? Seine Mutter schien das zu glauben, denn bei dreiundfünfzig ließ sie ihn los und ging zurück. Zwei Tage später war Troy in Kanada, überzeugt davon, dass seine Tage als Zivilist gezählt gewesen wären, wenn er in den Staaten geblieben wäre.

Mit diesem Leben kann ich nicht konkurrieren und mit seiner Art zu erzählen auch nicht – aus seinem Mund klingt das alles unglaublich lustig –, aber ich starte einen Versuch, indem ich Geschichten von meiner Mutter erzähle, über ihren Putzfimmel und ihre Pyromanie (wie sie meinen Pullover verbrannt hat), und dann ihr Verschwinden. Ich erzähle ihm, dass mein Vater geglaubt hat, sie sei mit einem Frauenhelden durchgebrannt. »Ich habe das nie geglaubt«, sage ich. »Ich dachte immer, sie wollte einfach frei sein.«

»Möglich«, sagt Troy. »Vielleicht konnte sie auch die Konkurrenz ihrer wunderschönen Tochter nicht ertragen.«

Ich spüre, wie mein Gesicht heiß wird. »Oh nein, das war es nicht. Ich war für niemanden eine Bedrohung, am allerwenigsten für sie. Das kannst du mir glauben.«

»Nein, das glaube ich dir nicht.«

»Ich zeige dir mal ein Bild von ihr.«

Er reagiert ganz leicht darauf, mit einem kurzen Erstarren seiner Gesichtszüge, und mir wird klar, dass ich soeben gesagt habe, dass ich damit rechne, ihn wiederzusehen.

Um halb elf sind wir in seiner Wohnung. Er hat die gesamte zweite Etage eines renovierten Jahrhundertwende-Hauses gemietet, direkt in der Bloor Street, nur einen Block westlich von seinem Laden. Im dritten Stock ist ein Modelleisenbahn-Club zu Hause, dort laufen rund um die Uhr Männer herum, die Miniaturschränken und winzige, wie Brokkoli aussehende Bäume basteln, von denen einer auf Troys Küchentisch steht. Er hat ihn geschenkt bekommen, als sie ihn einmal nach oben eingeladen haben. Es war richtig unheimlich, sagt er, nicht bloß weil die Strecken so lang und ausgeklügelt waren, sondern weil dort oben eine so ernste und andächtige Atmosphäre herrschte, als würde etwas äußerst Folgenschweres vor sich gehen.

»Woher willst du wissen, dass es nicht so war?«, frage ich.

Ich spaziere von einem Zimmer ins andere, ein Glas Kahlúa in der Hand, und er folgt mir und entschuldigt sich für das ungespülte Geschirr oder die herumliegenden Kleidungsstücke. »Keine Sorge«, sage ich, »ich stehe nicht auf Makellosigkeit.« Ich kann kaum glauben, wieviel Platz er hat. Drei riesige Zimmer, eine Küche, so groß wie ein Wohnzimmer, ein Bad, so groß wie eine Küche. Zwei der Zimmer enthalten nur Kisten mit Schallplatten, der Überhang aus dem Laden. Seine persönliche Sammlung nimmt ein komplettes Wandregal im Wohnzimmer in Anspruch.

»Sind die irgendwie geordnet?«, frage ich.

»Ein eher undurchsichtiges System. Mein Ordnungstalent beschränkt sich auf den Laden.«

»Woher hattest du eigentlich das Geld, um einen Laden zu kaufen?«

»Geliehen. Ich ertrinke in Schulden.«

»Ich wette, diese Möbel waren auch nicht ganz billig.« Ich betrachte wohlwollend all das helle Holz und cremefarbene Leder. »Sind sie neu?«

»Ziemlich neu.«

»Sind sie zum Draufsetzen?«

»Du darfst darauf machen, was du willst.«

Ich lasse mich auf das Sofa fallen. »Und sind die Platten zum Anhören?«

»Was möchtest du hören?«

»Leg etwas auf, was dir besonders gut gefällt. Was für Musik magst du?«

»Alles mögliche. Klassik, Country, Bluegrass, Jazz, Musicals…«

»Musicals?«

»Was ist daran so komisch?«

»Zum Beispiel ›Oklahoma‹?«

»Und ob.«

»Hast du das da?«

Es dauert eine Weile, aber er findet die Platte und legt sie auf, während ich mir noch ein Glas Kahlúa einschenke. Er setzt sich mir gegenüber, sein Bier mit beiden Händen haltend. »Zu laut«, sagt er und steht auf, um die Musik leiser zu stellen. Ich betrachte ihn von hinten. Eckige Schultern, nicht so breit wie Abels, und er ist auch nicht so groß und so schlank, aber das macht nichts, das ist gut. Er geht zu seinem Sessel zurück. Ich leere mein Glas und fülle es erneut.

»Woher weiß man, ob ein Musiker betrunken ist?«, sage ich.

»Ist das ein Witz?«

»Dass er an einer Bar vorbeigeht.«

»Ziemlich schlapp.«

Ich erzähle ihm von »Tausendundeinmal totgelacht«, in dem ich immer noch ab und zu blättere. »Das Witzigste daran«, sage ich, »ist die Art, wie es aufgebaut ist. Alphabetisch nach Thema. Alkoholiker, Kochen, Steuern. Aber es gibt überall Querverweise. Unter Alkoholiker heißt es, siehe Priester, Rechtsanwälte. Unter Sex...«, ich muss lachen. »Oh Gott, unter Sex steht: siehe Epileptiker.«

»Das ist nicht dein Ernst.«

»Doch! Unter Epileptiker steht siehe...« Ich muss so sehr lachen, dass ich nicht weitersprechen kann.

Er lacht. »Was denn?«

»Priester!«

»Und was steht bei Priester?«

»Siehe Alkoholiker, Zwerge, Hühnerzüchter...«

»Hühnerzüchter?«

»Kühe, Schwangerschaft. Oh Gott, oh Gott.« Ich leere mein Glas und stelle es mit lauterem Knall auf dem Couchtisch ab, als ich eigentlich wollte. Ich möchte sagen: »Warum setzt du dich nicht neben mich?«, aber was stattdessen herauskommt, ist: »Ich hatte eine Abtreibung«, und ein Schauder der Trauer durchzuckt mich, der so heftig ist, wie ich ihn seit einem Jahr nicht mehr gespürt habe.

So artet der Abend allmählich aus. Er versucht ab und zu, mir die Kahlúaflasche wegzunehmen, aber ich presse sie an meine Brust. »Keine Angst«, sage ich. »Das sieht mir gar nicht ähnlich. Ich bin sonst nie so.« Je betrunkener und weinerlicher ich werde, desto größer wird mein Bedürfnis, ihm klar zu machen, wer Abel ist und warum ich ihn geliebt habe. Geliebt *habe*. Ich achte ebenso sorgfältig darauf, dieses Wort in der Vergangenheitsform zu benutzen wie darauf, die Kahlúaflasche nicht herzugeben. Selbst als ich mich übergeben muss, lasse ich sie nicht los. Ich nehme sie mit nach Hause, obwohl sie da schon leer ist. Er bringt mich in meine Wohnung, zieht mich bis auf die Unterwäsche aus und legt mich ins Bett. Das letzte, woran ich mich erinnern kann, sind die Löcher im Abfluss seiner Küchenspüle, wie ich sie anstarre und denke, wie gleichförmig und herzlos sie sind.

Ich erwarte nicht, je wieder etwas von ihm zu hören, aber am nächsten Tag ruft er mich nachmittags bei der Arbeit an und erkundigt sich, wie es mir geht.

»Furchtbar«, sage ich. Ich sage, es tut mir Leid, ich weiß auch nicht, was in mich gefahren ist.

»Na ja«, sagt er, »wir können es ja noch mal versuchen.«

»Du willst noch mal mit mir ausgehen?«

»Sieht so aus.«

»Bist du verrückt?«

»Verrückt genug vermutlich.«

Am Samstagabend haben wir Sex auf seinem quietschenden Bett. Ich will ihn unbedingt entschädigen. Er ist liebevoll und träge, er lässt keine Eile zu. Wir machen es stundenlang, mit ein paar Pausen, in denen wir aus gelben Plastikbechern Ananassaft trinken und Popcorn und Dosenpfirsiche essen. Irgendwann nach Mitternacht höre ich von oben eine Zugpfeife, und mir wird klar, dass ich eingedöst bin. Wir sind beide eingedöst. Ich stütze mich auf einen Ellbogen und berühre mit einem Finger seine Lippen. Er rührt sich nicht. Er hat einen fleischigen, großzügigen Mund. Sein ganzes Gesicht wirkt weich und großzügig, ein bisschen achtlos zusammengefügt, die Nase ist leicht schief, ein Ohr steht weiter ab als das andere. Aber es scheint so, als wäre das Absicht, als solle dieses Gesicht seinem Ausdruck entsprechen, der sogar im Schlaf noch drollig und einladend ist.

Ich frage mich, ob ich ihn liebe. Wie sollte ich nicht.

# 35

**Abel und ich haben ein Stadium erreicht,** in dem wir ganz nüchtern von seinem Tod sprechen, aber das ist nur möglich, weil wir keine Ahnung haben, wovon wir reden. Wie er selber einmal gesagt hat: Der eigene Tod ist nie mehr als ein Gerücht. Jedes Mal, wenn ich die Haustür öffne und auf sein Atmen lausche, rechne ich nicht wirklich damit, es nicht zu hören. Das Nicht-Hören ist unvorstellbar, unendlich weit hinausgeschoben. Er wohnt noch immer in seiner Wohnung, er trinkt, wird ohnmächtig, wacht wieder auf, wischt den Fußboden. So ein Leben geht nicht direkt in den Tod über. Es gibt Phasen, Notfälle. Es gibt Wunder.

Eines Tages habe ich auch das Stadium erreicht, in dem ich mich überwinden kann, ihn zu fragen, warum er mir nie gesagt hat, dass er mich liebt. Warum er es nie aussprechen konnte.

»Ich habe es gesagt«, flüstert er.

»Einmal. Du hast gesagt ›Ich liebe dich zu doll‹, als wäre es ein Fluch.«

»Du hast immer gewusst, was ich fühle.«

»Ich dachte, ich wüsste es, wenn wir zusammen waren. Aber wenn wir nicht zusammen waren, konnte ich auch nicht wissen, was du fühlst.«

»Dasselbe.«

»Nicht mal jetzt kannst du es aussprechen. Du kannst nicht sagen: ›Ich liebe dich, Louise.‹«

»Ich liebe dich, Louise.«

»Vor Gericht könntest du geltend machen, dass du nur meine Worte wiederholt, nur laut darüber nachgedacht hast.«

»Ich liebe dich, Louise.«

Es ist Samstag, später Vormittag. Er liegt noch im Bett (obwohl er mir versichert, dass er bald aufstehen wird, »alles in Ordnung«), deshalb habe ich mich ausgezogen und bin zu ihm unter die Decke geschlüpft. »Kannst du nicht sprechen?«, frage ich. Er antwortet nicht direkt, er sagt: »Mir ist heute nach Flüstern.« Sein Atem riecht süß. Vielleicht trinkt er neuerdings Likör, oder es liegt daran, dass seine Lippen nicht mehr bluten. Sein Gesicht ist beinahe transparent; man sieht die feinen Äderchen, so als könne sich das, was lange verborgen war, zu diesem späten Zeitpunkt ebenso gut zeigen. Im Großen und Ganzen ähnelt er allmählich einem zarten Kind.

Das sage ich ihm, und er antwortet: »Früher fand ich immer, wenn es gut und natürlich ist, in dieser Welt zu leben, dann sollte das Leben einen verjüngen. Ich konnte nicht verstehen, warum wir nicht alt und klapprig beginnen und zum Schluss jung und vollkommen sind.«

»Das war, ehe dir klar wurde, dass alt und klapprig vollkommen ist.«

Er nickt.

»Weil alles vollkommen ist.«

»Genau.«

»Ich stimme dir nicht zu. Ich zitiere dich bloß.«

»Du denkst nur laut darüber nach.«

»Wie wählst du dann aus? Warum kaufst du das und nicht jenes? Warum bist du mit dieser Person zusammen und nicht mit jener?«

»Es ist ganz natürlich, sich zu bestimmten Dingen und Menschen mehr hingezogen zu fühlen als zu anderen.«

»Was ist dann falsch daran, sich zu einem einzigen Menschen mehr hingezogen zu fühlen als zu allen anderen?«

»Es ist nicht falsch.«

Ich drücke kurz seine Hand. »Warum konntest du mich dann nicht mehr lieben als alle anderen?«

»Ich liebe dich mehr als alle anderen, die ich liebe.«

»Du meinst, wenn alle deine Freundinnen am Ertrinken wären und du nur eine retten könntest, dann wäre ich das?«

Er lächelt. »Du bist eine gute Schwimmerin.«

Ich muss sein Lächeln erwidern. »Ich würde dich retten. Ich würde jeden für dich aufgeben.«

»Wenn ich aus dem Weg bin, wird sich das ändern.«

»Wird es nicht. Du wirst meine Liebe mitnehmen.«

»Das darfst du nicht zulassen. Behalte sie für dich.«

»Und wenn ich das nicht kann? Wenn du sie trotz allem mitnimmst?«

Er rollt sich auf den Rücken und schaut an die Decke. »Ich nehme nichts mit. Ich reise mit leichtem Gepäck.«

# 36

**Bei Troy bin ich diejenige,** die bedingungslos geliebt wird. Ich kann mit ungewaschenen Haaren herumlaufen, langweilig oder schlecht gelaunt sein. Wenn ich mir Mühe gebe – und meistens versuche ich das –, dann um des Luxus willen, jemandem Freude zu bereiten, für den ich mir keine Mühe geben müsste. Ab und zu denke ich noch an Abel, und dann breitet sich ein hohles Gefühl in meiner Brust aus, aber nach einer Weile ist es bloß noch das Abel-Gefühl, und alle anderen Gefühle, die ich je für ihn gehegt habe, sogar die Liebe, werden davon verdrängt. Das sage ich, und das glaube ich auch. Wenn ich mit Troy über ihn spreche, verfalle ich in einen sarkastischen Ton, nicht absichtlich, er schleicht sich einfach ein. Troy ist ein so einfühlsamer Zuhörer und sich seiner selbst so sicher, dass er nie etwas Schlimmeres über Abel sagt als: »Er klingt kompliziert.« Einmal hat er gesagt, er glaube, sie beide hätten Freunde sein können.

»Natürlich hättet ihr das«, habe ich geantwortet. »Jeder ist sein Freund. Der größte Säufer der Stadt ist sein Freund. Der Vergewaltiger von nebenan ist sein Freund.«

»Na also, da hast du's«, sagt Troy und ist kein bisschen gekränkt. Und so gewinnt er mich immer wieder.

Sein rechter Arm hat ein Gummigelenk, er kann ihn über die Schulter rotieren lassen, und er tut so, als kugele er ihn ganz aus, und sagt, ich kann ihn haben, wenn ich seine Braut werde. »Die Ehe ist eine sterbende Einrichtung«, sage ich. Wie wär's, wenn ich zu ihm ziehe? »In wilder Ehe leben?«, sage ich und spiele schockiert. Er weiß, dass ich noch nicht so weit bin, er drängt mich nicht. Außerdem verbringen wir auch jetzt schon mindestens vier Abende in der Woche zusammen. Er kocht Abendessen für mich – panierte Hähnchenkeulen oder Chili con Carne –, und dann schauen wir fern oder hören Platten oder gehen ins Kino. Wir lieben uns überall in der Wohnung, auf Plattenkisten, auf jedem der modernen, dänischen Sessel. Donnerstags bleibt er länger im Laden, das gibt mir Gelegenheit, die Wäsche zu erledigen und zu lesen. Freitags trifft er sich mit einer Gruppe von Kriegsdienstverweigerern in einem ungarischen Restaurant, wo über die Antikriegsbewegung und eine Untergrundzeitung namens »Rant« gesprochen wird, für die sie alle zu schreiben scheinen und die er zum Teil finanziert, weil er der einzige ist, der eine feste Arbeit hat. Manchmal schaue ich vorbei und höre mir ihre leidenschaftlichen Gespräche an, die ich wesentlich verständlicher finde als die Gedichte und Artikel, die sie veröffentlichen. An den Wochenenden sind Troy und ich mit seinem Auto unterwegs, fahren raus zu den Beaches oder gehen auf Toronto Island spazieren. Sonntagnachmittags fahre ich immer noch nach Greenwoods, und zweimal im Monat kommt er mit. Mein Vater und Mrs. Carver können ihn gar nicht genug loben, und er sie auch nicht. »Umgänglich«, sagt mein Vater mit Staunen in der Stimme. »Die passende Beschreibung für Troy ist umgänglich.« (Offenbar hat er erwartet, ich würde mit einem feindseligen Außenseiter ankommen.) Aber trotz seiner ganzen Umgänglichkeit und seines Humors hat Troy keine engen Freunde. Ich weiß nicht genau, warum. Die Kriegsdienstverweigerer finden ihn ein bisschen zu konventionell, vermute ich. Abgesehen von ihnen gibt es nur noch einen streitlustigen Plattensammler namens Sammy, der uns so sehr einschüchtert, dass wir mit ihm im Hinterzimmer des Ladens Haschisch rauchen. Wenn Troy und ich allein sind, rauchen wir nie etwas und trinken nur gelegentlich ein Bier oder ein Glas Wein. Troy sagt, er will mich mit klarem Kopf erfahren, er will nicht, dass seine Sinne getrübt sind.

Ich sage: »Ich auch.«

Nicht ganz die Wahrheit. Was ich will ist, dass er überhaupt nicht so wie Abel ist.

Was auch nicht ganz stimmt, denn sie sind beide freundlich und intelligent. Nur in den Details kann ich keine Ähnlichkeiten ertragen. Als Kind hat Troy Insekten gesammelt, und wenn er auf unseren Spaziergängen einen Käfer oder einen Schmetterling sieht und beim Namen nennt, wende ich mich ab. Aus dem gleichen Grund weigere ich mich, mit ihm Bachs Klavierstücke zu hören. Troy meint dazu, je mehr er Abel zu ähneln scheint, desto größer ist das Risiko, jedenfalls in meinem Kopf, dass er mit mir spielt. Aber wenn er das sagt, selbst wenn er mich beruhigt, ohne Abel zu erwähnen, erinnert mich das bloß daran, was wirklich los ist. Ich kann die Ähnlichkeiten nicht ertragen, weil ich die Verschiedenheit nicht ertrage, Troys Minderwertigkeit: der Sammler toter Insekten gegenüber dem Verehrer der lebendigen, der Musikliebhaber gegenüber dem Musiker. Der Mensch mit hundert Bekannten und keinem engen Freund gegenüber dem Menschen, für den jeder Bekannter ein enger Freund ist. Es ist so ungerecht und deprimierend. Zum Ausgleich mache ich sofort im Geiste eine Liste von Troys guten Eigenschaften, angefangen mit seiner Ergebenheit, seiner Loyalität, und dann kann ich oft auch schon wieder aufhören, denn schon steigt er aus Abels Schatten und ist wieder er selbst. Sein gutes, würdiges Selbst.

Vier Jahre vergehen. Wenn ich »vier Jahre« denke, dann habe ich ein Gefühl von verschwundener, nicht greifbarer Zeit, so wie bei einem Traum, den man in einer Minute erzählen kann, der aber die ganze Nacht gedauert zu haben scheint. »Die Zeit verrinnt«, sagen die alten Leute. Jetzt weiß ich, was sie meinen: Es ändert sich kaum etwas. Troy und ich bleiben zusammen. Ich arbeite weiter für Mr. Fraser, es gelingt uns beiden gerade so, eine gewisse Produktivität vorzutäuschen. Zweimal habe ich die Akten durchgeackert, alles gelesen, geordnet und versucht, die lebenden von den toten Klienten zu trennen. Ich überlegte gerade, ob ich sie mir erneut vornehmen sollte, als mich Mr. Fraser in sein Büro rief und mich fragte, ob ich den Film »Die Tage des Weines und der Rosen« gesehen hätte? Ich sagte nein.

»Mit Lee Remick und Jack, ähm… Jack…«

»Ich kenne den Film nicht.«

»Jack… Sie wissen, wen ich meine. Spricht schnell und wackelt viel mit dem Kopf.«

»Jack Lemmon?«

»Genau. Jack Lemmon. Also. Da kommt ein Mädchen drin vor, die Rolle von Lee Remick, die ist blitzgescheit. Sekretärin in einer tollen, großen Firma, Werbebranche, wenn ich mich recht entsinne. Aber der Mann, der sie eingestellt hat, kann sie nicht ausreichend beschäftigen, deshalb liest sie an ihrem Schreibtisch eine Enzyklopädie der Weltliteratur durch, Band für Band. Allerdings nicht die Literatur an sich.« Sein Blick wird schärfer. »Bei welchem Autor sind Sie gerade?«

Ich habe ihm erzählt, dass ich die großen Romane in alphabetischer Reihenfolge der Autoren lese. »George Eliot«, sage ich. »›Silas Marner‹.«

»Dann steht bald E. M. Forster an. Der wird Ihnen gefallen.«

»Vorher muss ich noch William Faulkner und F. Scott Fitzgerald abhaken.«

»›Auf der Suche nach Indien‹. ›Zimmer mit Aussicht‹.« Er schien den Faden zu verlieren.

»Lee Remick liest also die Enzyklopädie«, soufflierte ich.

»Richtig. Sehen Sie, sie hat nie studiert. Sie denkt sich, wenn sie den letzten Band durch hat, dann hat sie den Grad eines Bachelor in englischer Literatur in der Tasche.«

»Aber ohne Zertifikat.«

»Bloß ein Fetzen Papier.«

»Dasselbe könnte man über Aktien sagen.«

»Jetzt wollen wir aber nicht spitzfindig werden, junge Dame. Auf das Wissen kommt es an, wie man es erwirbt, spielt keine Rolle. Also. Romane sind schön und gut, Sie kennen meine Meinung dazu, aber wenn die Leute ein Mädchen sehen, das am Schreibtisch sitzt und einen Roman liest, dann denken sie, sie vertrödelt ihre Zeit. Eine Enzyklopädie dagegen – wenn ein Mädchen eine Enzyklopädie liest, dann könnte sie auch für irgendein Projekt recherchieren, nicht wahr?«

Er stand mühsam auf, schlurfte gebückt zu seinem Bücherregal und zog den ersten Band seiner Encyclopedia Britannica aus dem Regal. Den Band mit beiden Händen umklammernd, ging er zurück zum Schreibtisch und legte ihn dort ab. Sein Gesichtsausdruck war eindringlich. »Also dann. Sie lesen sich durch alle vierundzwanzig Bände, und Donnerwetter nochmal, das dürfte reichen für einen Doktortitel in Allgemeinwissen.«

Acht Monate später bin ich am Ende des dritten Bandes angekommen, das heißt, ich bearbeite die Brs: Brahms, Braille, usw. Weil ich die Sache ernst nehme und versuche, mir die wichtigsten Fakten zu merken, komme ich nur schleppend voran. Aber selbst wenn ich völlig gelangweilt bin, denke ich keine Sekunde daran, zu kündigen oder mich um eine andere Stelle innerhalb der Firma zu bewerben. Wie könnte ich Mr. Fraser im Stich lassen? Nicht dass irgendjemand außer Lorna das je vorschlägt. Die Kriegsdienstverweigerer denken, ich habe das große Los gezogen. Als Sekretärin bin ich in ihren Augen ein Nichts, aber als Sekretärin, die nichts tut, bin ich ein subversives Element, und seit ich meine Nachmittage mit der Lektüre der Encyclopedia Britannica verbringe – noch dazu auf Anweisung meines Chefs –, bin ich ein Star. Eine Schauspielerin. »Fragt mich nach irgendetwas, das mit A oder B anfängt«, sage ich, »bis zu Boswell.«

»Ares!«, rufen sie. »Attila, der Hunnenkönig!« »Bismarck!«

Kriegsdienstverweigerer, die nichts als Kriegstreiber im Kopf haben.

Manchmal frage ich mich, ob ich das Leben lebe, auf das ich gewartet habe, oder das, mit dem ich mich abgefunden habe. Sind die Menschen dafür geschaffen, zufrieden zu sein? Ich kann mir nicht vorstellen, dass ich in einen dauerhaften Gemütszustand eingetreten bin. Und die Wahrheit ist, es nutzt sich tatsächlich langsam ab. Jedes Jahr gegen Ende August werde ich plötzlich unruhig, und mir ist klar, dass das zum Teil ein Überbleibsel von früher ist, als ich dem Ende der Schulferien mit Bangen entgegensah, aber es ist mehr als nur das, es ist auch eine Ansammlung von Schuldgefühlen und Verwirrung, weil ich nicht zu Troy ziehe, seinem geduldigen, scherzhaften Bitten weiterhin widerstehe. Plötzlich habe ich Sehnsucht nach irgendetwas Unbestimmtem … etwas Wildem, einer Abweichung vom Gradlinigen, Engen.

In dieser Stimmung wird Lorna zu meiner Seelenverwandten. Sie sagt: »Eines Tages, das schwöre ich dir, werfe ich meine Schreibmaschine aus dem Fenster«, und anstatt sie gar nicht zu beachten, wie ich es normalerweise tun würde, sage ich: »Die Fenster hier sind aus bruchsicherem Glas.«

»Na schön«, sagt sie, »dann eben die Treppe runter.«

»Kannst du dir das vorstellen?«, frage ich, denn ich kann es. Du nimmst deine Schreibmaschine, schleppst sie ins Treppenhaus, schaust die siebenunddreißig Stockwerke nach unten, um sicherzugehen, dass die Luft rein ist, und dann... lässt du... einfach... los.

Ich träume davon, mit Abel zu schlafen. Beim Aufwachen, ehe ich ganz zu mir komme, sehe ich den Engel der Liebe in der Ecke neben der Kommode flackern. »Geh weg«, denke ich schwach.

Ruf ihn an, drängt er. Ruf ihn an.

Es ist schwer, dem Engel zu widerstehen. Im ersten Jahr, als ich diese unruhige Phase hatte, habe ich die Telefonnummer der Richters noch einmal nachgeschlagen. Kurz vor dem Wählen griff ich mir die Zeitung und las die Kleinanzeigen. Eine neue Wohnung war das, was ich brauchte. Etwas Größeres, Ruhigeres.

Also nehme ich zurück, was ich gesagt habe, dass sich in vier Jahren nichts verändert hat. Meine Wohnsituation hat sich dreimal verändert. Dennoch – wahrscheinlich weil ich meine Möbel jedes Mal mitnehme – habe ich nie das Gefühl einer wirklichen Umwälzung. Damit will ich sagen, dass es um die Umwälzung geht: eine behebbare Umwälzung des Haushalts, die mich von mir selber ablenkt. Wo ich schließlich lande, spielt kaum eine Rolle, denn ich bin sowieso selten zu Hause. Aber am Tag des Umzugs habe ich trotzdem immer die vage, unbegründete Hoffnung auf größere Erfüllung. Die ziemlich schnell enttäuscht wird. Bei der ersten Wohnung, einer Einzimmerwohnung in einem alten viktorianischen Haus, wohnte unter dem Dach eine Prostituierte, deren Kunden dauernd auf der Veranda herumlungerten und manchmal an meine Tür klopften, wenn sie ihre verschlossen fanden. In der zweiten Wohnung gab es vergiftete Mäuse, die sich vom Restaurant im Erdgeschoss zu mir nach oben schleppten und in meine Schuhe krochen. Ein Jahr später zog ich wieder in eine alte Villa, diesmal in den zweiten Stock, mit Aussicht auf eine Blautanne, an der ein Dieb hochkletterte, um in mein Wohnzimmer einzubrechen und den Plattenspieler und die Boxen zu klauen, die Troy mir zum Einzug geschenkt hatte. Obwohl ich Troy immer erst von meinen Umzugsplänen erzählte, wenn der Mietvertrag schon unterschrieben war, nahm er die Nachricht gelassen auf, von Mal zu Mal gelassener sogar, denn mit jedem Umzug kam ich seiner Wohnung um mehrere Blocks näher.

»Reiner Zufall«, sagte ich beim dritten Mal.

»Reines, unbewusstes Verlangen«, antwortete er.

# 37

**»Abel, weißt du, was ich nicht verstehe?«**

»Was denn?«

»Wenn alles und jeder vollkommen ist, warum trinkst du dann?«

Kurzes Schweigen, dann: »Alles ist vollkommen in sich.«

»Ob du trinkst oder nicht.«

»Richtig.«

»Aber für *dich* ist es vollkommener, wenn du trinkst.«

Erneutes Schweigen.

»Wir müssen nicht darüber sprechen, wenn du nicht willst.«

»Vielleicht ist es so.«

»Was ist wie?«

»Dass es dann vollkommener ist.«

»Ist es das wirklich?«

»Louise, ich weiß nicht, was du hören willst.«

»Was du empfindest. Die Wahrheit.«

»Ich weiche nicht aus. Ich empfinde nicht so. Ich *suche* die Vollkommenheit nicht.«

»Suchst du überhaupt irgendetwas?«

»Klar.«

»Und was?«

»Was auch immer. Was eben da ist.«

»Du meinst, was immer du siehst.«

»Richtig.«

»Ich versuche ja nur, dich zu verstehen.«

»Ich weiß.«

»Du machst es mir nicht leicht.«

»Ich weiß.«

»Ist schon gut. Niemand ist vollkommen.«

Ein paar Tage später, am Sonntagnachmittag, schlafe ich auf dem Sofa ein und träume von Tim Todd. Wir sitzen unter einer Trauerweide. Er möchte mir ein paar Sachen zeigen, aber er zögert, er fürchtet, ich könne ihn zurückweisen. Die Sachen sind in einer braunen Papiertüte, also können es keine Fische sein. Jedenfalls keine lebendigen. Ich will es aber lieber gar nicht wissen. Schließlich sagt er: »Na, möchtest du mal reinschauen?«, und es liegt so viel Wehmut und Verzweiflung in seiner Stimme, dass ich beinahe nachgebe.

»Ein andermal«, sage ich.

Als ich aufwache, bin ich den Tränen nahe. »Tim Todd«, denke ich und frage mich, ob ich ihn lieber mochte, als mir damals klar war. Nein, dieses verspätete Schuldgefühl ist Reue, weil ich ihn verletzt habe. Was nicht bedeuten soll, dass ich ihn unter ähnlichen Umständen nicht wieder verletzen würde.

Und dann fällt mir noch etwas anderes ein – zum Thema, warum Abel trinkt –, und ich stehe auf und gehe ans Fenster, unsicher, ob ich diesen Gedanken früher schon einmal hatte oder nicht. Ich vermute, ja, aber ich habe ihn verworfen. Wahrscheinlich hoffte ich noch, dass der Grund außerhalb von ihm zu suchen war, in einer schrecklichen Erinnerung etwa oder einer abstrakten Philosophie, und dass er dagegen ankommen könnte, wenn er nur wollte.

Meine Zuversicht ist wohl inzwischen aufgebraucht, denn plötzlich erscheint es mir offensichtlich, dass er aus reiner Hilflosigkeit trinkt. Wenn das Leben bedeutet, dass man andere verletzen muss, Entscheidungen treffen muss, einen Menschen einem anderen vorziehen muss, dann ist er dafür einfach nicht geschaffen. Und nichts tun ist keine Lösung, denn es bedeutet nur, durch Unterlassung zu entscheiden. Besser man *ist* nichts, als man tut nichts.

Sieht er es so? Er weiß, wie weh sein Tod uns tun wird, also muss er glauben, dass er uns letztendlich noch mehr verletzen wird, wenn er am Leben bleibt. Vielleicht sollten wir so tun, als wäre uns inzwischen egal, was er tut. Sagen: »Wir haben dich aufgegeben, Abel. Du spielst keine Rolle mehr.« Aber das würde ihn nur bestätigen: wenn wir dem entsprechen, was er uns seit Monaten sagt. Wie können wir das umgehen? Wie können wir ihn davon überzeugen, dass es sein gutes Recht ist, Leid zu verursachen, und dass er darüber hinaus verpflichtet ist, das Leid, dass er verursacht, zu *ertragen*?

Wenn ich nur sagen könnte: »Du bist es wert, dein Leben zu leben«, und er mir glauben würde. Zu spät, zu spät. Er scheint jetzt völlig von dem Gedanken eingenommen zu sein, dass er nicht mehr existiert. Ich glaube, er stellt sich den Platz vor, den er räumt, den physischen Platz, und da sind wir, seine Eltern und ich, die mit fuchtelnden Armen nach ihm suchen, aber wenigstens werden wir nicht auf Widerstand stoßen. Es wird nichts mehr da sein, womit wir zusammenprallen könnten, nur Luft.

# 38

**An einem Freitagabend** im August neunzehnhundert-dreiundsiebzig stirbt Mr. Fraser. Ich erfahre es, als ich am Montagmorgen zur Arbeit erscheine. Debbie schluchzt in ihre Hände, während Lorna von der anderen Seite des Schreibtischs aus versucht, die Telefone zu bedienen. Lorna ist diejenige, die es mir sagt. Ihr mitfühlender Tonfall ist fast genau so schockierend wie die Nachricht selber. Sie sagt, Mr. MacLellan möchte mich gleich in seinem Büro sehen.

Mr. MacLellan ist der Firmenpräsident. »Bitte«, sagt er und zeigt auf einen Stuhl, dann reicht er mir eine Schachtel Papiertücher, obwohl meine Augen trocken sind. Er thront auf einer Ecke seines Schreibtisches. »Sie haben gehört?«

»Gerade eben.«

»Falls es Sie tröstet, er hat nicht gelitten.«

»Woher wissen Sie das?« Ich will nicht unverschämt sein, aber ich frage mich, wie er das sagen kann, wenn Mr. Fraser alleine war, als er starb.

Er berührt den Knoten seiner Krawatte. Braun mit goldfarbenem Muster. Er ist groß und zuvorkommend, vielleicht Ende fünfzig, graumeliertes Haar, die Art von Mann, der niemals etwas Geringeres als Präsident sein könnte. »Er wurde in seinem Bett gefunden«, sagt er. »Am Samstagmorgen, von seiner Putzhilfe. Es sieht so aus, als sei er im Schlaf gestorben. Vermutlich an Herzversagen, aber das wissen wir noch nicht genau.«

Er sagt, die Beerdigung wird am Mittwochnachmittag stattfinden. Bis dahin, und danach so lange ich möchte, bin ich von der Arbeit freigestellt. In der Zwischenzeit wird die Personalabteilung für mich eine passende Stelle mit gleicher Bezahlung suchen. Ich höre kaum zu. Ich denke immer noch an Mr. Fraser, wie er im Bett liegt und nach Atem ringt.

»Ich vollstrecke das Testament«, fährt Mr. MacLellan fort, »das er letzten Monat noch einmal geändert hat. Ich kann Ihnen mitteilen, dass Sie zu den Begünstigten gehören.«

Ich blicke auf.

»Mr. Fraser hat große Stücke auf Sie gehalten. Er hat Ihnen fünfzehntausend Dollar und seine vierundzwanzigbändige Encyclopedia Britannica hinterlassen.«

Bis zur Beerdigung weine ich nicht, und dort weine ich so sehr, dass die Schwiegertochter sich immer wieder umschaut. Schuld war die Begegnung mit den Enkelsöhnen, die überwältigende Ähnlichkeit des Ältesten mit Mr. Fraser, die gleichen braunen Augen, das gleiche flüchtige Lächeln, das von schneller Auffassungsgabe zeugt, und das Ergreifende und Geheimnisvolle an dieser Tatsache. Es ist, als sei Mr. Fraser irgendwie in dem Jungen gegenwärtig. Auf dem anschließenden Empfang, der in Mr. MacLellans Villa stattfindet, fragt mich Pat Penn aus der Personalabteilung in ihrer desinteressierten Art, wann ich wieder ins Büro kommen werde, und die Aussicht, als Sekretärin irgendeines anderen Vorstandsmitgliedes wieder aufzuerstehen, ist auf einmal undenkbar für mich.

»Gar nicht«, sage ich. »Ich komme nicht wieder.«

»Schön«, sagt sie unbeeindruckt. »Lassen Sie mir Ihre neue Telefonnummer da.«

Weil sie natürlich genau wie ich selber davon ausgeht, dass ich demnächst umziehen werde, denn es ist ja August. Ich habe noch keine neue Wohnung gefunden und meine jetzige auch noch nicht gekündigt, aber ich habe schon angefangen, die Umzugskartons vom letzten Mal wieder zusammenzubauen.

Ein paar Stunden später, bei Troy, frage ich mich, ob ich übereilt entschieden habe. Ich sage: »Ich brauche zwar nicht unbedingt das Geld, aber ich muss arbeiten. Ich muss etwas zu tun haben.«

»Ich kann dich jederzeit im Laden gebrauchen«, sagt er.

»Ja?«

»Warum nicht? Du kennst dich mit Musik aus. Du bist nett anzusehen.«

»Ich bin charmant. Und freundlich.«

»Daran können wir arbeiten.«

»Vielleicht sollte ich nachgeben und auch noch bei dir einziehen«, sage ich in einem Anfall von Verliebtheit. »Vielleicht sollten wir jede freie Minute in Hörweite voneinander verbringen. Ich könnte die *beiden* freien Zimmer haben, oder? Ein eigenes Schlafzimmer und ein eigenes Wohnzimmer?«

»Was du willst«, sagt er vorsichtig.

»Na schön, ich werde es mir überlegen.«

»Wirklich?«

»Ich schätze, ja. Ich weiß nicht genau. Mal sehen, wie es morgen aussieht.«

Es sieht schlechter aus. Ich wache spät auf und habe Kopfschmerzen. »Mr. Fraser ist tot«, denke ich. Ich kann es kaum glauben. Er war so alt und verwittert, wie ein Baum oder ein Fels. Er hatte sein Recht, hier zu sein, redlich verdient, viel mehr als ich. Ich denke daran, wie oft ich mir selbst Leid getan habe, und schäme mich. Er kam Abend für Abend in eine leere Wohnung, seine Tage waren gezählt, seine Gedanken führten unweigerlich zu seiner toten Frau und seinem toten Sohn. Ich stelle mir vor, wie er alleine zu Abend isst, mit Leinenserviette und gutem Silberbesteck. Wie er sich die Ärmel aufkrempelt, um abzuwaschen. Was mag er dann gemacht haben? Vermutlich hat er Zeitung gelesen oder einen Roman oder ein Buch über Segelschiffe. Er muss früh zu Bett gegangen sein, wenn man bedenkt, um welche Zeit er aufstand. Ich stelle ihn mir in einem blauen Baumwollschlafanzug vor, wie er seinen Wecker stellt, einen altmodischen zum Aufziehen. Ob er ihn auch am Abend vor seinem Tod gestellt hat? Er hat mir einmal erzählt, das er samstagmorgens immer jemanden in einem Altersheim besuchte, eine Tante oder Cousine seiner Frau (ich weiß noch, dass mich seine Loyalität zu einer so entfernten Verwandten beeindruckt hat). Oje, der Gedanke, wie er seinen Wecker stellt, in der bescheidenen Annahme, dass er einen Wecker nötig haben wird, ist herzzerreißend.

Ich schaue auf meine eigene Uhr. Viertel vor elf. Ich beschließe, ins Büro zu gehen und meinen Schreibtisch auszuräumen, damit das erledigt ist. Eine Stunde später, als ich gerade aufbrechen will, klingelt das Telefon. Es ist mein Vater, er ruft aus dem Büro an. Er fragt, wie es mir geht, wie die Beerdigung war, und dann sagt er, er würde gerne vorbeikommen.

»Jetzt?«

»Wenn du nicht beschäftigt bist oder gerade weggehen wolltest?«

»Was ist los?«

»Bloß ein paar Neuigkeiten.«

»Schlechte Neuigkeiten. Das höre ich an deiner Stimme.«

»Keine Angst. Hör zu, ich bringe uns etwas zum Mittagessen mit, ein paar Eiersalat-Sandwiches, einverstanden?«

Sein Büro ist nicht weit weg, eine halbe Stunde später ist er schon da. »Willst also mal wieder umziehen«, stellt er mit Blick auf die Kartons fest.

»Nun sag schon.«

»Lass uns in die Küche gehen.«

Er stellt die Tüte mit dem Essen auf den Tisch, setzt sich und zieht ein gefaltetes Blatt Papier aus der Innentasche seines Jacketts. »Das ist gestern gekommen«, sagt er und reicht es mir.

Es ist ein handgeschriebener Brief. »Winnipeg«, sage ich, den Absender betrachtend.

Den Rest lese ich schweigend:

> Lieber Mr. Kirk,
> als Helen Grace Kirks gesetzlichem Ehemann muss ich Ihnen die traurige Mitteilung machen, dass sie am neunzehnten Juli an Lungenkrebs verstorben ist. Sie hat nicht lange leiden müssen. Ich habe Sie nicht über die Beerdigung informiert, weil sie auf Graces Wunsch hin in sehr kleinem Kreise stattfand.
> Wir haben nie viel besessen, aber Grace wollte, dass Ihre Tochter Louise den Ehering bekommt, den Sie ihr geschenkt haben. Damit sie etwas hat, das sie an Grace erinnert. Sie wollte auch, dass Louise ihre Asche erhält, um sie an einem Ort ihrer Wahl zu verstreuen. Ich werde sie Ihnen

separat per Eilboten zuschicken. Ich hoffe, der Schock ist für Sie nicht allzu groß. Sie sagte, Sie seien immer gut zu ihr gewesen, und Louise hätte Sinn für Humor.

Ihr
Wendell Wells

»Lungenkrebs«, sage ich.

»Alles in Ordnung?«

»Na ja, es ist tatsächlich ein Schock, nicht wahr? Wendell Wells.« Ich reibe mir die Schläfen – die Kopfschmerzen kommen wieder.

»Er ist Gärtner.«

»Woher weißt du das?«

»Ich habe seine Nummer nachgeschlagen und ihn angerufen.«

»Wann?«

»Heute Morgen. Kurz bevor ich dich angerufen habe.« Er nimmt den Brief und steckt ihn wieder in die Tasche.

»Und du hast ihn erreicht?«

»Oh ja.«

Erst jetzt fällt mir auf, dass seine Augen rotgerändert sind. »Das war sicher schwer für dich.«

»Es war nicht so schlimm, leichter, als ich erwartet hatte. Er war sehr höflich, er hat gesagt, er freut sich, von mir zu hören. Aber er war ziemlich mitgenommen. Ist zweimal in Tränen ausgebrochen. Anscheinend haben er und deine Mutter sich vor fünf Jahren bei der Arbeit kennengelernt. Auf dem Landsitz eines reichen Bankers. Sie war dort Haushälterin.«

»Haushälterin!«

»Anscheinend hat sie den Haushalt eigenverantwortlich geführt. Sie war bestimmt gut, hatte alles picobello in Schuss. Vorher ist sie ziemlich viel rumgekommen, hat sie ihm erzählt. Hat an allen möglichen Orten in den Präriestaaten gearbeitet.«

»Als Haushälterin?«

»Als Kellnerin in Cocktailbars.«

»Kellnerin in Cocktailbars! Wie kann sie Kellnerin in Cocktailbars gewesen sein? Sie konnte es nicht ausstehen zu hören, wie andere Leute ihre Drinks schlürfen. Sie muss wahnsinnig geworden sein.«

»Wendell …«, er wedelt hilflos mit einer Hand, wohl weil die vertrauliche Anrede so seltsam klingt, »er hat gesagt, ihr Verstand war messerscharf, bis zum Schluss. Er hatte keine Ahnung, dass sie verheiratet war, kannte nicht mal ihren richtigen Namen, aber in den letzten Tagen hat sie sich entschlossen, reinen Tisch zu machen. Er hatte geglaubt, sie sei eine Junggesellin namens Grace White.«

»White. Nach ihren Zähnen. Nach ihrer Haut.« Ich nehme ein Sandwich aus der Tüte. »So. Gestorben mit fünfundvierzig.«

»Im November wäre sie sechsundvierzig geworden«, sagt er ruhig.

Ich beiße in das Sandwich. Eben hatte ich noch keinen Appetit, aber jetzt bin ich völlig ausgehungert. »Weiß Großmutter Hahn es schon?«

»Wendell sagt, er hat versucht, sie zu erreichen, hat sie aber nicht ausfindig machen können. Möglich, dass sie vor ein paar Jahren gestorben ist. Aber es gibt darüber keine Unterlagen.«

»Mann, die Frauen aus dieser Familie verstehen es wirklich, sich rar zu machen.«

»Darf ich dich daran erinnern, dass du auch eine Frau aus dieser Familie bist?« Er nimmt sich ein Sandwich. »Ich bin froh über die Ringe. Das freut mich wirklich.«

»Etwas, das mich an sie erinnert. Nun, ich erinnere mich an die *Ringe*.«

»Es ist richtig, dass du sie bekommst.«

»Was soll *ich* denn mit ihnen anfangen?«

»Du kannst sie neu einfassen lassen.«

»Ich trage keinen Schmuck. Und was ist mit ihren restlichen Sachen? Ich vermute, Wendell, der Gärtner, der nie viel besessen hat, will sie behalten.«

Er legt das Sandwich wieder hin. »Du bist immer noch zornig und verletzt.«

»Ich bin nicht *immer noch* zornig und verletzt. Ich bin *plötzlich* zornig und verletzt. ›Louise hatte Sinn für Humor.‹ Ist das alles, was sie ihm erzählt hat? Ist das alles, woran sie sich erinnert hat?«

»Vielleicht ist es nur alles, woran *er* sich erinnert, von all den Dingen, die sie gesagt hat.«

»Ihre Asche an einem Ort meiner Wahl verstreuen. Wo soll das denn sein? Im Fahrtwind eines Lieferwagens von Eaton's?«

»Tja.« Er sieht niedergeschlagen aus.

»Oh, es tut mir Leid. Tut mir Leid.« Ich greife über den Tisch und lege meine Hand auf seine. »Es ist nur alles so verrückt. Ich kann es kaum glauben.«

»Es ist wirklich kaum zu glauben. Ein Schlag aus heiterem Himmel.«


Die Asche und die Ringe treffen am Mittwoch darauf in Greenwoods ein. Er bietet mir an, sie mir vorbeizubringen, aber ich sage, das hat Zeit bis Sonntag, wenn Troy und ich zum Essen kommen. Nachdem ich aufgelegt habe, rufe ich Troy im Laden an und sage: »Ich möchte mich nach den zwei Zimmern in der sonnigen Innenstadtwohnung erkundigen. Sind die noch frei?«

»Soweit ich weiß, ja.«

»Ich bin in der Lage, eine astronomisch hohe Miete zu bezahlen.«

»Die Miete ist zufällig lächerlich gering.«

»Würde der Vermieter ein Zimmer kanariengelb und das andere bernsteinfarben streichen?«

»Beide Gelb, meinst du?«

»Verschiedene Gelbtöne.«

»Ich glaube, das ließe sich machen.«

»Dann sag ihm bitte, die Sache ist gebongt.«

Kurze Pause, während er einen Verkauf macht, und dann: »Hast du es dir schon anders überlegt?«

»Noch nicht.«

»Was hat den Ausschlag gegeben?«

»Ich weiß nicht. Die Asche meiner Mutter ist angekommen.«

»Louise…«

»Ich möchte zu dir ziehen. *Ehrlich.*«

»Bist du dir sicher?«

»Ja, ich bin mir sicher. Ganz sicher.«

Am selben Abend fangen wir an, die Plattenkisten aus den Zimmern zu räumen. Am Samstagmorgen kaufen wir die Farbe. »Gelb, weil es aufmuntert«, sage ich. »Gelb, weil es fröhlich ist.« Das ist nicht der wahre Grund. Gelb, weil es Glück bringt. Weil ich mir *nicht* sicher bin.

# 39

**Wir sind auf dem Heimweg von Greenwoods.** Die Ringe stecken in einem Umschlag in meiner Handtasche, die Asche in einer weißen Porzellanurne auf meinem Schoß. Die Urne ist sowohl kleiner – ungefähr so groß wie ein Rosenpokal – als auch schwerer, als ich erwartet hatte. Aber sie ist angemessen schlank und kurvig. Mein Vater hat sie mir überreicht mit den Worten: »Ich dachte mir, wenn du bereit bist, die Asche zu verstreuen, könnten wir daraus eine Art Zeremonie machen. Tante Verna für ein paar Tage einladen…«

»Dafür braucht doch Tante Verna nicht den weiten Weg hierher zu machen. Lad sie lieber ein, wenn eine Hochzeit ansteht oder ein Baby geboren wird.«

Alle – mein Vater, Mrs. Carver, Troy – hoben erstaunt den Kopf. Wessen Hochzeit? Wessen Baby? (Ich hatte meinen Vater und Mrs. Carver schon mit der Neuigkeit überrascht, dass Troy und ich zusammenziehen werden.) Aber ich wollte nur die Aussicht auf künftige Entwicklungen anbieten, zum Ausgleich für meine Weigerung, eine Aschenverstreuungszeremonie auch nur in Erwägung zu ziehen. Es kostete mich schon Überwindung genug, die Urne überhaupt *mitzunehmen*.

»Nun, das musst du entscheiden«, sagte mein Vater mit einem Seitenblick zu Mrs. Carver, deren Idee das vermutlich gewesen war. Eine versöhnliche Geste dem Geist meiner Mutter gegenüber.

Im Auto umfasse ich die Urne an der Stelle, wo ihre Hüften zu sein scheinen, und versuche mich zu erinnern, ob meine Mutter je erwähnt hat, wo sie gerne verstreut werden möchte. Mir fällt nur eine einzige Gelegenheit ein, bei der Asche erwähnt wurde, und das war, als sie Mrs. Bently eine Geschichte erzählte, die sie gehört hatte und ausgesprochen lustig fand und in der es um eine Frau ging, die nach dem Tod ihres Mannes entdeckte, dass er ihr untreu gewesen war, und deshalb seine Asche ins Katzenklo streute. Ich erzähle Troy davon, und er schüttelt den Kopf. »Wo willst du sie denn eigentlich verstreuen?«, fragt er.

»Keine Ahnung. Ich habe ja keine Katze.«

»He, du sprichst hier von deiner Mutter.«

»Die die unsentimentalste aller Frauen war.«

Den Rest der Fahrt sagen wir nichts mehr. Seine nachdenkliche Miene verrät mir, dass er über das nachgrübelt, was ich von Hochzeit und Babys gesagt habe. Als wir bei mir zu Hause ankommen, bietet er mir an, noch beim Geschirr einpacken zu helfen, da es erst halb zehn ist, aber ich habe Angst, er könnte eine Diskussion über unsere Zukunft anfangen, deshalb erkläre ich, ich wolle gleich ins Bett gehen.

»Vergiss nicht, deinen Vermieter anzurufen«, sagt er. Um meine Wohnung zu kündigen, meint er. Er ruft mir noch hinterher: »Ich hol dich dann gegen neun Uhr ab«, und mir fällt ein, dass er sich morgen frei genommen hat und wir mit dem Streichen der Zimmer anfangen wollen.

Oben setze ich mich auf mein Bett und probiere die Ringe an. Sie passen genau. Meine Hände sind wie ihre Hände, nur ohne die lackierten Nägel und die Zigarette. Es ist aber ein komisches Gefühl, ihre Ringe zu tragen, es ist zu intim, so als würde ich ihre Unterwäsche anprobieren (was ich nie getan habe). Ich stecke die Ringe wieder in den Umschlag und lege sie in die oberste Kommodenschublade. Die Urne trage ich in die Küche und stelle sie dort auf den Tisch. Nachdem ich sie eine Weile angeschaut und versucht habe, sie als Dekorationsgegenstand zu betrachten, stelle ich sie in den Kühlschrank, wo ich sie nicht sehen kann. Aber was, wenn ich sie beim Auszug vergesse? Ich hole sie wieder heraus und entferne den Korken. Der Geruch ist der von Asche, die von einem beliebigen Feuer stammen könnte. Ich schütte ein bisschen davon auf dem Küchentisch aus. Graue, pudrige Brocken. Ich zerreibe den Puder zwischen meinen Fingern in der Erwartung, irgendetwas zu empfinden, Trauer oder Abscheu vielleicht, aber es gelingt mir nicht, eine Verbindung zwischen dem, was im Grunde nur Schmutz ist, und meiner Mutter herzustellen. Ich gehe ins Wohnzimmer und setze mich an den Schreibtisch. Mein Pullover, der einmal ihr Pullover war, ist vorne mit Asche beschmiert. »Also ist sie *doch* zurückgekommen, um ihre Kleider zu holen«, denke ich durchaus nicht zynisch, ohne mir die Mühe zu machen, die Asche abzuklopfen.

Ich schlage das Telefonbuch auf, um die Nummer meines Vermieters herauszusuchen. Sein Nachname lautet Salter. Ich blättere bis zu den Rs, dann werde ich langsamer. Ralston. Richie.

Richter, Karl. 241 Grenadier Road. Darüber steht: Richter, Abelard. 249 Ontario Street.

Mein Herz klopft schneller. Ich lege eine Hand aufs Telefon. Hebe den Hörer ab. Falls der Engel der Liebe da ist, bleibt er auf Abstand. Ich wähle die erste Ziffer, eine Neun. Die folgenden Klicktöne sind ohrenbetäubend laut. Ich presse den Hörer an meine Schulter, während ich den Rest der Nummer wähle, dann hebe ich ihn in einer Art panischer Trance wieder an den Kopf, so als wäre er eine Pistole.

Beim zweiten Klingeln geht er ran. »Hallo?« Die unverwechselbare raue Stimme.

»Ich bin's. Louise.«

Im Hintergrund ist Geschrei und Gelächter zu hören. »Hallo?«, sagt er noch mal.

Ich räuspere mich. »Hier ist Louise.«

»Louise?«

»Wie geht es dir?«

Schweigen, dann: »Gut. Mir geht es gut. Aber wie geht es *dir*?«

»Oh, also … so weit ganz gut. Ich wollte nur mal hören, wie's dir geht.« Jetzt spielt jemand »Chopsticks« auf dem Klavier. »Hast du Besuch?«

»Bloß das übliche Chaos.«

»Hast du noch ein zweites Telefon? Ich kann dich kaum verstehen.«

»Von wo rufst du an?«

»Von mir zu Hause. Aus meiner Wohnung.«

»Wo ist das?«

Offensichtlich hat er *meinen* Namen nie im Telefonbuch nachgeschlagen. »Spadina Ecke Dupont.«

»Wollen wir uns irgendwo in deiner Nähe treffen?«

»Was, jetzt?«

»Ich kann auch bei dir vorbeikommen.«

»Du meinst jetzt gleich?«

»Oder soll ich lieber später zurückrufen, wenn es hier ein bisschen leiser ist?«

»Nein, schon gut. Du kannst herkommen.«

Ich gebe ihm die Adresse. Nachdem ich aufgelegt habe, halte ich den Hörer noch minutenlang fest. Dann renne ich ins Bad, putze mir die Zähne und lege Lippenstift auf. Ich schätze, er wird eine Dreiviertelstunde brauchen, wenn er die U-Bahn und die Straßenbahn nimmt, aber nach zwanzig Minuten ist er schon da. Er ist mit dem Fahrrad gefahren und hat es mit nach oben gebracht. Ein seltsames, rostiges Gebilde mit hohem Sitz und breitem Lenker.

»Wo hast du das denn her?«, frage ich. Es ist das Erste, was ich sage.

»Aus dem Keller des Hauses, in dem ich wohne.« Er schiebt es herein und lehnt es an die Wand.

Ich kann ihn kaum ansehen. Seine Augen. Sein Haar. Immer noch lang. Er trägt ein grünes T-Shirt. Blue Jeans. Er ist größer, aber vielleicht kommt es mir nur so vor, weil ich an Troy gewöhnt bin.

Im Fahrradkorb steht eine große Flasche Rum. »Ist schon gemixt«, sagt er. Er bemerkt die Kisten. »Hast du Gläser?«

»Irgendwo.« Ich suche die Kiste mit der Aufschrift »Gutes Geschirr« und wickele zwei Weinkelche aus. Er füllt sie bis zum Rand.

»Ich habe kein Eis«, sage ich. »Ich meine, mein Gefrierfach ist ein einziger Eisblock.«

»Das macht nichts.«

Er schaut sich um, betrachtet die Bleiglasfenster, die eingebauten Bücherregale und die Messinglampen. Durch seine Augen sehe ich plötzlich, was für ein tolles Apartment es ist.

»Wieso ziehst du aus?«, fragt er.

»Tue ich gar nicht. Ich habe es mir anders überlegt.« Gerade eben.

»Das ist gut.« Er lächelt. Das macht mich benommen. Ich setze mich auf eine Bücherkiste.

Er setzt sich auf die Kiste gegenüber. »Also«, sagt er, und ich schaue ihn an, und zwischen uns erhebt sich mit Getöse all das, was wir voneinander wissen und einander angetan haben.

»Ach Abel...« Meine Stimme versagt. Ich stelle mein Glas auf den Boden.

Er stellt seins auf eine Kiste. Er greift nach meiner Hand. Ein heftiges Prickeln jagt durch meinen Arm bis in meine Brust. Einen Moment lang kann ich nicht sprechen, dann sage ich: »Der Brief, den ich dir geschickt habe...«

Er atmet aus.

»Der war grausam«, sage ich.

»Nein.«

»Doch, war er. Er war gemein.«

»So habe ich ihn nicht betrachtet.«

»Nein?«

Er schüttelt den Kopf. Er betrachtet meine Fingerspitzen.

»Du warst doch bestimmt verletzt.«

»Ich war um deinetwillen verletzt. Wegen dem, was du ... tun zu müssen glaubtest.«

»Ich habe dich mit diesem Mädchen gesehen.«

»Dann bist du also wirklich rübergeflogen?«

»Wie hätte ich sonst von ihr wissen sollen? Ich habe den ganzen Morgen dein Haus beobachtet, vom Park auf der anderen Straßenseite aus. Dann bin ich dir in die Stadt gefolgt. Ich habe dich in der Bar Klavier spielen hören. Im Bear Pit.«

»Warum bist du nicht zu mir gekommen?«

»Warum hast du aufgehört, mich anzurufen?«

Er beißt sich auf die Lippen.

»Tja«, sage ich, »als ich schließlich genug Mut gefasst hatte, um zu dir zu gehen, habe ich gesehen, wie du das Mädchen geküsst hast. Wer war sie überhaupt?«

Er zuckt die Achseln. »Irgendein Mädchen.«

»Hast du sie geliebt?«

Er schüttelt so unverbindlich den Kopf, dass es sein kann, dass er nur die Frage abschütteln will.

»Ich weiß nicht«, sage ich erregt. Ich ziehe meine Hand weg. »Vielleicht hätte ich sowieso abgetrieben, egal, was du getan hättest. Vielleicht wollte ich einfach kein Baby.«

Er schaut erst mich an, dann zu Boden. Ich betrachte sein Gesicht. Die vollen, klar umrissenen Lippen, das Kinn mit dem Grübchen, das mir so vertraut und so lieb ist, genau wie die Küche seiner Mutter in Greenwoods, oder wie die Schlucht. Ich nehme wieder seine Hand und führe sie an meine Lippen. Dann hinunter an meinen Hals, über meine Brüste.

Wir lieben uns auf dem Fußboden, zwischen den Kisten. Ich fange an zu weinen, wir gehen ins Schlafzimmer, und diesmal ist der Sex absichtsvoller, fast förmlich und verhalten durch unser gegenseitiges Staunen. »Hast du eine Freundin?«, frage ich hinterher, weil ich glaube, es jetzt ertragen zu können.

Aber er sagt nein.

Ich wende ihm das Gesicht zu. »Gibt es ein Mädchen, das sich für deine Freundin hält?«

Ein flüchtiges Lächeln. »Nein.«

»Ich liebe dich, Abel.«


Ich träume, dass Troys Vater in dem ungarischen Restaurant herumläuft und den Kriegsdienstverweigerern in die Beine schießt. Ich schlage die Augen auf. Es ist Morgen. Jemand klopft an die Wohnungstür.

»Louise? Ich bin's.«

Ich zerre am Laken, das unter Abels Beinen zusammengeknüllt ist. Er macht die Augen auf. Ich springe aus dem Bett und schnappe mir meinen Bademantel, der auf dem Stuhl liegt. Ich versuche gerade, das Armloch zu finden, als Troy in der Tür erscheint.

Er starrt mich an. Und Abel.

Abel zieht eine Ecke des Lakens über sich.

»Tut mir Leid, wenn ich störe«, sagt Troy mit einem verkniffenen Lächeln. Er geht weg. Ich warte auf das Knallen der Tür. Es kommt nicht. Nur das leise Einschnappen des Schlosses.

»Wer war das?«, fragt Abel.

»Ein Freund. Er wollte mir beim Packen helfen. Oh Gott, ich hätte ihn anrufen sollen.« Ich merke, wie natürlich ich klinge, verlegen, aber nicht allzu sehr. Nur ein bisschen schuldbewusst. Es kommt mir vor, als hätte ich eine Notfallreserve an Gerissenheit angezapft.

»Vielleicht solltest du ihm hinterherlaufen.«

Eine Autotür schlägt zu. Ein Motor springt an. »Zu spät«, sage ich.

Eine Stunde später mache ich Rührei aus den vier Eiern, die ich hinten im Kühlschrank gefunden habe. Abel betrachtet die Asche, von der noch ein kleines Häufchen von gestern Abend auf dem Küchentisch liegt, als ich sie ihm gezeigt habe.

Er sagt: »Von dem unglaublich komplexen Wesen, das deine Mutter war, ist nur das hier übriggeblieben«, und mir wird plötzlich klar, was für ein Wunder es ist, dass er hier ist, in meiner Küche, ohne Hemd. Ich brauchte bloß anzurufen. Ich brauchte bloß meinen Widerstand aufzugeben.

Ich will die Teller auf den Tisch stellen, aber er bedeutet mir zu warten, bis er auch den letzten Krümel zurück in die Urne gefegt hat. Schwach vor Liebe schaue ich ihm zu, und meine Hände fangen an zu zittern, sodass ich die Teller wieder auf die Anrichte stelle. »Wenn sie hier wäre«, sage ich, »würde sie den Tisch einfach mit dem Spültuch abwischen.«

»Wenn sie hier wäre und ihre eigene Asche sehen würde«, sagt er. »Wäre das nicht Wahnsinn?«

Er geht gleich nach dem Frühstück. Er ist mit einem befreundeten Filmemacher auf einen Kaffee verabredet, und dann spielt er bei der Tanzprobe eines anderen Freundes Klavier. Später, so gegen fünf, sind wir in einer Bar verabredet, wo wir zusammen essen wollen.

Erst als ich die Haustür zufallen höre, gestatte ich mir, an Troy zu denken. Ich lasse mich auf einen Küchenstuhl sinken, als die Tragik dessen, was geschehen ist, in mein Bewusstsein dringt. Wie er dort gestanden hat. *Tut mir Leid, wenn ich störe.* Ich presse mir die Hände auf den Mund und fange an zu weinen.

Ich muss sofort mit ihm sprechen, ihm erklären, dass ich das alles nicht geplant hatte. Ausgerechnet ich, *ich* weiß doch, wie es sich anfühlt, betrogen zu werden. Warum sollte ich ihm das antun wollen? Ich wollte es nicht. Ich wollte ihn lieben.

Ich fahre mit dem Taxi zu seiner Wohnung. Obwohl ich einen Schlüssel habe, klopfe ich. Keine Antwort. Ich klopfe noch einmal, dann schließe ich auf.

»Troy?« Ich schaue ins Schlafzimmer, so als spiele ich jetzt die Rolle, die er vor zwei Stunden gespielt hat. Nur dass diesmal das Bett leer ist.

Ich sehe überall nach, nur für alle Fälle. Welche Fälle? Ich weiß nicht. Ich schaue ins Bad, in die Küche, in die beiden leeren Zimmer. Mein Herz wird schwer, als ich sehe, dass er schon die Zeitungen für das Streichen ausgelegt hat.

»Ach Troy«, sage ich. »Wo bist du nur?«

Ich gehe zurück in die Küche und schaue aus dem Fenster. Sein Auto steht unten in der Seitenstraße. Ich rufe im Laden an. Ginny, seine Verkäuferin, geht ans Telefon. »Jo, er ist hier«, sagt sie fröhlich. »Soll ich dich durchstellen?«

»Nein, schon gut, es ist nicht so wichtig.«

Verblüfft lege ich auf. Es geht ihm gut. Er ist bei der Arbeit, er verhält sich ganz normal. Trotzdem muss ich mit ihm sprechen. »Du bist ohne mich besser dran«, werde ich sagen. »Ich wollte dich nie verletzen. Ich bin dir so dankbar.« Mir fällt absolut nichts ein, was nicht wie aus einem alten Film klingt. Aber es ist alles wahr, und wenn es nicht gesagt wird, was bleibt ihm dann?

Als ich im Laden eintreffe, zeigt Ginny, die gerade einen Kunden bedient, in Richtung Hinterzimmer. Ich zwänge mich an den Kisten mit Schallplatten vorbei, die im Gang stehen. Im Türrahmen bleibe ich stehen. Er sitzt am Schreibtisch und geht einen Stapel Quittungen durch. Er wirkt kleiner und älter. Seine Ohren schauen zwischen den Haarsträhnen hervor.

Er blickt auf.

»Hi«, sage ich, und meine Augen füllen sich mit Tränen.

Er schaut wieder nach unten. »Was willst du hier?«

»Ich war bei dir zu Hause. Ich dachte, du wärst dort.«

»War das Abel?«

»Ja. Er...« Ich wollte sagen: »Er hat mich angerufen«, aber ich bringe es nicht übers Herz zu lügen. Auch nicht, die Wahrheit zu sagen.

Er nimmt einen Stift in die Hand und scheint ihn eingehend zu betrachten. »Wirst du ihn wiedersehen?«

»Es tut mir Leid.« Ich trete über die Schwelle. »Es tut mir furchtbar Leid. Ich...«

»Wie lange geht das schon so?«

»Erst seit gestern.« Ich hole ein Papiertaschentuch aus meiner Handtasche und tupfe meine Augen ab.

»Das war das erste Mal?«

»Das erste Mal, dass ich überhaupt mit ihm gesprochen habe seit...«

»Hättest du es mir gesagt, wenn ich euch nicht erwischt hätte?«

»Ja, natürlich.«

Er hält den Stift über seinen Kaffeebecher. »Dann willst du also mit ihm zusammenbleiben?«

Ich kann mich nicht überwinden zu antworten.

»Mit anderen Worten ja. Und Abel geht es genauso, nehme ich an.«

»Ja«, flüstere ich.

»Und diesmal bist du dir ganz sicher?«

Ich sage nichts.

»Herrgott nochmal.« Er senkt den Kopf.

»Troy...« Ich berühre ihn an der Schulter.

Er greift nach meiner Hand. »Tu's nicht.« Er blickt zu mir hoch. Seine Augen sind gerötet. »Bitte tu's nicht.«

»Es tut mir Leid.«

Ich weine.

Das Telefon klingelt. Er lässt meine Hand los und greift nach dem Hörer. Dann knallt er ihn zurück auf die Gabel. Er nimmt ihn wieder auf und wählt ein paar Ziffern. Er schließt die Augen.

»Ich wollte dich nie verletzen«, sage ich.

»Herrgott nochmal«, sagt er wütend. Er schlägt sich mit dem Hörer an den Kopf. »Herrgott.« Er schlägt sich erneut, heftiger. »Herrgott.«

»Hör auf damit!« Ich reiße ihm den Hörer aus der Hand und lege ihn wieder auf die Gabel.

Troy sackt in sich zusammen.

Ich knie mich neben ihn und nehme seinen Arm. »Wir können uns weiterhin treffen. Wir können doch…«

Er stößt ein bitteres Lachen aus. »Sag es nicht.«

»Was?«

»Wir können nicht Freunde bleiben. Ich will nicht dein Freund sein.« Er starrt das Telefon an. »Ich will nur…« Er entzieht mir seinen Arm. Sein Ärmel erwischt eine Quittung, die ihm in den Schoß fällt. Er nimmt sie und legt sie in ein Ablagefach. »Ich will nur, dass du verschwindest«, sagt er ruhig.

Ich stehe auf. »Soll ich dich später anrufen?«

Er schüttelt den Kopf.

»Oder morgen?«

Er schaut zu mir hoch. Sein Gesichtsausdruck wirkt distanziert, unaufmerksam, so, als hätte ich ihn in einem Kummer gestört, der nichts mit mir zu tun hat. »Louise«, sagt er, »du bist frei. Ich gebe dich frei.« Er nimmt den Telefonhörer ab und fängt an zu wählen.

# 40

**Aus dem Telefonbuch wusste ich schon,** dass Abel und seine Eltern neunzehnhundertneunundsechzig wieder nach Toronto gezogen waren. Er erzählt mir, dass es Ende Juni war. Er hatte gerade die Schule beendet. Im September, ungefähr zu der Zeit, als ich anfing für Mr. Fraser zu arbeiten, ging er dann auf die University of Toronto. Anfangs belegte er allgemeine Seminare in den Geisteswissenschaften, ehe er sich für den Schwerpunkt Englische Literatur entschied. Nach drei, nicht wie üblich nach vier Jahren schloss er mit einem Honours B.A. ab.

»Ich habe immer gedacht, du würdest Musik oder Naturwissenschaften studieren«, sage ich.

»Das war das Einzige, womit ich mich auskannte«, sagt er. »Musik und Naturwissenschaft.«

Er wohnte in dieser Zeit bei seinen Eltern. Montag- und dienstagabends spielte er, um sich ein bisschen Taschengeld zu verdienen, Jazzpiano in der Bar eines schäbigen Hotels in der Innenstadt, das Sherwood hieß. Es war so, als würde ich fürs Üben bezahlt, sagte er, denn kaum einer hörte richtig zu. Jedenfalls am Anfang. Nach zwei Monaten waren die Stammgäste seine Freunde geworden, und er spielte für sie Rock 'n Roll aus den Fünfzigern. Der Hotelmanager hätte ihn am liebsten fest engagiert, aber Abel widerstand der Versuchung, bis er seinen Studienabschluss in der Tasche hatte. Dann, da sich keine anderen Berufsaussichten auftaten, arbeitete er dort an sechs Abenden in der Woche.

Er mietete sich ein Zimmer in einem Haus ganz in der Nähe. Die meisten anderen Mieter waren Leute aus der Bar. Nach nur zwei Wochen übernahm er das Eintreiben der Miete im ganzen Gebäude, was irgendwie damit zusammenhing, dass der Vermieter mit Rausschmissen gedroht hatte. Als er mir das erzählt, sage ich »Oh nein«, weil ich das Gefühl habe, ein Mieteintreiber ist für ihn jemand, der die Leute zahlen lässt, so viel sie können, und den fehlenden Betrag selbst drauflegt. Er gibt das zu, sagt aber: »Es gleicht sich aus. Ich zahle für jemanden die Miete, er zahlt meine Drinks.«

Niemals könnte ich in diesem Haus wohnen, mich mit dem ganzen Lärm und Tumult abfinden, den Freunden von Freunden, die mal kurz vorbeischauen und geradewegs auf den Kühlschrank zusteuern oder ins Bad stürmen und pinkeln, wenn man gerade in der Wanne sitzt. Bellende Hunde, Katzen, die an die Wände pissen, und Leute, die mitten in der Nacht auf dem Klavier herumhacken. Auf *seinem* Klavier. Wie hält er das aus?

Indem er es genießt. Morgens saugt er fröhlich die gemeinsamen Flure und sammelt die überall verstreuten Bier- und Schnapsflaschen ein. Mr. Clean nennen ihn die anderen Mieter, die sich alle gegenseitig mit Spitznamen anreden, so wie eine Bande kleiner Jungs in ihrem Baumhaus. Es gibt Euer Ehren (ein sechzigjähriger Richter mit chronischer Spielsucht), Mop (ein dünner Ex-Schriftsetzer mit wirrem Haar, der beim Reparieren eines Rasenmähers seine linke Hand verloren hat), Happy (ein mürrischer Möchtegern-Bühnenautor), Mr. Fix-it (ein ehemaliger Jockey, der alles im Haus repariert), Cleats (ein Möchtegern-Steptänzer) und Jimbo (ein dicker, fröhlicher Typ, was der macht, weiß ich nicht).

Auch die Zimmer haben Namen. Abels makelloses Zimmer heißt der Schrein. Es liegt ganz oben unter dem Dach und hat ein großes Panoramafenster mit Blick auf eine alte Rosskastanie. Er sagt, wenn er eine halbwegs gute Kamera besäße, würde er sie auf ein Stativ vor das Fenster stellen und jeden Morgen um die gleiche Zeit ein Foto machen, und nach einem Jahr würde er all die datierten Bilder in Augenhöhe rundum an den Wänden aufhängen.

»Würdest du sie mitnehmen, wenn du ausziehst?«, frage ich.

»Woanders würden sie keinen Sinn ergeben. Der Knackpunkt ist doch, man kann an irgendeinem Tag in einem zukünftigen Jahr – zum Beispiel am fünfzehnten September neunzehnhundertachtzig – aus dem Fenster schauen und feststellen, dass die Kastanie noch grün ist. Dann schaut man das Bild an, das am fünfzehnten September fünf oder sechs Jahre zuvor – oder wie lange auch immer – aufgenommen wurde, und sieht, dass die Kastanie damals schon braun war. Damals und jetzt … man lebt in beiden Zeiten zugleich.«

»Was für eine tolle Idee«, sage ich begeistert, obwohl es nicht diese Idee ist, die mich froh stimmt, sondern die Tatsache, dass er sich nicht gegen den Gedanken zu sträuben scheint, eines Tages hier auszuziehen. Er hat nicht gesagt: »Ausziehen? Wieso sollte ich denn ausziehen?«

Er fühlt sich hier offenbar ganz zu Hause, besonders in seinem Zimmer, das dem in Greenwoods sehr ähnelt: die gleiche olivgrüne Wandfarbe, die gleichen Bücherregale, der Schreibtisch und die Staffelei. Und sein Himmelbett mit der dunkelgrünen Tagesdecke aus Chenille. Auf diesem Bett zu liegen bedeutet für mich die Erfüllung eines Kindheitstraums. Ich liege oft dort und lese, wenn er in der Bar arbeitet. Ich schiebe den Sessel unter die Türklinke, damit die anderen nicht hereinplatzen können, und suche mir dann ein, zwei Gedichtbände aus, denn etwas anderes hat er kaum. Er sortiert seine Bücher nach der Höhe, die großen oben links, die kleinen unten rechts, wenn man also nach einem bestimmten Titel oder Autor sucht, muss man sehr viele Buchrücken durchsehen, und manche davon klingen so verlockend, dass ich meistens unterwegs hängen bleibe. (Er schwört, sein Ordnungssystem sei nur dem visuellen Eindruck geschuldet, aber ich glaube, er hat es – bewusst oder unbewusst – so gemacht, um die Tyrannei einer vorgefassten Auswahl zu unterwandern.)

Aber das kommt erst später, dieses einsame Lesen. In den ersten zwei Wochen versuche ich, möglichst jede Minute mit ihm zu verbringen. An den meisten Tagen fährt er mit dem Fahrrad zu mehreren heruntergekommenen Kneipen, und ich zuckele auf einem der abgerissenen Räder, die immer im Hausflur herumstehen, neben ihm her. Erwartet werden wir von einer Person mit großen Plänen, etwa der Gründung eines Verlags, der nur gereimte Lyrik herausbringt, oder der Eröffnung eines Tiergeschäfts kombiniert mit einem vegetarischen Restaurant mit gläsernen Tischen, die zugleich als Terrarien dienen. Ein Typ – Abel nennt ihn den besten Fotografen in ganz Kanada – will einen zwölfstündigen Dokumentar-film über das Leben irgendeines Insekts machen.

»Eine Spinne wäre vielleicht besser«, sagt Abel.

»Was für eine Spinne?«, fragt der Typ.

»Eine weibliche Schwarze Witwe.«

»Kommen die bei uns vor?«

Ich schnaube verächtlich.

»Da müsstest du weiter nach Süden gehen«, sagt Abel, als wäre das eine vernünftige Frage. »Nach Florida oder Kansas.«

»Dann brauche ich einen Reiseetat«, sagt der Typ.

Woher kennt Abel diese Leute? Aus der Schule, aus irgendeiner Kneipe. Manche haben graue Haare, manche sind jünger als wir, manche scheinen psychische Probleme zu haben, manche sind of-fenbar hochintelligent. Sie alle sind männlich, zu meiner Erleich-terung (außer einer erschreckend leidenschaftlichen Frau, die Du-delsack-Jazz spielt und mit Abel eine Platte machen will, aber weil sie unscheinbar aussieht und mindestens dreißig ist, sehe ich in ihr keine Bedrohung). Was sie alle gemeinsam haben ist ihre Ernst-haftigkeit. Sie bewerben sich um Regierungsstipendien. Sie zeich-nen Diagramme und schreiben Lebensläufe und machen sich No-tizen. Zuerst hört Abel nur zu, aber nach zwei, drei Bier fängt er an, Ideen auszuspucken. Diese Leute sind von ihm abhängig, das merkt man. Noch nie habe ich angeblich heterosexuelle Männer ei-nen anderen Mann so voller Verlangen anschauen sehen.

In der Hotelbar ist es genauso. Nur dass dort die Hälfte der ihn anbetenden Fans Frauen sind, die nicht seine Intelligenz anzapfen, sondern ihm die Zigaretten anzünden und ihm Drinks spendieren. Die meisten sind trinklustige Mittvierzigerinnen. Aber ein paar sind auch hübsch, in meinem Alter oder ein bisschen älter. Derbe Mäd-chen mit rauchigen Stimmen und Sexappeal. Hat Abel mit einigen von ihnen geschlafen? Er verweigert eine direkte Antwort, was ich als Ja interpretiere und was mich zwingt, jeden Abend in die Bar zu gehen, um sicherzustellen, dass ich diejenige bin, mit der er nach Hause geht.

Wenn die Bar schließt, ist er betrunken. Nicht, dass er lallt, aber er wirkt versonnen, sein Gesicht gerötet und wehmütig. Wir gehen die drei Blocks bis zu ihm zu Fuß. Dass wir zu mir gehen ist ausgeschlossen. Ein Taxi ist nie zu sehen, und ich lasse ihn auf keinen Fall Fahrrad fahren, nicht in seinem Zustand. Er schwankt ein bisschen. Ich habe mich zurückgehalten und nur ein gezapftes Bier getrunken; ich bin nüchtern. Allerdings bin ich müde, und wenn ich länger als zwei Stunden in der Bar gewesen bin, huste ich von dem Zigarettenqualm. Trotzdem ziehe ich ein paarmal an dem Joint, den er ansteckt. Marihuana gibt mir Energie, und es werden noch Stunden vergehen, bevor wir einschlafen. Der Weg nach Hause nimmt allein schon gut zwanzig Minuten in Anspruch. Während alle, die mit uns losgegangen sind, in der Ferne verschwinden, schauen wir uns die Sterne an und betrachten die Schatten auf dem Bürgersteig. Wenn wir eine Grille hören, müssen wir herausfinden, wo sie sitzt. Jede streunende Katze muss gerufen und herbeigelockt werden. »Oh Meister der Tiefgründigkeit!«, ruft Abel ihnen zu, Neruda zitierend. »Geheimpolizei der Nachbarschaft…!«

Zu Hause in der riesigen Küche mit dem selbstgezimmerten Holztisch, den lila Wänden und den welligen Linoleumplatten mit dem Sternenmuster, die einer der Hunde beharrlich frisst, ein oder zwei Platten pro Woche, macht Abel uns etwas zu essen. Sandwiches oder gebratene Reste. Falls noch jemand auf ist und sich unterhalten will, wird sein Wunsch erfüllt. So vergeht eine Stunde. Dann spülen wir das Geschirr und trocknen es ab, unseres und das von einem Dutzend anderer Leute. Schließlich wird es Zeit, in sein Zimmer zu gehen. Vorher gießt er sich jedoch noch ein großes Glas Rum-Cola ein. »Willst du auch eins?«, fragt er jedes Mal, und jedes Mal sage ich nein, ich kriege davon Kopfschmerzen. Er hat nie einen Kater. Ich finde das löblich. Sein Appetit auf Alkohol und Drogen erscheint mir lebensbejahend und poetisch.

Gegen fünf Uhr schlafen wir schließlich ein. Um sieben steht der Richter auf und weckt mich mit seinem Husten. Abel schläft wie ein Toter, bis um neun sein Wecker klingelt, dann springt er frisch und munter aus dem Bett. Ich versuche noch ein bisschen zu dösen, aber das ist so gut wie unmöglich. Türen knallen, der Staubsauger dröhnt.

Ihm mögen vier Stunden Schlaf reichen, aber ich brauche doppelt soviel, und nach zwei Wochen bin ich so erschöpft, dass ich kaum noch einen Satz zu Ende sprechen kann. Er kauft mir Eisentabletten. Er drängt mich dazu, zwischendurch Nickerchen zu machen. »Du brauchst nicht jeden Abend mit in die Bar zu kommen«, sagt er. Doch, das muss ich, aber vielleicht brauche ich nicht die ganzen fünf Stunden da zu sein. Ich gewöhne mir an, erst um Mitternacht hinzugehen. Ich esse bei ihm zu Abend, fahre mit einem der Fahrräder zu meiner Wohnung, schlafe, dusche, fahre wieder in die Stadt, lese ein bisschen in seinem Zimmer und gehe dann zur Bar, um dafür zu sorgen, dass er unbelästigt nach Hause kommt.

Die einzige Nacht, die wir bei mir verbringen, ist die Sonntagnacht, denn da ist sein freier Abend. Am Sonntagmorgen gehen wir im High Park spazieren und dann zu seinen Eltern zum Mittagessen. Seine Mutter umarmt mich so fest, dass ich keine Luft mehr bekomme. Bei meinem ersten Besuch brach sie in Tränen aus. Ich tat das gleiche, froh, dass Abel sehen konnte, dass ich in diesem Haus wie eine Tochter betrachtet werde. Sie sieht aus wie eine alte Frau mit ihrem weißen Haar, aber sie trägt es immer noch lang und um den Kopf geschlungen. Sie kleidet sich immer noch farbenfroh und spaziert immer noch zu nachtschlafender Zeit durch die Straßen, wenn auch jetzt vermutlich schweigend.

Am späten Sonntagnachmittag fahre ich mit der U-Bahn hinaus nach Greenwoods. Ich frage ihn nicht, ob er mitkommen will. Mein Vater und Mrs. Carver haben sich noch nicht von meiner Trennung von Troy erholt; es ist besser, wenn ich allein hingehe. Wenn ich nach Hause komme und sein Fahrrad im Flur steht, lastet das Ausmaß meiner Erleichterung wiederum wie ein Gewicht auf mir. Wann werde ich es endlich als selbstverständlich annehmen, dass er kommt? Meistens sitzt er am Küchentisch, ein Glas Rum-Cola in der Hand und einen Band der Encyclopedia Britannica aufgeschlagen vor sich. Er blickt auf, in Gedanken noch bei dem, was er gerade gelesen hat und faszinierend fand und nicht mehr vergessen wird. Wenn er ich wäre, hätte er die Bs schon hinter sich gelassen.

Eines Abends meint er, Mr. Fraser wollte mir mit den fünfzehntausend Dollar vielleicht ein bisschen Zeit kaufen. »Er vererbt dir die Encyclopedia und das Gehalt für zwei Jahre. Vielleicht wollte er dir damit sagen, dass du nicht arbeitslos bist, bloß weil er nicht mehr da ist.«

Und vielleicht will Abel mir sagen, dass ich meine Zeit verschwende, indem ich ihn zu allen seinen Treffen begleite. Ich weiß das. Trotzdem macht es mir Angst, zu viele Stunden von ihm getrennt zu sein. Ich wünschte, er würde schwören, mich nie wieder zu betrügen. Aber ich bringe es nicht über mich, ihn darum zu bitten. Zu fragen: »Hast du mit ihr geschlafen?«, und dabei neckisch und neugierig zu tun, ist eine Sache. Aber zu sagen: »Versprich mir, dass du niemals mit ihr schlafen wirst« ... das lässt sich nicht wiedergutmachen. Das klingt nach der klammernden, ängstlichen Despotin, die ich bin.

Als Kompromiss fange ich an, die Encyclopedia mitzunehmen, den dritten Band, mit der endlosen Liste von Brs. Während seiner Treffen sitze ich an einem anderen Tisch und lese. Allerdings fällt es mir schwer, mich zu konzentrieren. Ich bin an die Grabesstille der Nische vor Mr. Frasers Büro gewöhnt, und davon abgesehen kann ich beim Lesen nicht zuhören, wenn Abel etwas sagt. An einem ganzen Nachmittag schaffe ich, wenn es hoch kommt, einen einzigen Eintrag. Langsam werde ich nervös.

Dann, Mitte Oktober, erfahre ich etwas, das mir Erleichterung verschafft. Es kommt von Howie, dem ehemaligen Jockey, den alle Mr. Fix-it nennen, aber ich nenne ihn Howie, aus Respekt. Ich mag ihn von allen Mietern am liebsten, denn außer Abel ist er der Einzige, der mir nicht verblendet oder selbstzerstörerisch vorkommt. Seine Reiterkarriere endete, als ein Pferd auf ihn fiel und sein Knie zertrümmerte, und jetzt arbeitet er als Stallbursche auf der Woodbine-Rennbahn. Im Haus repariert er tropfende Wasserhähne und lose Türangeln, und wenn jemand etwas sucht, dann weiß er, wo es ist. »Dritte Schublade von oben«, sagt er in seinem typischen, knappen Ton. Er ist galant, geradezu fanatisch galant. Er springt herbei, um Türen für mich zu öffnen oder meinen Stuhl zurechtzurücken. Er rügt die anderen Männer, wenn sie Worte benutzen, von denen er glaubt, ich könnte sie anstößig finden. »Doch nicht in Gegenwart einer Dame«, sagt er.

Es ist ein Dienstagmorgen. Abel wäscht gerade im Keller die Wäsche. Ich bin mit Howie, der dienstags seinen freien Tag hat, in der Küche. Ich sitze am Kopfende des Küchentisches, lese eine drei Tage alte Zeitung und trinke Kaffee; er sitzt am anderen Ende und isst Eier mit Schinken. Er ist ein ruhiger, gewissenhafter Esser. Ich vergesse beinahe, dass er da ist, bis er sagt: »Ich hoffe, du findest es nicht aufdringlich, wenn ich dir sage, was ihr beide, Abel und du, für ein schönes Paar seid.«

»Hm, danke, Howie«, sage ich gerührt.

Er runzelt die Stirn. »Wurde auch Zeit, dass er das richtige Mädchen findet.«

»Wir kennen uns schon sehr lange.«

Er scheint das nicht zu hören. »Einige der Mädchen, die er so mitgebracht hat«, sagt er, »die können dir nicht das Wasser reichen.«

Mein Herz schlägt schneller. »Mädchen aus der Bar?«

»Oh, sie sind nett. Ich habe nichts gegen sie persönlich. Sie haben bloß nicht so viel Klasse wie du. Du bist mehr wie Abel, intelligent.«

»Na ja«, sage ich, »ich gebe es nur ungern zu, aber ich mache mir Sorgen wegen dieser Mädchen. Wie sie mit ihm flirten. Du hast es ja gesehen. Und er ist ein williges Opfer, wenn er genug getrunken hat.«

»Da brauchst du dir keine Sorgen zu machen. Abel kann das gut auseinanderhalten. Kennst du Bonnie? Die Rothaarige? Neulich, als du nicht da warst, hat sie sich auf seinen Schoß gesetzt, und er hat gesagt: ›Ich bin vergeben, Bonnie‹, und sie sagt: ›Aber nicht jetzt, nicht in diesem Augenblick.‹ Und weißt du, was er geantwortet hat?«

»Was denn?«

»Er hat sagt: ›Jetzt und für immer.‹«

»Wirklich?«

»›Jetzt und für immer‹, das waren seine Worte. ›Jetzt und für immer.‹ Es war ihm todernst. Du brauchst dir keine Sorgen zu machen. Das kannst du mir glauben.«

Und ich glaube ihm. Ich beschließe, seinem Instinkt mehr zu trauen als meinem eigenen. Ich denke daran, dass er weiß, wo in diesem Haus alles ist, und meine Sehnsucht nach Sicherheit lässt mich glauben, dass er – vielleicht durch ähnliche geheimnisvolle Kanäle wie Mrs. Carver – auch weiß, wie alle in diesem Haus empfinden.

Ich verbringe diesen Tag mit Abel, da es schon nach elf Uhr ist. Am nächsten Morgen stehe ich mit ihm auf, frühstücke mit ihm und gehe dann in meine Wohnung, setze mich an den Küchentisch und lese die Encyclopedia. Von da an mache ich es an jedem Wochentag so. Meine Zeiten sind nicht direkt Bürozeiten – ich fange spät an und mache jede Menge Pausen –, dennoch schaffe ich etwas. Natürlich erwarte ich nicht, dass daraus ein Beruf wird. Ich rechne nicht einmal damit, bis zum Ende der Cs zu kommen. Mein Traum ist, mit Abel an einem seiner Projekte zu arbeiten, falls je eines davon wirklich in Angriff genommen wird. Ich sage ihm, dass ich bereit wäre, einen Teil meines Erbes in das Projekt seiner Wahl zu investieren und die ganze Miete einer Zwei-Zimmer-Wohnung zu bezahlen, damit er zu Hause ein Büro oder ein Studio haben kann. Hartnäckig versuche ich, ihm den Gedanken des Zusammenwohnens schmackhaft zu machen. Aber *nicht in diesem Haus.*

Er sagt: »Alle hier lieben dich.«

»Ich liebe sie auch«, lüge ich. »Aber ich würde mir vorkommen wie Schneewittchen bei den sieben Zwergen und ihren siebzig Kumpels.«

»Ich habe einen Mietvertrag unterschrieben«, erinnert er mich.

Den er kündigen könnte, wenn er wollte. Aber ich kann warten. Ich kann in Ruhe auf mein Ziel hinarbeiten.

# 41

**Zwei Wochen vor Weihnachten** kauft der Richter eine vier Meter sechzig hohe Fichte für das Wohnzimmer, dessen Decke drei Meter neunzig hoch ist. »Ich hätte dir sagen können, dass das Zimmer dreineunzig hoch ist«, sagt Howie und sägt die Spitze ab, wobei ein zweiter kleiner Baum herauskommt, den er auf ein Brett montiert und Abel für sein Zimmer schenkt. Am selben Abend schmücken Abel und ich ihn, als wir von der Bar nach Hause kommen. Ich bastele Kugeln aus Alufolie. Er bastelt aus Zigarettenpapier und einem Q-Tip einen Engel. An den winzigen Baumwollkopf klebt er ein paar Strähnen von meinen Haaren.

»Sie sieht aus wie eine Irre«, sage ich.

»Das tun alle guten Engel«, sagt er.

Zwei Abende später findet eine Party zum Schmücken des großen Baumes statt. Wie sich herausstellt, besitzt der Richter kistenweise antiken Christbaumschmuck. Er sagt, bei jeder seiner drei Scheidungen seien diese Kisten das Einzige gewesen, was er behalten hat. Seine Frauen bekamen dafür die Autos, die Häuser, das Limoges-Porzellan und die Waterford-Kristallgläser.

»Aber der Gewinner war ich«, verkündet er und hält einen blauen Glasvogel gegen das Licht.

Ungefähr fünfzig Leute kommen, und ausnahmsweise bringen ein paar von ihnen Alkohol und Essen mit. Der Steptänzer, der inzwischen eine Ausbildung zum Opernsänger macht, gibt eine feurige Version von »O, Holy Night« zum Besten. Abel spielt Klavier. Jemand verteilt Texte von Weihnachtsliedern, und wir singen alle voller Inbrunst. Ich bin glücklich. Ich betrinke mich mit dem Crème de Menthe, den mir eine ältere Frau in glänzenden roten Hosen immer wieder nachschenkt.

Mein Kater am nächsten Morgen äußert sich in Halsschmerzen

und Husten, die anfangen, als ich gerade nach Hause gehen will. Abel misst meine Temperatur und sagt, ich habe leichtes Fieber. Er ruft ein Taxi. »Du brauchst heute nicht in die Bar zu kommen«, sagt er. »Ich schaue gleich morgen früh bei dir vorbei.«

Vor meiner Wohnung wartet Norman, der Typ, der einen Dokumentarfilm über ein Insekt drehen will, auf mich. Letzte Woche habe ich ihm zweihundert Dollar zugesteckt und ihn gebeten, eine Kamera zu kaufen, die ich Abel zu Weihnachten schenken kann. Er hat eine gefunden und sie mitgebracht: eine aufgemöbelte Nikon, von der er behauptet, sie sei mindestens fünfhundert Dollar wert. »Glatt geschenkt für hundertfünfundsiebzig«, sagt er.

Ich sage, er soll den Rest behalten, hauptsächlich um ihn schneller wieder los zu sein. Den Rest des Tages schlafe ich, nur einmal zur Abendessenszeit wache ich kurz auf und esse eine Apfelsine. Als ich das nächste Mal aufwache, ist es drei Uhr morgens. Meine Halsschmerzen und mein Husten sind weg. Ich fühle mich allerdings noch ein bisschen benommen und zugleich aufgekratzt, so als hätte ich ein Glas Sekt getrunken. Ich ziehe mich an und rufe ein Taxi. Wenn ich heute Nacht sowieso nicht mehr schlafen kann, dann kann ich genauso gut neben Abel wachliegen. Im letzten Moment entscheide ich mich noch, die Kamera mitzunehmen, damit wir ein Geschenk unter unserem kleinen Baum haben. Wo ist das Geschenkpapier? Ich finde es nicht. Ich leere den lila Samtsack von Seagram's, in dem ich Pfennige sammle, und stecke die Kamera hinein.

Die Haustür ist wie immer unverschlossen. Die schlafenden Hunde in der Diele heben kurz die Schnauzen. »Ich bin's nur«, flüstere ich. Buster, der Pekinese, bellt einmal kurz. Überall brennt Licht, aber alles ist still.

Ich steige die Treppe hinauf.

Unter Abels Tür ist ein Lichtstrahl zu sehen. Vermutlich liest er. Oder ist beim Lesen eingeschlafen.

Ich gehe ins Zimmer.

Die Frau, die zusammengerollt an seinem Rücken liegt, öffnet die Augen. Sie setzt sich auf und zieht sich das Laken über die Brust.

Es ist die Dudelsackspielerin. Wir starren uns an. Ich habe ein Gefühl, als würden Hände abwechselnd über meine Ohren gelegt und wieder weggenommen. Sie rüttelt an Abels Schulter, er wacht auf und streicht sich das Haar aus dem Gesicht. »He«, sagt er betrunken. »Louise.«

Ich trete näher ans Bett.

»Wann bist du denn gekommen?«, fragt er. Ich haue ihm den Samtsack gegen den Kopf. Er hebt die Arme, um sich zu schützen. Ich schlage ihn noch einmal. Ich schreie. »Mistkerl! Du Mistkerl!« Die Frau rennt zur Wand. Ich werfe den Sack in Richtung des Bäumchens und es fällt um. »Fröhliche Weihnachten!«, brülle ich.

Draußen im Flur gerate ich ins Wanken. Ich rutsche auf der Treppe aus. Howie erscheint. Sein schlankes, besorgtes Gesicht. »Louise?« Er eilt herbei. Ich stehe auf und zwänge mich an ihm vorbei. Türen gehen auf. »Was ist denn los?«, bellt der Richter. Jetzt höre ich Abel, der etwas ruft und dann die Treppe hinunterpoltert. Ich laufe schneller. Die Haustür will nicht aufgehen.

»Louise.« Er ist direkt hinter mir. Er berührt meinen Arm.

Ich wirbele herum. »Ich hasse dich!« Ich boxe ihm in die Rippen. »Ich hasse dich!«

Er weicht torkelnd zurück.

»Du bist krank!«, brülle ich. »Du bist böse! Ich hasse dich!«

Das Taxi, mit dem ich gekommen bin, steht noch draußen. Ich klopfe an das Fahrerfenster. Zu Hause breche ich auf der Matte vor der Küchenspüle zusammen. Das Telefon klingelt. Die Sonne geht auf. Ich gehe ins Bad und wasche mir das Gesicht.

Ich habe das Gefühl, in eine Grube der Einsamkeit zurückgezerrt worden zu sein, und alle, die ich je gekannt habe, sind auch hier unten. Don Shaw. Troy, der arme Troy. Tim Todd … ist Tim je herausgekommen? Mr. Fraser mit Sicherheit nicht, der ist hier gestorben. Mein Vater und Mrs. Carver haben es geschafft, aber sie haben sehr lange dafür gebraucht.

All die einsamen Menschen, die alle so viel tapferer sind als ich. Alice, die Bücher an der Haustür verkauft, Debbie mit ihren Bridge-Meisterschaften, Tante Verna, die mit ihrem Überseekoffer aus Texas gekommen ist. Sogar meine Mutter, nachdem sie uns verlassen hat. Man kann viel über meine Mutter sagen, aber es erfordert Mut, durch die Präriestaaten zu tingeln und sich immer wieder Arbeit zu suchen, ohne auch nur ein einziges Mal schwach zu werden und zu fragen, ob sie wieder nach Hause kommen darf.

Vielleicht sollte ich auch weggehen. In einen Bus steigen und irgendwo hinfahren. Meinen Namen ändern.

# 42

**Ich gehe nirgendwohin.** Ich bleibe zu Hause und weine. Ich esse Müsli und Sandwiches mit Erdnussbutter und schaue Fernsehen ohne Ton, weil ich von dem vielen Weinen Kopfschmerzen bekomme. Zwischen acht Uhr morgens und Mitternacht klingelt alle paar Stunden das Telefon. Am dritten Tag lege ich den Hörer daneben. Nicht lange danach klopft es an meiner Tür.

»Jemand zu Hause?«

Es ist mein Vater. Ich lasse ihn herein, und er gibt mir eine Tüte Mürbekekse.

»Mrs. Carver hat gestern einen ganzen Schwung gebacken. Ich dachte, ich bringe dir ein paar vorbei.« Er schaut mich eingehend an. »Geht es dir gut?«

»Ich glaube, ich kriege eine Grippe oder so was.«

Er fühlt mir die Stirn, schaut sich meine Zunge und die geschwollenen Augen an und sagt, ich habe kein Fieber, also ist es vermutlich eine Erkältung. Trinke ich genug Orangensaft? Habe ich Suppe im Haus? Ja, lüge ich, aber er geht trotzdem weg und kommt mit zwei Tüten Lebensmitteln zurück. Jetzt bin ich also gerüstet für weitere Heultage.

Am nächsten Morgen gegen halb elf werde ich von einem neuerlichen Klopfen geweckt.

»Louise? Ich bin's.«

Ich liege ganz still, so als könnte er jede Bewegung hören.

»Bist du da?« Er klopft noch einmal, vier leichte Schläge. »Ich finde es schrecklich, dass ich dir weh getan habe. Ich finde es schrecklich, daran zu denken, wie du…« Schweigen, dann: »Wenn du da bist, dann sag etwas. Sag mir, ich soll verschwinden, aber bitte sag irgendetwas.«

Lange Stille. Wird er seinen Schlüssel benutzen?

Ich höre ihn die Treppe hinuntersteigen, dann das entfernte Klicken, als die Haustür ins Schloss fällt.

Später auf dem Weg ins Bad bemerke ich einen Zettel auf dem Flurfußboden. Er hat sich an der Schwelle hochgeschoben, hinter den Unmengen ungeöffneter Post, die einer meiner Nachbarn mir unter der Tür durchgeschoben hat. Ich hebe ihn auf.

*Hier ist dein Schlüssel. Ruf mich an, wenn du kannst. Abel.*

Der Schlüssel liegt knapp hinter der Tür, so als hätte er sich ein paar Sekunden lang die Möglichkeit offengehalten, ihn wieder herauszuziehen. Mit dem Fuß ziehe ich ihn ganz herein. Den Zettel lasse ich fallen.

Drei Tage später trete ich auf einen neuen Zettel. Dieser liegt mit der Schrift nach oben; ich kann ihn lesen, ohne mich auch nur zu bücken.

*Wenn du mich zu Hause anrufst und besetzt ist, dann kannst du mir jederzeit eine Nachricht in der Bar hinterlassen. Ich komme vorbei, sobald ich sie bekomme. Abel.*

Kein *Liebe Louise*. Kein *In Liebe, Abel*. Ich hebe die Nachricht auf, gehe in die Küche und schreibe unter seine Unterschrift: »Ich werde dir nie wieder trauen. Ich will dich nie wiedersehen.«

Der Briefkasten ist nicht weit weg, nur einen halben Block entfernt. Ich werfe den Brief mit dem Gefühl ein, den Engel der Liebe zu töten. Aber als ich mich umdrehe, stelle ich fest, dass ich zum ersten Mal seit einer Woche das Gefühl habe, wieder atmen zu können.

Die Feiertage verbringe ich zu Hause bei meinem Vater und Mrs. Carver. Normalerweise fährt Mrs. Carver über Weihnachten zu ihrer Tochter nach Kingston, aber dieses Jahr besuchen Stella und ihr Mann seine Eltern in Calgary, deshalb bleibt Mrs. Carver bei uns. Allerdings nicht über Nacht. Nichts kann sie dazu bringen, mein altes Bett zu benutzen, und was das Arbeitszimmer meines Vaters betrifft – nein, nein, nein, »Das ist *sein* Zimmer«, so als würden dort bedeutende wissenschaftliche Experimente durchgeführt.

Ich erzähle ihr nichts von Abel. Es ist zu kompliziert und zu demütigend. Außerdem hatte sie keine Ahnung, dass ich überhaupt wieder mit ihm zusammen war. Ich sage nur – weil ich nicht verbergen kann, wie miserabel es mir geht –, dass ich einen Freund hatte und wir uns gerade getrennt haben. Sie ringt die Hände. Ich weiß, dass sie es meinem Vater erzählen wird und dass die beiden sich gut um mich kümmern werden, und das tun sie auch. Ich schlafe bis elf, und wenn ich nach unten in die Küche komme, gießt sie mir ein Glas frisch gepressten Orangensaft ein. Den ganzen Tag lang bringt sie mir immer wieder Tee, während ich langliege und lese oder döse. Mein Vater, der die ganze Woche frei hat, kauft ein riesiges Puzzle mit einem Motiv namens Herbstglühen, und wir breiten es auf dem Esszimmertisch aus und arbeiten gemeinsam daran. Manchmal spielen wir zu dritt eine Variante von Scharade, bei der jeder gegen jeden spielt. Ich gewinne oft, aber das liegt nur daran, dass ich Mrs. Carvers Gesten so gut zu entschlüsseln gelernt habe, dass ich ihre Gedanken fast schon erraten kann, sobald sie nur die Hand hebt.

Ich weine immer noch im Badezimmer und abends im Bett. Allerdings schluchze ich nicht mehr laut, wie bei mir zu Hause. Hier ist alles gedämpft und sanft, so wie auf einem englischen Landsitz. Ich könnte ewig so leben, denke ich: die verwöhnte Tochter, die zerbrechliche alte Jungfer. Es erscheint mir tatsächlich möglich, bis zum Neujahrstag, als ich mit meinem Vater den Weihnachtsschmuck abnehme und plötzlich ein Büschel schlappes Lametta in der Hand halte, das ich bass erstaunt anstarre, als repräsentiere es die Gesamtsumme von allem, was ich besitze. Ich sinke auf die Armlehne des Sofas. »Ich muss mir einen Job suchen«, sage ich.

Mein Vater steht auf einem Stuhl, um an den Engel heranzukommen. Er dreht sich zu mir um, und ich erwarte, dass er sagt: »Das hat keine Eile, du hast doch dein Erbe, und du kannst so lange du willst hier wohnen«, oder sogar: »Jetzt ist vielleicht eine gute Zeit, doch noch über ein Studium nachzudenken«, aber stattdessen sagt er: »Es hilft, wenn man beschäftigt ist, wenn man etwas zu tun hat.«

Er hat sogar einen Vorschlag zu machen. Ein pensionierter Banker, jemand, den er durch seine Arbeit kennengelernt hat, hat sich entschlossen, ein Buch über die Geschichte seiner walisischen Vorfahren zu schreiben, und sucht eine Schreibkraft.

»Das habe ich doch gerade hinter mir«, stöhne ich.

»Was hast du hinter dir?«

»Für einen alten Mann zu arbeiten.«

»Nun ja, er ist natürlich nicht mehr jung, aber man sieht es ihm gar nicht an. Er ist einer von diesen dynamischen Typen. Voller Pep, ständig auf Achse. Er hat noch ein Büro in der Stadt. Ich war letzte Woche mal dort. Er beschäftigt eine Buchhalterin, ganztags, eine sehr nette junge Frau, Anfang dreißig vielleicht, sehr sympathisch. Ich glaube, sie hat schon damals in der Bank für ihn gearbeitet, aber entweder kann sie nicht tippen oder sie ist zu beschäftigt.«

»Schnell tippen kann ich auch nicht.«

»Ich glaube, es geht eher um Korrektheit. Richtige Rechtschreibung und Interpunktion. Vielleicht wäre es für dich ganz interessant, etwas über walisische Geschichte zu erfahren. Jedenfalls wäre es etwas zur Überbrückung, bis du dir überlegt hast, was du machen willst.«

»Vermutlich hast du Recht«, sage ich, und mir wird erst jetzt klar, wie viele Sorgen ich ihm manchmal bereiten muss.

Eine Woche später erkundige ich mich nach dem Job, und ich brauche bloß zu erwähnen, dass ich Saw Kirks Tochter bin, schon bin ich engagiert. Meine Gefühle sind gemischt. Stimmt, Mr. Roberts hat nichts Ältliches an sich. Er hat volles, rotblondes Haar, steht gerade und wippt auf den Zehenspitzen, er ist herzlich und laut, sagt dauernd »Bei Gott!«, und nennt mich schon nach ein paar Minuten Kirk, so als würden wir seit Jahren zusammenarbeiten.

Dennoch fürchte ich mich davor, in ein ähnliches Schattendasein zu versinken wie beim ersten Mal, als Abel mir das Herz gebrochen hat. Wieder habe ich einen netten Chef im Halbruhestand und eine Arbeit, die mir nicht sehr viel abverlangt. Gut und schön, wenn man auf Sicherheit aus ist, und damals war ich das. Ich glaubte, mein Kummer würde mich zwingen, mich treiben zu lassen, bis mir mein Schicksal begegnet, das ich mir zwar nie so ganz vorstellen konnte, das aber immer etwas mit Abel zu tun hatte, und sei es auch nur als Versuchung.

Aber – so erinnere ich mich jetzt – das ist diesmal nicht der Fall.

Egal, wie weit in die Zukunft ich auch schaue, ich sehe ihn nicht; es gibt nichts mehr, was wieder aufflammen könnte. Der Schaden ist angerichtet, er sitzt mir in den Knochen wie ein Hinken, und ich muss aufhören, darüber zu wüten. Na ja, eigentlich habe ich damit so gut wie aufgehört. Bis vor ein paar Tagen habe ich mir immer wieder mit schwindender Überzeugung gesagt: »Er ist krank. Er ist böse.« Inzwischen aber glaube ich – und das ist genauso deprimierend –, dass er bestimmte Menschen einfach nicht zurückweisen kann. Howies Geschichte von der Rothaarigen, die er abgewehrt hat, stimmt vermutlich. Flirtereien kann er widerstehen. Aber bei Hilflosigkeit wird er schwach. Bestimmt hat die Frau, mit der ich ihn im Bett erwischt habe, die Initiative ergriffen, und weil sie älter ist und er betrunken war, hat er nicht gewusst, wie er sie abwimmeln soll. In dem Moment, angesichts der Gefahr, sie zu demütigen, hat er mich einfach ausgeblendet.

Die Buchhalterin ist eine große, schlanke Frau mit einem breiten, verführerischen Gesicht und dunkelblondem Haar, das sie offen auf die Schultern fallen lässt.

»Kirk!«, sagt Mr. Robert, als er uns einander vorstellt. »Slung!«

»*Suzanne*«, sagt sie augenrollend und streckt mir unter lautem Geklimper ihrer Armreifen eine Hand entgegen.

»Louise«, sage ich. Ihre Hand ist warm.

Sie arbeitet eigentlich nicht für ihn, sondern für sich selber; er ist bloß einer ihrer Klienten, die fast alle ehemals in leitender Position tätig gewesene Pensionäre sind. Statt Suzanne anzurufen, kommen sie lieber persönlich vorbei. Sie gehen in ihr Büro und machen die Tür zu. Ich höre sie lachen. Manchmal kommen sie, wenn sie gerade nicht da ist. »Soll ich warten?«, fragen sie mich. Sie wirken verloren, sinken vor Enttäuschung in sich zusammen. »Wann kommt sie denn wieder?« Aber das kann ich nie genau sagen. Ihre Arbeitszeiten sind unregelmäßig, denn sie ist auch Schauspielerin und muss oft plötzlich zu einem Vorsprechtermin. Mr. Roberts hat ebenfalls unregelmäßige Zeiten. Wohin er geht, wird nie deutlich. Zu Sitzungen, nehme ich an, bis Suzanne mir erzählt, dass er in einem illegalen Club Poker spielt. »Er ist ein ganz Schlimmer«, sagt sie lächelnd.

An manchen Tagen kommt keiner von beiden wieder zurück, und dann muss ich die Anrufe entgegennehmen und Mr. Roberts Handschrift alleine entziffern. Der Familiengeschichte widmet er sich immer abends, er bleibt bis in die Puppen im Büro, und das bedeutet, dass ich jeden Morgen einen Packen handgeschriebener Seiten auf meinem Schreibtisch vorfinde. Bis jetzt noch nichts Persönliches, nur allgemeine Informationen über Pembrokeshire, Wales, Mitte des achtzehnten Jahrhunderts: das örtliche Gewerbe, Essen, Religion, Sitten und Bräuche und ähnliches. Ich weiß inzwischen Bescheid über Getreideloren, Kuhställe, Heidelbeeren, dass eine im Mai geborene Katze die Ratten ins Haus bringt und dass damals die Ehefrau, wenn der Mann »impotent war, Lepra oder Mundfäule hatte«, die Hälfte des Besitzes behalten und ihn aus dem Haus jagen durfte.

Interessante Arbeit, wie mein Vater vorausgesagt hatte. Zumindest interessant genug, um meine Gedanken von Abel abzulenken, solange ich tippe. Dennoch, wenn Suzanne nicht wäre, würde ich mich bestimmt öfter mal morgens krank melden. Wenn ich aufwache, treibt mich der Gedanke, sie zu sehen, aus dem Bett, und wenn sie aus irgendeinem Grund an dem Tag nicht auftaucht, bin ich ebenso tief enttäuscht wie ihre Klienten. Sie ist wie ein überraschender Blumengruß, löst jedes Mal ein kleines Prickeln aus, wenn sie aus ihrem Büro kommt und sich auf das Sofa im Empfangszimmer fallen lässt, um eine Zigarette zu rauchen und zu plaudern. Ihre Art, die Schuhe abzustreifen, ihre Tänzerinnenbeine übereinander zu schlagen, sich zurückzulehnen und dabei ihr Haar zu schütteln, wirkt zugleich unbewusst und gekünstelt. Inszeniert, mit anderen Worten, aber auch voll und ganz ihrer Natur entsprechend.

»Und«, sage ich, um sie zum Reden zu bringen, »wie lief das Vorsprechen?« Und sie erzählt fröhlich jammernd, dass sie von vornherein wusste, dass sie keine Chance hatte, denn diesmal wurde der naive Typ gesucht (vor zwei Tagen war es der Gouvernantentyp und davor ein Naturkind), aber was soll's, sie hat's mal versucht. Wenn es kein Vorsprechen gab, erkundige ich mich nach Howard und Roy, ihren beiden »Verehrern«. Nicht Freunden, denn beide gehen auf die sechzig zu, und auch nicht Liebhaber; sie schläft nicht mit verheirateten Männern. Sie gestattet ihnen allerdings Händchenhalten und längere Umarmungen. »Die Glückspilze«, sage ich. Nein, sagt sie, sie ist der Glückspilz, und das hat nichts damit zu tun, dass sie exklusiv ausgeführt wird. Sondern mit den klugen Gesprächen, der Reife und Weltläufigkeit. Sie hofft, sich eines Tages in einen Witwer zu verlieben, der seine tote Frau nicht mehr anbetet und noch einmal eine Familie gründen will. Sie sagt – und ich weiß nicht, ob sie es ernst meint oder nicht –: »Ein vornehmer älterer Mann auf allen Vieren und ein Haufen kleiner Kinder, die auf ihm herumkrabbeln, das ist mein Kleinmädchentraum.«

Wie sich herausstellt, ist Mr. Roberts ein ehemaliger Verehrer. Das erfahre ich, nachdem ich ihn dabei erwischt habe, wie er beim Verlassen des Büros mit der Hand über ihre Hüfte streicht. Sie sagt: »Genau deshalb ist es zu Ende gegangen. Weil er mich in der Öffentlichkeit betatscht hat. Und ständig hat er versucht, mich ins Bett zu kriegen, aber ich war nicht interessiert, obwohl er damals schon geschieden war. Das war – wann? Vor inzwischen fünf, sechs Jahren.« Sie wippt auf den Zehenspitzen. »Slung!«, ruft sie. »Wir haben den Punkt schon überschritten! Es gibt einen Punkt, und den haben wir überschritten!«

Ich lache. Sie hat ihn genau getroffen. »Was meinte er damit?«

»Oh, er meinte, wenn man eine Frau auf den Mund geküsst hat, dann gibt es kein Zurück mehr.«

»Du hast Mr. Roberts auf den Mund geküsst?«

»Wir hatten zu viel getrunken. Slung!« Sie fängt an, energisch ihre Bluse aufzuknöpfen. »Ich ziehe mich jetzt aus. Also, du kannst gehen oder bleiben, aber bei Gott, ich ziehe mich jetzt aus!«

Ich lache so heftig, dass ich husten muss. Weinen muss (Schatten meiner ersten Verabredung mit Troy). Sie reicht mir eine Schachtel Papiertücher und klopft mir auf die Schulter. »Isst du gern Chinesisch?«, fragt sie.

In ihrem weißen Volkswagen fahren wir zu einem Restaurant in der Dundas Street. »Ich liebe diesen Laden«, sagt sie, nachdem wir beide die Geflügelbällchen bestellt haben, die für vier Dollar im Angebot sind. »Aber ich habe ihn ewig gemieden, weil ich hier den Mann kennengelernt habe, der mir das Herz gebrochen hat. Er gab sich als einsamer Witwer aus, und eines Tages erschien er auf dem Titelblatt der ›Financial Post‹, einen Arm um ›Margaret, seine charmante Ehefrau, mit der er seit fünfundzwanzig Jahren verheiratet ist‹ gelegt.«

»Das war bestimmt hart für dich«, sage ich.

»Ja, das war es. Aber jetzt –«, sie öffnet die Hände, »jetzt nicht mehr.«

Ich bin dran. Ich weiß, dass sie mir ihre Geschichte erzählt hat, damit ich mich traue, ihr meine zu erzählen. Aber ich kann nicht. Der Gedanke an Abel macht mir noch immer das Herz schwer, und ich fürchte, ich würde wieder anfangen zu weinen. Ich bemerke, wie ihr ein paar Männer an einem anderen Tisch Blicke zuwerfen. »Du kannst jeden haben, den du willst«, sage ich.

»Du auch.«

»Ach komm.«

Sie legt ihr Kinn in eine Hand. »Was machst du gewöhnlich nach Feierabend?«

»Ich gehe nach Hause. Lese.«

»Gehst du nie aus?«

»Nicht sehr oft.«

»Warum nicht?«

Ich zucke die Achseln. Sie schaut mich noch kurz an, dann wechselt sie das Thema und erzählt von ihrer Großtante Olive, die während der Depression in der Dundas Street gewohnt hat. »Sie war Fahrstuhlführerin bei Eaton's. Ihr ganzes Arbeitsleben verbrachte sie in einer Kiste, mit dem ewig gleichen zehnzeiligen Text: ›Dritter Stock, Damenmoden. Vierter Stock, Herrenmäntel.‹ Aber sie liebte ihren Job. Sie hat nie geheiratet, weil man damals nicht heiraten und weiter arbeiten konnte. Sie hat immer gesagt: ›Man weiß nie, wer durch diese Tür treten wird.‹«

Drei Tage später gehen wir wieder zusammen aus. Diesmal ins

Kino, in »Alice lebt hier nicht mehr«, einen Film über eine Frau, die nach dem Tod ihres Mannes beschließt, ein neues Leben als Barsängerin zu beginnen.

»Sie hat den Erfolg schon so gut wie in der Tasche«, sage ich hinterher. »Sie ist ein Naturtalent. Genau wie du.«

»In dieser Stadt gibt es ungefähr fünfzig Regisseure, die dir da widersprechen würden.«

»Deine Imitation von Mr. Roberts, die war perfekt. Du bist die geborene Schauspielerin. Das weißt du auch. Du hast einen aufregenden Beruf.« Mir fallen ihre lachenden, pensionierten Klienten ein, und ich füge hinzu: »*Zwei* aufregende Berufe.« Ich seufze.

Sie tätschelt meinen Arm. »Ich schließe daraus«, sagt sie, »dass die walisische Familiensaga dein Herz nicht gerade höher schlagen lässt.«

»Ach, der Job ist nicht schlecht. Bloß ... na ja, in dem Büro zu arbeiten ist nicht so, wie einen Fahrstuhl zu führen. Ich weiß genau, wer durch die Tür kommen wird.«

»Was würdest du denn lieber machen?«

»In einem Büro arbeiten, in dem was los ist, vermutlich.«

In der Mittagspause lese ich die Kleinanzeigen, aber alle Stellen, für die ich qualifiziert bin, klingen nach langweiliger Sklavenarbeit. Ungefähr fünf Minuten lang frage ich mich, ob ich nicht doch studieren sollte. Aber was? Außerdem wäre ich älter als alle anderen, und stillsitzen und einem Vortrag zuhören war noch nie meine Stärke. Ich spiele mit dem Gedanken, Barkellnerin zu werden (wenn meine Mutter das gemacht hat, kann ich es auch versuchen), da erzählt mir Suzanne von einer Bekannten von ihr – einer Kinderpsychologin mit einer gutgehenden Praxis –, die eine Empfangsdame und Sekretärin sucht.

»Wie ist sie denn so?«, frage ich.

»Eine Mischung aus Joan Fontaine und Ingrid Bergman. Sanft und mütterlich, aber äußerst elegant. Mitte vierzig. Geschiedene Frau eines kindischen Schönheitschirurgen namens Blake.«

»Glaubst du, sie würde mich nehmen?«

»Warum nicht? Kannst du Steno?«

»Wenn der Diktierende sehr langsam spricht.«

»Sie spricht langsam. Wenn ich es mir recht überlege, spricht sie sogar sehr langsam.«

Ich bekomme den Job und fange zwei Wochen später an, mit Mr. Roberts' Segen, denn seine schwangere Enkelin hat beschlossen, dass sie gerne seine Tippse sein möchte. Es ist Ende April, die Rotkehlchen hüpfen auf dem Rasen herum, die gelben Forsythien leuchten wie Feuer im Morgennebel. Auf dem Weg vom U-Bahnhof St. George zu dem Büro, das im Erdgeschoss eines viktorianischen Hauses in der Nähe der University of Toronto liegt, erlebe ich das prickelnde, hellwache Gefühl, das ich früher oft in den Schritten anderer Sekretärinnen erkannt und beneidet habe. Vom ersten Vormittag an tröste ich besorgte Mütter – »Ich bin sicher, so etwas kommt in Dr. McIvers Praxis häufig vor«, »Kinder erholen sich schneller, als man denkt« – und nehme weinende Kinder auf den Schoß. An dem Tag bin ich erst um sieben gegangen. Am nächsten Tag war es nach acht. Katherine – sie meinte, so solle ich sie nennen, wenn wir alleine sind – hat mir gesagt, ich könne nach Hause gehen, sobald sie den letzten Patienten hereingerufen hat, aber ich mochte meinen Posten nicht verlassen, während die Mutter, der Vater oder der Babysitter noch draußen im Wartezimmer saßen. Ich nutzte die Zeit, um Fallgeschichten zu lesen und mich mit der faszinierenden Vielfalt der oft herzerweichenden Verhaltensweisen unglücklicher Kinder vertraut zu machen.

Nach einem halben Jahr gibt mir Katherine eine ordentliche Gehaltserhöhung, und ich beschließe, mir eine neue Wohnung zu suchen. Ich neige dazu, im Herbst umzuziehen, aber der Grund ist diesmal eher Abel, dessen Geist mein Schlafzimmer noch nicht verlassen hat. Wenn ich dort schlafe (statt im Wohnzimmer), ob nun im Bett oder auf dem Fußboden, träume ich fast unweigerlich davon, wie er mit einer anderen Frau schläft. »Ich weiß nicht mehr, was ich machen soll«, sage ich eines Tages zu Katherine, und sie ist diejenige, die mir erklärt, die einfachste Lösung sei wahrscheinlich die, mir eine neue Wohnung zu suchen.

Zum ersten Mal erzählte ich ihr an einem drückenden Juliabend bei einer Takeout-Pizza von Abel. Es war ein besonders langer Tag gewesen, wir hatten die Füße auf ihren Schreibtisch gelegt, der Ventilator blies uns mit voller Kraft ins Gesicht, und wir sprachen über Nicole, ein achtjähriges Mädchen, das sich immer wieder den Mund zuklebte und drohte, ihn sich zuzu*nähen*. Ich hatte das Gefühl, die Mutter sei irgendwie daran schuld, wegen ihrer eigenartigen Nonchalance, ganz zu schweigen von ihrem Versäumnis, das Klebeband zu verstecken. Katherine meinte, die Mutter spiele natürlich eine Rolle (sie benutzt niemals Vokabeln wie *Schuld*), aber der äußerst besorgte, äußerst charmante Vater sei zweifellos auch ein wichtiger Faktor. Dann verlagerte sich das Gespräch auf charmante Männer im Allgemeinen, auf Schürzenjäger und dann auf das Benehmen von Katherines charmantem, Schürzen jagenden Ex-Mann, der einmal bei einem Abendessen in ihrem Haus der Ehefrau eines anderen Mannes direkt ins Badezimmer gefolgt war. Um sicherzugehen, dass frische Handtücher da waren, wie er hinterher behauptete.

»Ich bin überzeugt, dass er es halb selbst geglaubt hat«, sagte Katherine. »Als er nach ihr ins Bad ging, hat er sich bestimmt gesagt: ›Ich sollte nach den Handtüchern sehen.‹ So konnte er zu *mir* anschließend sagen« – sie lächelte – »und das hat er jedes Mal getan, es war jedes Mal die gleiche Geschichte – dass der Sex einfach so passiert ist, keine Ahnung, wie es dazu kam.«

Das hörte sich so empörend ähnlich an wie das, was Abel gesagt hätte, wenn ich ihn hätte reden lassen, dass ich mit meiner Geschichte herausplatzte. Aber verglichen mit dem, was sie mitgemacht hatte – die kalkulierte Unschuld, die *Gemeinheit* –, hörte sich Abels Betrug in meiner Beschreibung beinahe harmlos an. »Er wollte mir nie weh tun«, sagte ich. »Das weiß ich.«

»Mag sein«, sagte Katherine. »Aber trotzdem war es richtig, Schluss zu machen. Du warst tapfer.«

Ich schloss daraus, dass sie wünschte, sie hätte ihren Mann schon eher rausgeworfen.

Sie ist eine leicht ironische Frau mit großen, grauen Augen. Sie hat etwas Träumerisches an sich, das einen glauben macht, sie höre gar nicht zu, bis sie etwas so Eindeutiges oder Vernünftiges sagt (wie zum Beispiel »Warum suchst du dir nicht eine neue Wohnung?«), dass die eigenen Gedanken mit einem Schlag entwirrt werden.

Ich hoffe, eine Dreizimmerwohnung zu finden, aber durch einen weiteren Freund von Suzanne bekomme ich schließlich einen kompletten Dreizimmer-Holzbungalow. Die Besitzer, ein Rentnerehepaar namens Stan und Ann Canary, haben sich in Florida einen Wohnwagen gekauft und wollen das Haus als Geldanlage behalten. Es hat einen Rosengarten, eine Sonnenterrasse, ein Türmchen, von dem aus man den See sehen kann, und zwei halbwilde Katzen, die nach Belieben kommen und gehen. An dem Tag, an dem ich den Mietvertrag unterschreibe, tummeln sich die Katzen auf dem Rasen, Suzanne flirtet mit Stan Canary, und mir fällt auf, dass der Kloß in meinem Hals von meinem Glücksgefühl kommt. »Ich bin glücklich«, denke ich, als wäre das ein Trick – ähnlich wie ein Hochseilakt –, der mir ganz unerwartet gelungen ist. Ich gerate leicht ins Wanken, ich habe den Bogen noch nicht ganz raus, aber das kommt schon noch.

Es kommt und geht, wie die Katzen, die ich Stan und Ann nenne. Es schlüpft durch den Riss in meinem Herzen. Ich brauche nichts zu tun, nur aus dem Schlafzimmerfenster zu schauen und ein Eichhörnchen zu beobachten, das sich in der Art von Mrs. Carver an die Brust fasst, und da ist es: dieses Aufwallen des Blutes.

Im darauffolgenden Frühling kündigen mein Vater und Mrs. Carver ihre Verlobung an. »Du scheinst ja jetzt deinen Weg gefunden zu haben«, sagt mein Vater, und ich sage: »Erzähl mir nicht, *ich* hätte euch aufgehalten!«

»Nein, nein«, sagt er. »Wir wollten nur nichts überstürzen.«

»Wie du es sonst immer tust.« Ich gebe ihm einen Kuss. Ich bin froh.

Die Hochzeit ist an einem warmen Septembermorgen in der Old City Hall, in Anwesenheit von mir, Stella und Stellas Ehemann Joe. Mrs. Carver trägt ein malvenfabenes Futteralkleid, das ich mit ihr zusammen ausgesucht habe. Ihr Strauß besteht aus weißen und lilafarbenen Orchideen. Anschließend gibt es in einem gemieteten weißen Zelt in meinem Garten einen Empfang für fünfzig Gäste, darunter auch Suzanne, Katherine, Mr. Roberts und Alice Keystone, die ich seit Jahren weder gesehen noch gesprochen hatte, die aber erst vor einer Woche anrief, um mir zu erzählen, dass sie sich selber gerade verlobt hat, mit einem Hundeabrichter, und weil sie sagte: »Oh, ich habe immer schon für Mrs. Carver geschwärmt« (anscheinend sind sich die beiden ein paarmal begegnet, obwohl ich mich daran gar nicht erinnern kann), habe ich sie eingeladen.

Sie kommt mit einem großen, zeppelinförmigen Päckchen unter jedem Arm. Das eine ist in hellblaues, das andere in rosafarbenes Papier eingewickelt, und ehe mir klar wird, dass es sich um Hochzeitsgeschenke handelt – blau für den Bräutigam, rosa für die Braut –, denke ich, was immer das ist, es sollte zu ihrem Kleid passen, das mit rosa und hellblauen Gießkannen gemustert ist.

»Das sind Polster«, flüstert sie. »Als Rückenstütze, wenn man im Bett lesen will. Dein Vater war doch immer so ein begeisterter Leser. Meine Mutter hat sie gemacht, ich habe nur ›Er‹ und ›Sie‹ aufgestickt.«

»Was für eine tolle Idee«, sage ich. Ich lache, denn es *ist* eine tolle Idee, und wer sonst wäre schon darauf gekommen? Und weil sie so vor mir steht, in ihrem Kleid, mit hochroten Wangen. »Du hast mir gefehlt«, sage ich, und auch das ist wahr.

Später, nachdem alle gegangen sind und ich auf der Sonnenterrasse sitze und den Rest der Hochzeitstorte verspeise, spüre ich eine seltsame Wehmut in mir. Es dauert eine Weile, bis mir klar wird, dass dieses Gefühl mit Alice zu tun hat, mit ihrer Verlobung. Ich wünsche ihr Glück, und ich habe es weiß Gott nicht eilig, mich meinerseits zu verloben. Aber auf der Highschool waren wir beide Außenseiterinnen, und jetzt hat sie jemanden zum Lieben und ich nicht.

Was offenbar bedeutet, dass ich mir jemanden zum Lieben wünsche. Aber stimmt das denn? Ich habe mich an die Selbstgenügsamkeit gewöhnt. Ich weiß, dass die Einsamkeit wie ein Gespenst über einen hinweggleitet, wenn man sich ganz still verhält.

Dennoch, wenn ich einen Mann kennenlernen würde…

Es gibt einen Mann, der gelegentlich in die Praxis kommt, um seinen Neffen Peter abzuholen und nach Hause zu fahren. Peter stottert, außer, wie mir aufgefallen ist, wenn er mit seinem Onkel Matthew spricht. Ich habe genügend Gespräche zwischen den beiden gehört, um zu wissen, dass Matthew alleine lebt und Trainer von Peters Baseballteam ist. Er sieht aus wie Anfang oder Mitte dreißig. Eher klein, mit einem runden, freundlichen Gesicht. Ich habe ihn einmal dabei erwischt, wie er mich angestarrt hat.

Am darauffolgenden Freitag kommt er in die Praxis. Als Peter und er gerade gehen wollen, frage ich, ob er sich auf das Wochenende freut.

»Und ob«, sagt er. »Und Sie?«

»Ich habe noch nichts vor.«

»Sie kann ja zu meinem Baseballspiel kommen«, sagt Peter.

Das ist also unser erstes Rendezvous: Ich schaue zu, wie er Peters Baseballmannschaft als Trainer bei einem Turnier führt. Er hätte sich kaum etwas ausdenken können, das ihn in attraktiverem Licht zeigt: der kernige, Sicherheit vermittelnde Trainer kleiner Jungs. Der auch herzlich bleibt und Sicherheit vermittelt, wenn sie verlieren.

Bei unserer zweiten Verabredung, in einem französischen Restaurant, erfahre ich, dass er Buchhalter ist und einmal »so nah dran« war zu heiraten. »Es sollte nicht sein«, sagt er locker. Sein Optimismus und die Zärtlichkeit in seinen Augen, wenn wir von Peter sprechen, erwärmen mich für ihn, aber trotzdem ist schon beim Dessert klar, dass es kein drittes Rendezvous geben wird. »Kaum zu glauben«, sagt er, als ich zugebe, dass Peters Turnier nicht nur das erste Baseballspiel war, das ich je besucht habe, sondern das erste Sportereignis überhaupt. Er sagt: »Du meinst, du hast nie die Footballmannschaft deiner Highschool angefeuert?« Er klingt ehrlich verblüfft. Was ich unglaublich finde, ist die Tatsache, dass die einzigen beiden Bücher, die er besitzt, der »Weltalmanach der Naturkatastrophen« und der »Ratgeber für Heimwerker« sind.

Am nächsten Morgen sage ich zu Katherine: »Es war kein totaler Reinfall. Zumindest hatte ich die leise *Hoffnung*, er könnte mich für sich gewinnen.«

»Vielleicht ist es einfach noch zu früh«, sagt sie.

»Du meinst, ich bin noch nicht über Abel hinweg? Doch, ich glaube schon, dass ich über ihn hinweg bin.«

»Liebst du ihn noch?«

»Ich werde ihn immer lieben. Ich rechne nicht damit, ihn je wiederzusehen, und ich will ihn auch gar nicht wiedersehen. Ich glaube auch nicht, dass er der einzige Mann ist, den ich je lieben werde. Aber ich liebe ihn nicht bloß so, wie man einen alten Freund liebt. Es ist mehr als das.«

Während ich das sage, stelle ich mir vor, wie meine Hand ein paar Zentimeter über einem Felsbrocken schwebt. Es ist ein Sommerabend, es dämmert und wird langsam kühl. Der Stein gibt die Hitze des Tages ab. Meine Liebe zu Abel ist wie die Hitze zwischen dem Stein und der hereinbrechenden Nacht. Dieses Gefühl oder dieser Ort.

# 43

**Elf Monate später** bekomme ich aus heiterem Himmel einen Anruf von Mr. Richter. Ich merke schon an seinem Hallo, dass etwas nicht in Ordnung ist. Ich denke, es hat mit Mrs. Richter zu tun, dass sie gestorben ist.

Es geht um Abel. Gestern Abend, als er allein in seiner Wohnung war, hat er auf einmal Blut erbrochen. Als der Rettungswagen eintraf, befand er sich schon im Schock. Inzwischen ist sein Zustand stabil.

»Ich weiß, dass ihr beide keinen Kontakt mehr habt«, sagt Mr. Richter, »aber seine Mutter meint, ein Besuch von dir würde ihm gut tun.«

Kaum habe ich das Krankenzimmer betreten, bricht Mrs. Richter in Tränen aus. Mr. Richter hilft ihr hoch, und wir gehen alle drei nach draußen auf den Flur.

»Wie geht es ihm?«, frage ich. Ich habe nur einen kurzen Blick auf ihn werfen können.

»Er schläft«, sagt Mr. Richter. Er bedankt sich für mein Kommen. Mrs. Richter klammert sich an meinen Arm. Wir gehen ein Stück den Korridor hinunter, und dann kommt Mr. Richter ohne Umschweife zur Sache. Er sagt, Abel hat Leberzirrhose. »Weil Abel noch so jung ist, glauben die Ärzte, dass er schon von Geburt an einen Leberschaden hatte.« Er spricht mit sanfter Stimme, so als wäre er der Oberarzt. »Aber die Zirrhose selber ist im Augenblick gar nicht das Schlimmste, sondern die Magengeschwüre, die sich gebildet haben und durch das Trinken schlimmer werden. Manchmal brechen sie auf, und das ist gestern Abend passiert.«

»Er hätte sterben können«, schluchzt Mrs. Richter.

Sie ist zu verzweifelt, um ins Zimmer zurückzugehen. »Warum setzt du dich nicht zu ihm, Louise?«, sagt Mr. Richter. »Wir beide gehen solange in die Cafeteria.«

Der Stuhl, den Mrs. Richter frei gemacht hat, ist noch warm. Ich dachte, er würde gelb und ausgezehrt sein, aber er sieht wunderbar aus mit seiner blassen Haut, dem langen, welligen Haar und dem heiteren Gesichtsausdruck. Ich nehme seine Hand. Sie ist kalt. Er schlägt die Augen auf. »Louise«, sagt er, und die Härte in mir, was nach dem Anruf noch davon übrig war, der Kloß des Widerstands, der mich trockenen Auges hierhergebracht hat, löst sich einfach in Luft auf.

## 44

**In mancher Hinsicht ist das Jahr,** in dem ich versuche, ihn zu retten, wesentlich leichter als die Jahre, in denen ich versucht habe, ihn zu vergessen, und die Monate, in denen ich ihn festhalten wollte. In jenen Zeiten war ich allein. Mein einziger Lockvogel war ich selber. Retten will ihn hingegen jeder, der ihn kennt, und diesmal ist der Lockvogel die ganze Welt.

Anfangs wehrt er sich nicht. Er geht freiwillig in die Marwood Clinic. Trotz einiger Rückfälle geht er noch drei Monate lang zweimal in der Woche zu den Treffen. Aus welchem Grund er aufgehört hat, ist unklar, es scheint mit der Kündigung seines Therapeuten zu tun zu haben. »Wenn er nur nach Hause käme«, sagt Mrs. Richter, »dann könnten wir auf ihn aufpassen.« Genau deshalb geht er nicht nach Hause. Er bleibt in der Kellerwohnung, in der er wohnt, seit im Frühjahr neunzehnhundertfünfundsiebzig das Mietshaus verkauft wurde. Ungefähr um die gleiche Zeit schloss die Pianobar des Hotels, und so wurde er Taxifahrer. Fährt er jemals betrunken? Ich frage ihn das, als er noch im Krankenhaus liegt; ich finde, diese Frage muss gestellt werden. Er sagt nein, und ich stelle fest, dass ich ihm glaube. Auch weil mir klar wird, dass er nie das Leben anderer aufs Spiel setzen würde. Was ihm an dem Job gefällt, sagt er, ist die Tatsache, dass er seine Arbeitszeiten selber bestimmen kann und außerdem in der ganzen Stadt herumkommt, neue Leute kennenlernt und sich ihre Geschichten anhören darf. Er denkt daran, einige dieser Geschichten aufzuschreiben. Er klingt hoffnungsvoll.

Aber im Grunde klingt er immer hoffnungsvoll. Als er das Fahren aufgibt und auch, als er nur noch den ganzen Tag im Bett liegt, behauptet er, er würde endlich zum Lesen kommen und Meditieren lernen. »Alles ist bestens«, sagt er bis zu dem Tag, an dem er stirbt.

An meinem Geburtstag gehe ich bei ihm vorbei, ehe ich mich mit Suzanne zum Essen treffe. Er hat ein Geschenk für mich. Etwas Kleines, das er ohne Klebeband in eine Seite aus einem seiner Bücher eingewickelt hat.

»Ein Stein«, sage ich und betaste es. Ich wickele es aus, und es ist tatsächlich ein Stein. »Genau, was ich mir immer gewünscht habe.«

»Es ist ein Meteorit«, sagt er.

Ich schaue ihn mir genauer an. Er ist schwarz und rostfarben. Er glänzt.

»Ein Stück vom Sonnensystem«, sagt er.

Ich greife nach seiner Hand und küsse sie. »Wo hast du ihn her?«

»Gekauft.«

»Wirklich?« Ich hätte nicht gedacht, dass er die Kraft hat, weiter als bis auf die andere Straßenseite zum Spirituosenladen zu gehen.

»Schon vor Jahren«, sagt er.

Ich schaue mir die ausgerissene Seite an. Es ist Rimbauds »Roman«. Alle vier Strophen. »Endlich«, sage ich.

»›Du bist verliebt‹«, zitiert er aus dem Gedicht. »›Deine Sonette zum Lachen sie treiben. Die Freunde alle sich verziehn.‹«

Und dann hustet er, und ein Schwall von Blut landet in meinem Schoß.

»Oh Gott.« Ich springe auf. »Oh Gott.«

»Tut mir Leid.« Er wischt sich mit dem Taschentuch den Mund ab.

Das Blut rinnt an meinem Rock herunter. »Los, wir fahren ins Krankenhaus«, sage ich.

»Ich mache es dir sauber«, sagt er und steht auf.

»Um Himmels Willen, Abel! Das ist ein Notfall!«

Er steht da und schaut zu Boden, wartet darauf, dass ich mich beruhige. »*Ich* mache es sauber«, sage ich und gehe ins Bad.

Als ich wieder herauskomme, ist er auf allen Vieren dabei, mit einem Schwamm einen Fleck auf dem Teppich abzutupfen. Ich setze mich auf das Bett. Alle paar Sekunden teilt er mit den Fingern die

Schlaufen und tupft dann weiter. Er beißt sich auf die Lippen. Seine Arme zittern. Ich sollte vermutlich übernehmen, aber ich bin in eine Art Stumpfsinn verfallen und schaue ihm bloß zu, als wäre er ein Fremder in einem Kinofilm. Wer ist das? Warum ist er so blass und dünn?

Er blickt hoch. »Es ist besser, es gleich wegzumachen«, sagt er, und mich überkommt pures, begriffsstutziges Mitleid für diesen abgemagerten Menschen, der sich noch immer so viel Mühe gibt, alle anderen vor sich zu schützen. Nicht vor seinen Forderungen; die hat er nie gestellt. Sondern vor seiner Distanziertheit. Mir kommt der Gedanke, dass der Abstand, den ich im Augenblick zu ihm wahre, derselbe ist, den er immer zwischen sich und dem Rest der Welt gewahrt hat. Wie sonst kann man sich die Illusion erhalten, dass die Menschen, die man liebt, vollkommen sind? Oder dass man es ertragen kann, sie loszulassen?

»Es tut mir Leid«, sage ich. Es tut mir Leid, dass alles so ist, wie es ist, natürlich, aber während ich das sage, frage ich mich, warum ich diejenige von uns beiden bin, die die ganze Wut abgekriegt hat? Ich kann kaum glauben, dass ich ihm damals den Brief geschickt habe.

Er hört auf zu tupfen und wirft mir einen zärtlichen Blick zu. »Es geht mir gut«, sagt er. »Alles ist gut.«

Ich nicke.

»Dir wird es auch gut gehen.«

»Ich weiß.«

Ich verlasse ihn gegen neun Uhr. Irgendwann innerhalb der nächsten drei Stunden zieht er sich ganz aus, nimmt eine Decke, eine Flasche Whisky und ein Fläschchen Beruhigungsmittel und geht auf das Dach seines Mietshauses. Die Nacht ist klar. Viele Sterne. Er trinkt den Whisky und schluckt die Tabletten, dann legt er sich auf die Decke.

Gefunden wird er kurz nach Mitternacht von Archie, dem Hauswart, der sich gewundert hat, warum die Tür zum Transformatorenhaus, die auch aufs Dach führt, nur angelehnt war.

# 45

**»Am elften Mai ist immer wunderschönes Wetter«,** erklärt Mrs. Richter.

»Wirklich?«, sagt Mr. Richter und klingt erstaunt. Er fährt langsamer als erlaubt und sitzt kerzengerade hinter dem Steuer.

»Immer«, sagt sie mit fester Stimme. »Immer an Abels Geburtstag.«

Wir sind unterwegs zur Schlucht, um seine Asche zu verstreuen. Auf der Trauerfeier war es so voll, dass mindestens hundert Leute draußen auf dem Rasen vor der Kirche warten mussten, aber heute sind wir nur zu dritt. Mrs. Richter hält die Kiste in Händen, keine Urne, sondern eine geschnitzte Holzkiste. Ich habe die drei grünen Plastikschüsseln dabei, die ich gestern bei Zellers gekauft habe: Grün, seine Lieblingsfarbe, Plastik, weil die gläsernen zu schwer waren. Wir haben die Fenster geöffnet, es ist sehr warm, selbst jetzt schon, um neun Uhr morgens. Der Frühling ist dieses Jahr früh gekommen, die Forsythien sind bereits verblüht, und die großen Laubbäume haben schon Blätter. Abel hat immer Buch darüber geführt, wann sich die Blätter der verschiedenen Bäume öffnen. Dieses Jahr habe ich mir unwillkürlich selber im Geiste Notizen gemacht. Rosskastanien: fünfzehnter April. Die jungen Ahornbäumchen: sechzehnter April. Eichen: neunundzwanzigster April.

Oben, am Rand der Schlucht, ist ein kleiner, gepflasterter Parkplatz, der um diese Zeit leer ist. Wir stellen die Schüsseln auf die Kühlerhaube, und Mrs. Richter schüttet die Asche hinein.

»Aha«, sagt Mr. Richter, der noch nie hier gewesen ist. »Die berühmte Schlucht.«

Aber nicht mehr die Schlucht, die es einmal war. Ein sechsspuriger Highway führt jetzt hindurch, ungefähr eine Meile östlich des Flusses, mehr oder weniger seinem Lauf folgend. Das Klärwerk ist weg. Camp Wanawingo wurde in eine Rasenfläche verwandelt, auf der die Stadt Picknicktische und Mülleimer aufgestellt hat. Der Weg nach unten ist aber noch fast der alte, die bewaldeten Hänge ragen wie Steilwände vor uns auf. Am Osthang stehen die weißen Blutwurzblüten, wie kleine Tassen mit gezackten Rändern. Ein brauner Schmetterling flattert über sie hinweg.

»Seht nur!«, ruft Mrs. Richter. »Was für einer ist das?«

»Ein Trauermantel«, sagt Mr. Richter.

»Oh«, sagt sie.

Wir bleiben stehen und beobachten ihn. Glauben die beiden, dass es Abel ist, oder ein Zeichen von Abel? Ich sage: »Wenn ihr wollt, könnt ihr hier anfangen.«

»Ja«, sagt Mrs. Richter und lächelt mich an, »lass uns anfangen.« Sie geht zu den Blumen hinüber und wirft eine Handvoll Asche, als würde sie Samen aussäen. Mr. Richter geht zum anderen Hang. Er betrachtet ihn eine Weile, dann sucht er sich eine Birke aus und streut vorsichtig einen Ring aus Asche um ihren Stamm. Ich warte; ich will meine für die Höhle aufheben. Weil ich wusste, dass ich klettern würde, trage ich Turnschuhe und Blue Jeans. Mr. Richter trägt einen schwarzen Anzug. Mrs. Richter ist ganz in Rot und Orange – roter Rock, orangefarbene Stola, ein rotes Band um den Kopf. Man könnte meinen, sie sei auf dem Weg zu einer Karnevalsfeier, und tatsächlich scheint sie in heiterer Stimmung zu sein. Summend und mit wiegenden Hüften geht sie den Pfad entlang.

Ich zeige ihnen, wo das Färberbaumwäldchen ist, nachdem ich ihnen im Auto erzählt habe, dass das einer seiner Lieblingsplätze gewesen ist. Dann mache ich mich auf den Weg zur Höhle. »Lass dir Zeit«, ruft Mr. Richter mir nach. »Wir warten beim Auto auf dich.«

Ich habe ein Taschenmesser mitgenommen, aber die Nesseln sind teilweise eingegangen, sodass ich leicht nach oben komme. Wie viele Jahre sind vergangen? Vierzehn. Fünfzehn. Das Sonnenlicht fällt in Streifen auf den Vorsprung und in den Eingang der Höhle. Ich gestatte mir die Vorstellung, dass sie ein Zeichen vom Engel der Liebe sind, der, nicht ganz überraschend, seit kurz vor Abels Tod nicht mehr erschienen ist. Ich gehe ein paar Schritte in die Höhle hinein. Ohne auch nur aufzublicken weiß ich, dass die Fledermäuse weg sind. Ich gehe weiter. Auch die Speere sind weg.

Ich fange an, die Asche auszustreuen. Was empfinde ich? Eine Schwere des Herzens. Ich hatte gehofft, mehr zu fühlen, eine Offenbarung zu haben, aber was mir in den Sinn kommt, ist mir schon hundertmal vorher in den Sinn gekommen. Seine qualvolle Sensibilität gegenüber der physischen Welt. Seine heftigen Träume. Seine Schuldgefühle und seine Wut über den Tod des Fledermausbabys. Seine Angst, sich einmischen oder auswählen zu müssen. Aber warum hatte er überhaupt solche Gefühle? Warum war er der, der er war?

Ich trete wieder hinaus auf den Vorsprung, drehe die Schale um und lasse den Rest der Asche vom Wind wegtragen. Ich halte nach den Richters Ausschau. Ich entdecke sie auf dem Weg zum Fluss. Ich sollte hinuntergehen, sie könnten sich leicht verlaufen. Sie scheinen in letzter Zeit schnell durcheinander zu kommen. Es kommt mir allerdings nicht wie eine Alterserscheinung vor. Sie sind wie Kinder, sie staunen über die banalsten Sachen, bleiben stehen, um etwas anzustarren, so als hätte alles, was sie durchgemacht haben, die Welt betrachtenswerter gemacht.

Zu dritt nehmen wir im Greenwoods-Shopping-Zentrum ein frühes Mittagessen ein. Beim Kaffee erkundigt sich Mrs. Richter, wo die Asche meiner Mutter ist, und ich muss zugeben, sie noch nicht verstreut zu haben.

»Oh Louise«, sagt sie, »dann wird es aber Zeit.«

Zu Hause, nachdem sie mich abgesetzt haben, gehe ich in den Keller, hole die Urne hinter alten Farbdosen hervor und nehme sie mit nach oben. Vermutlich könnte ich die Asche einfach in meinen Rosengarten streuen. Aber es sind rote Rosen, und ich glaube, sie mochte nur weiße. Ich erinnere mich nicht mehr genau.

Ich trage die Urne nach draußen, schaue mich auf dem Rasen um und erinnere mich doch an etwas: an ihren Streit mit meinem Vater, weil sie fand, man solle steinerne Gärten haben, weil man Steine nicht zu mähen braucht. Ich gehe los in Richtung Queen Street, zu den Läden. Melba's Fashions, Lila's Beauty Salon. Aber als ich dort ankomme, frage ich mich, was ich mir dabei gedacht habe. Ich kann die Asche wohl kaum einfach auf den Bürgersteig werfen, wo alle darauf herumtrampeln, und niemand wird mir gestatten, sie *drinnen* im Laden auszustreuen.

Ich laufe auf der Queen Street Richtung Osten und gehe in den Kew Gardens-Park. Es ist immer noch ein wunderschöner Tag, eher wie Ende Juni. Ich gehe vorbei an Leuten, die auf Decken ausgestreckt liegen, vorbei an den lila-gelben Petunienbeeten und den Tennisplätzen. Nichts von alldem hätte ihr gefallen. Ich erreiche den überfüllten Holzsteg. Menschenmengen hat sie gehasst. Wie wär's mit dem Strand? Wir waren nie am Strand. Ich stelle mir vor, wie sie den Sand betrachtet und nur Schmutz sieht, die Sonnenanbeter anschaut und nur Fett sieht. Ich gehe zum Ufer und betrachte den blauen See, den blauen Himmel, die weißen Möwen, die auf Luftströmen schweben. Was hätte sie dagegen einzuwenden gehabt? Oh, das Wasser ist verseucht, die Möwen sind hinterhältig.

Mein Blick wird von unvergossenen Tränen getrübt. Abel hätten wir überall verstreuen können, an jedem x-beliebigen Ort. Warum verstreue ich *sie* dann nicht an einem x-beliebigen Ort?

Ich kann nicht. Irgendwie kann ich nicht.

Zu Hause ist die Tür offen. Ich habe vergessen abzuschließen. Ich gehe ins Wohnzimmer, schiebe die Sachen auf dem Kaminsims – Bücher, einen steinernen Buddha, den Meteoriten – beiseite und stelle die Urne in die Mitte. Sie ist wirklich hübsch; wahrscheinlich hat sie sie selber ausgesucht. Natürlich hat sie sie ausgesucht. Sie hätte nie riskiert, in ein ordinär aussehendes Gefäß gesteckt zu werden.

Sie hätte auch nicht auf dem Kaminsims stehen wollen. In aller Öffentlichkeit.

Ich nehme die Urne wieder weg, gehe hinaus auf die Veranda und stelle sie zwischen Vasen und Tontöpfe in ein Regal. So, das ist besser. Immer wenn ich hier draußen bin – den Sonnenuntergang betrachte, meine Rosen anschaue –, werde ich sie sehen und denken: »Meine Mutter.« Ich werde sie nicht vergessen, so viel ist sicher.

Nicht, dass mir das sonst passiert wäre. Nicht, dass wir je vergessen.

## Danksagung

Für großzügigen Rat gebührt mein Dank:

Den Fachleuten: Dr. Rick Davis in Guelph, Dr. Donner Dewdney in Des Moines, und Dennis James vom Centre for Addiction and Mental Health in Toronto;

Den Freunden und Verwandten: Christopher Dewdney, Beth Kirkwood, Marni Jackson, Anne Mackenzie und Brian Fawcett;

Den Agentinnen: Jackie Kaiser und Nicole Winstanley;

Den Lektoren: Iris Tupholme von HarperCollins Canada, die mich stützt, und Sara Bershtel von Metropolitan Books in New York, die mir den Weg zeigt.

Die biographischen Informationen über J.S.Bach entstammen der Taschenbuchausgabe von Eva und Sydney Grew, »Bach«, J.M. Dent and Sons Ltd., London 1947

# LILY
# BRETT

*»Ihre Stärke ist etwas, das sie selbst als jüdischen
Humor bezeichnet, gepaart mit Lust am Anekdotischen
und Grotesken. Sie beschreibt New Yorker Neurosen
und jüdische Eigentümlichkeiten so komisch, dass
Kritiker ihren Stil mit Woody Allen vergleichen.«*
**Die Welt**

*»Zwei Stärken der Autorin: ihre große Offenheit
und Fähigkeit, in ganz kleinen, nebensächlich wirken-
den Szenen einen tiefen Schmerz zum Ausdruck zu
bringen.«* **Frankfurter Rundschau**

Zu sehen
3-453-19588-4
Zu viele Männer
3-453-21258-4

Lily Brett
Zu viele
Männer
Roman

3-453-21258-4